D0366627

Deux cierges pour le diable

Laura Gallego García

Deux cierges pour le diable

TRADUIT DE L'ESPAGNOL PAR FAUSTINA FIORE

Titre original : Dos velas para el Diablo
Tous droits réservés

De nos jours, plus personne ne croit aux anges. Enfin, il y a bien quelques personnes qui pensent que ce sont des êtres de lumière, qu'ils veillent sur nous, et que si on les prie très fort, ils peuvent nous aider à trouver un fiancé, nous faire gagner au loto, ou soigner nos hémorroïdes. Mais ce n'est pas ce que j'appelle croire aux anges.

Je vous parle des anges mentionnés dans la Bible. Les messagers de Dieu. Comme Michel, qui a expulsé les démons du ciel. Comme Uriel, qui gardait la porte du paradis armé d'une épée de feu, pour le malheur d'Adam et Ève. Ou comme Métatron, qui n'est autre, malgré son nom de robot tout droit sorti d'un manga, que le roi des anges, le plus puissant de tous.

Plus personne ne croit à ces anges-là. On prétend que ce ne sont que des mythes. En fait, ils ne sont plus à la mode, voilà tout.

Pourtant, il y a des gens qui croient aux démons. Et je les comprends. Il suffit de jeter un coup d'œil autour de soi pour se rendre compte à quel point le monde va mal. Encore plus simple : il suffit de regarder les infos.

Le journal télévisé donne l'impression qu'il n'arrive que des horreurs. Il est difficile de croire en Dieu ou aux anges devant les images d'une guerre, d'une épidémie, d'une catastrophe naturelle... Alors qu'il est aisé de croire que les démons existent et que l'enfer est bien plus proche qu'on ne se l'imagine.

Ce n'est pas juste. Bien sûr, il se passe plein de choses terribles, mais pas seulement. Il y a aussi des bonnes nouvelles. Tous les jours. Sauf que nous avons tendance à les ignorer. Nous semblons éprouver une curiosité malsaine envers le malheur ou la violence. Peut-être parce que ça nous montre, par contraste, à quel point nous avons de la chance – ou au contraire parce que ça nous confirme dans l'idée que le monde est pourri.

Du coup, la tâche des anges est bien plus ardue qu'elle ne devrait l'être. C'est déjà bien assez pénible de devoir sans cesse essayer d'arranger les choses sans que les gens méprisent votre travail ou dénient votre existence.

Car les anges existent vraiment. Ils ont toujours existé.

Comment je le sais ?

Parce que mon père en était un.

Je m'appelle Cat.

En fait, mon vrai nom est Caterina. C'est ma mère qui l'a choisi, à ma naissance. Je ne l'ai pas connue. Mon père n'en parlait presque jamais, peut-être parce que ça lui faisait trop de peine. Ce détail concernant mon nom est l'une des rares choses que j'aie réussi à lui arracher, ce qui explique peut-être pourquoi c'est si important pour moi.

Quand j'étais petite, j'adorais ce nom. Caterina. Je le trouvais distingué, élégant, très féminin. Un nom parfait pour une demoiselle. Parfois, quand nous passions devant une école privée BCBG avec des filles en uniforme, je m'arrêtais pour les regarder et je rêvais d'être comme elles, d'avoir des amies, de vivre dans une jolie maison, de porter des vêtements chics et de jouer avec des poupées Barbie. Oui, oui, j'avoue : gamine, j'avais envie d'avoir une Barbie. Pour ma défense, je dois dire que j'étais encore toute petite et que j'en avais assez de cette vie errante que nous menions, mon père et moi, passant toujours d'un endroit à l'autre sans jamais nous poser quelque part.

Voilà pourquoi j'aimais qu'on m'appelle Caterina. Il me semblait que ce nom collait parfaitement avec le genre d'existence dont je rêvais. Mais mon père m'appelait toujours Cat, ce qui m'agaçait énormément. Je me suis souvent disputée avec lui à ce sujet. Enfin, soyons clairs : il n'y avait que moi qui m'énervais. Mon père se contentait de me regarder avec son sourire habituel et de me caresser tendrement les cheveux. Et il continuait à m'appeler Cat, le mot anglais pour « chat ». Il paraît que quand je me réveille le matin, je bâille et je m'étire comme un chaton.

Maintenant qu'il est mort, je ne veux plus qu'on m'appelle Caterina. En son honneur, je serai désormais Cat.

Théoriquement, les anges ne peuvent pas mourir. A priori, ils ne devraient même pas avoir de corps : ce sont de purs esprits qui peuplaient le monde bien avant la création du premier être humain.

Tout cela est vrai. Mais parfois, ils se transsubstantient. En d'autres mots, ils se matérialisent : ils se créent un corps, habituellement humain, pour pouvoir interagir avec nous. En fin de compte, nous sommes censés être les êtres les plus parfaits de la Création – après eux, bien sûr.

Autrefois, les anges pouvaient se matérialiser et ensuite retourner à l'état spirituel sans problème, aussi facilement qu'on ôte un vieux vêtement dont on n'a plus besoin. Mais peu à peu, ils ont eu de plus en plus de mal. Ils se sentaient faibles, comme si leur batterie s'épuisait, d'une certaine manière. Jusqu'à ce qu'arrive le moment où ils n'ont plus été capables d'abandonner leur corps humain.

Personne ne sait pourquoi, ni pour quelle raison Dieu ne fait rien pour y remédier.

Ça fait longtemps que les choses en sont là. Très longtemps. Des siècles. De nos jours, il ne reste plus d'ange à l'état spirituel. Ils sont tous prisonniers de leur carapace humaine.

C'était le cas de mon père.

Néanmoins, même dans cette enveloppe charnelle, les anges ne peuvent pas mourir – pas plus que les démons, d'ailleurs. Ce qui nous touche ne les affecte pas. Ils ne vieillissent pas, ne tombent pas malades, et leurs blessures guérissent extrêmement rapidement. Excepté les blessures de l'âme, bien entendu.

Il n'y a qu'une seule chose qui puisse tuer un ange ou un démon. Vous vous rappelez l'épée de feu d'Uriel que j'ai mentionnée tout à l'heure ? Voilà, c'est ça.

Chaque ange, qu'il s'agisse d'un ange resté tel ou d'un ange déchu, possède sa propre épée. À l'origine, je suppose que ce n'était pas nécessaire. Mais lorsque Lucifer s'est rebellé, il a bien fallu le combattre d'une manière ou d'une autre. Certains affirment que c'est Michel qui a inventé les épées, et que Lucifer s'est approprié sa trouvaille. De leur côté, les démons prétendent que ce sont eux qui les ont créées, et que les anges les ont imités. Ça n'a pas d'importance. Le fait est que, depuis lors, les épées existent.

Ce ne sont pas vraiment des épées de feu, même si les premiers humains ont dû être tellement impressionnés par l'arme d'Uriel que c'est ainsi qu'ils l'ont décrite. Ce ne sont pas non plus vraiment des épées lumineuses style *jedi*. Mais c'est quelque chose de ce genre.

Les épées angéliques sont faites d'un matériau extraordinaire. Littéralement. Elles ont été forgées à partir d'une essence angélique inversée et solidifiée. Ou, si vous préférez, une espèce d'anti-essence angélique. Comme le négatif d'une photographie.

Ces épées ne furent pas inventées pour tuer les humains ou n'importe quelle autre créature mortelle. Ce sont les armes qu'utilisent les anges et les démons dans la lutte qui les oppose depuis le début des temps.

Les seules armes capables de les tuer, et les seules qui soient autorisées dans cette guerre. Bien entendu, les démons ne respectent pas toujours ce dernier point, sinon ce ne seraient pas des démons.

Mon père a été abattu de manière traditionnelle : avec une véritable épée démoniaque. Quand il est mort, son épée m'est restée. En théorie, les humains ne peuvent pas manier une telle arme, mais je suis quand même sa fille. Désormais, elle m'appartient.

Et j'ai l'intention de l'utiliser pour venger sa mort. Je trouverai le démon qui l'a assassiné, et je le tuerai de mes propres mains.

À ce stade, vous êtes probablement en train de penser que je suis complètement cinglée. Comment puis-je être certaine que mon père était un ange ?

Tout simplement parce qu'il me l'a dit.

Non, je n'ai jamais vu ses ailes. Les ailes des anges ne sont pas des membranes couvertes de plumes. Elles font partie de leur essence. Elles sont invisibles et intangibles, mais elles sont là. Si vous aviez pu voir l'aura de mon père, vous auriez peut-être remarqué sur son dos deux cascades de lumière. Mais rares sont ceux qui sont capables de distinguer l'aura des gens, et je n'en fais pas partie. Je suppose que vous non plus.

Mon père n'était pas comme les autres. Il se faisait appeler Ismaël, mais son véritable nom était Iah-Hel, et c'était la personne la plus douce et paisible que j'aie jamais connue. Il adorait tous les êtres vivants, des microbes aux baleines, en passant par les moustiques, les cafards, les serpents et toutes sortes de bestioles désagréables. Pareil pour les plantes. Pour lui, tout faisait partie de la Création divine, donc tout était parfait. Même les cafards. Mon père était à la fois capable de comprendre en un clin d'œil les idées les plus complexes et de s'extasier devant le vol d'un papillon. Il aimait le monde.

Voilà pourquoi il était toujours triste.

Mon père appartenait à l'une des classes inférieures des anges. Rien à voir avec les chérubins, les séraphins ou les puissances. Iah-Hel était un ange ordinaire, de l'un des niveaux les plus bas. Les plus gradés passent leur temps à contempler le visage de Dieu, au ciel, ou là où vous voulez. Les anges comme mon père, eux, ont pour mission de demeurer sur Terre et de surveiller la Création. C'est leur fonction ; c'est pour ça qu'ils existent.

Or, c'est bien là le problème. Il reste bien peu de la Création de Dieu. Les êtres humains sont en train de détruire la planète, et les anges ne peuvent rien faire car, comme nous faisons nous aussi partie de la Création, ils doivent nous protéger. Même si nous faisons du sabotage, et même si quelques anges pensent qu'il vaudrait mieux que nous nous exterminions les uns les autres une fois pour toutes. Vous comprenez le dilemme ?

Mon père était donc toujours déprimé. Il était témoin de la destruction progressive de la Création de Dieu et ne pouvait rien faire pour l'empêcher. Comme bon nombre d'autres anges, il se sentait perdu, déboussolé.

Cela explique probablement pourquoi nous étions toujours en voyage. J'imagine que, d'une certaine manière, il aurait voulu demander des explications à Dieu. Et il espérait le rencontrer dans des zones où la Création est encore à peu près vierge. J'ai sillonné à sa suite la moitié de la planète, des forêts du Grand Nord aux sommets de l'Himalaya. Vous trouvez ça super, pas vrai ? Vous vous trompez. Personne n'aime être dévoré par les moustiques, dormir sous une pluie diluvienne ou grelotter de froid en trottant derrière un sherpa renfrogné. Je vous assure que ça n'a rien d'agréable.

Quoi qu'il en soit, mon père n'a jamais trouvé ce qu'il cherchait. Il est mort dans une station-service, près d'une autoroute, en Pologne. Je suis allée aux toilettes (lui n'avait pas besoin de manger, de dormir, de faire pipi, etc., mais moi si !), et quand je suis sortie, je l'ai trouvé mort, étendu dans une flaque d'essence.

Comme je vous l'ai dit, mon père était un ange mineur. Les anges les plus puissants traversent une mauvaise passe, à moins qu'ils n'aient déjà disparu. Je ne sais pas s'ils poursuivent la guerre contre les démons. Par contre, je sais que mon père n'y participait pas. Il ne représentait de danger pour personne. Ce n'était qu'un pauvre ange solitaire qui parcourait le monde à la recherche de Dieu en traînant sa fille derrière lui. Aucun démon qui se respecte n'aurait perdu son temps avec un petit ange écologique comme lui. Pourtant, on l'a tué.

Voilà pourquoi je suis tellement furieuse. Pourquoi je veux m'enrôler dans cette guerre que mon père avait choisi d'ignorer. Je chercherai les coupables, où qu'ils se cachent, et je leur demanderai des comptes.

On ne peut pas reconnaître un ange à première vue. Un démon non plus, d'ailleurs. Tout comme les anges ne se promènent pas avec deux énormes ailes couvertes de plumes sur le dos, les démons n'arborent pas queue, cornes et pattes de chèvre. Vus de l'extérieur, ce sont des humains comme les autres.

Par ailleurs, les anges ne sont pas particulièrement beaux. En tout cas, mon père ne l'était pas. Aucune femme ne se retournait sur son passage.

Les démons... là, c'est une autre affaire.

Non qu'ils soient forcément éblouissants, comprenons-nous. Mais ils possèdent un... disons, un magnétisme, un charisme, un sex-appeal – appelez ça comme vous voudrez – qui les différencie des autres. Avez-vous déjà rencontré une personne qui, sans être particulièrement jolie, attire tous les regards ? Une personne que tout le monde essaie d'imiter, même si nul ne peut dire ce qu'elle a de spécial ? Eh bien, il y a de fortes chances pour que cette personne soit un démon. Nombreux sont ceux qui font carrière à la télévision. Tout le monde cherche à se coiffer comme eux, à s'habiller comme eux, à parler comme eux... sans que le résultat soit comparable. Ça ne sert à rien d'essayer. Leur charme ne peut pas être défini, et encore moins reproduit. Ils feraient le même effet sous n'importe quel autre aspect. C'est ce magnétisme démoniaque qui fait que la plupart des gens préfèrent écouter un démon qu'un ange. Encore un de leurs trucs malhonnêtes.

Malgré cela, il n'est pas si facile de distinguer un ange d'un démon. Pas même en fonction de leurs actes. Un démon peut vous donner le meilleur des conseils avec la meilleure des intentions. Un ange peut vous faire du tort, s'il estime que cela lui donnera de plus grandes chances de sauver la Création. Et le plus tordu des psychopathes peut se révéler être un humain.

Pour tout dire, parfois, les actions des uns et des autres sont difficiles à comprendre. On ne peut même pas les classer en « bonnes » et en « mauvaises » actions. Cela dépend des points de vue. D'une certaine manière, anges et démons se comportent comme s'ils jouaient une immense partie d'échecs. D'un point de vue bêtement individualiste, on peut estimer qu'avancer ce pion était une erreur, sans s'apercevoir que ça a permis d'ouvrir le passage au fou ou de protéger le roi. De même, nous ne comprenons pas qu'il est parfois nécessaire de sacrifier des pièces. Nous sommes des humains. La partie n'a pas pour but de profiter à quelqu'un comme vous et moi. Elle a pour enjeu la Création tout entière.

Néanmoins, personne ne peut échapper à sa véritable nature. Il y a un moyen simple de distinguer un ange d'un démon : si vous vous trouvez au bord d'un précipice, l'ange vous tendra la main, et le démon vous poussera.

Mais bien sûr, à ce stade, il sera trop tard.

En dehors de mon père, je n'ai jamais fréquenté d'ange ni de démon. À ma connaissance, en tout cas. Au fil de nos voyages, nous avons rencontré beaucoup de gens. Non que mon père ait été particulièrement sociable : au contraire, il était plutôt timide et n'abordait pas spontanément des inconnus. Mais si ces inconnus s'approchaient eux-mêmes, il les accueillait avec un grand sourire.

Mon père avait des amis dans le monde entier. Il est possible que certains d'entre eux soient des anges. Comment pourrais-je le savoir ?

De toute façon, pour l'instant, je n'ai pas envie de rencontrer d'autres anges. Pas encore. J'ai besoin d'un ami. D'un humain. De quelqu'un comme moi.

Voilà pourquoi je suis ici. Ça fait moins d'un mois que mon père est mort, et j'ai eu bien du mal à revenir de Walbrzych, cette ville de Pologne où il a été tué. Le voyage a été compliqué. Comme vous vous en doutez certainement, je n'ai pas beaucoup d'argent. Mon père n'en avait pas besoin. On l'invitait partout, comme une star de cinéma. À bord des trains ou des autobus, les contrôleurs ne s'apercevaient pas de sa présence. Et s'il le fallait, il allait à pied, tout simplement, sans s'inquiéter des distances. C'est l'avantage d'être un ange.

Non qu'il ait manipulé l'esprit des gens, ni rien du genre. Mais on l'aimait. Il émanait de mon père un sentiment rassurant. On avait l'impression que tant qu'on était en sa présence, il ne pouvait rien arriver de mal. Cela explique pourquoi ce dernier mois fut si dur pour moi. L'autre raison, c'est que moi, les contrôleurs me remarquent, et que j'ai beau être affamée, personne ne m'offre un hamburger. Après tout, je ne suis pas un ange. Je suis une fille de seize ans irascible et mal habillée. Encore heureux que personne ne voie mon épée. Elle n'est pourtant pas invisible, mais les mortels n'y font jamais attention. Ces armes sont trop vieilles pour constituer une nouveauté, et trop rares pour qu'on les reconnaisse ; trop dangereuses pour qu'on puisse espérer leur échapper, et trop inoffensives pour que les humains y voient une menace, puisqu'elles ne leur sont pas destinées.

Cela vous semble absurde, j'imagine ? J'avoue que moi non plus, je ne comprends pas très bien. Mais c'est comme ça que mon père m'a présenté les choses le jour où il a songé à me prévenir qu'il portait une épée en bandoulière. Elle avait toujours été là, mais croyez-le ou non, je ne l'avais jamais remarquée jusqu'à ce qu'il la mentionne.

Comme je le disais, le fait que personne ne voie mon épée est mon unique atout. Il aurait été bien plus compliqué de trimbaler une arme ordinaire ; pourtant, j'en ai absolument besoin pour venger mon père.

Ce qui me ramène au premier problème que j'ai dû affronter. Si votre père avait été assassiné par un démon – ou plusieurs – et que vous vouliez retrouver le ou les coupables, comment vous y prendriez-vous ?

Vous ne savez pas ? Moi non plus. Voilà pourquoi je me dirige vers chez Jipé.

Vous vous rappelez quand j'ai dit que j'avais peut-être connu des anges sans le savoir ? Jipé n'est pas un ange, même s'il est bon comme le pain. Cependant, aujourd'hui, c'est le seul à pouvoir m'aider.

Jipé ne s'appelle pas réellement Jipé. Ses paroissiens le connaissent sous le nom de Père Juan Pedro, le vouvoient et le traitent avec beaucoup de respect. Plus d'une petite vieille serait choquée de m'entendre lui donner un surnom aussi familier. Sauf que moi, je ne l'ai pas connu à la messe, ni au confessionnal, ni même à l'église. Je l'ai connu dans une bibliothèque. Je n'étais alors qu'une gamine de sept ans ; quant à lui, il ne savait des anges que ce qu'on lui avait enseigné au séminaire.

Au fond, je crois que Jipé est mon seul ami. Le seul que je me sois fait moi-même – non par l'intermédiaire de mon père, autrement dit.

La paroisse de Jipé se trouve à Valence, dans le centre-ville, mais elle est assez petite. Elle est rattachée à une église de quartier où tout le monde se connaît, et où il n'y a que quatre pelés et un tondu, toujours les mêmes, qui assistent à la messe du mercredi soir. Voilà pourquoi le cinquième pelé – moi – attire forcément l'attention, avec ou sans épée. Il y a là un grand-père qui n'arrête pas de me regarder de travers. D'accord, je suis en guenilles, mais je viens de Pologne, nom d'un chien ! Et pas en avion classe affaires : à pied, en auto-stop, et en car miteux ! C'est tout ce que j'ai pu me permettre. Et même s'il est plutôt rare qu'une fille de seize ans assiste à la messe du soir, surtout en semaine, en quoi est-ce que ça lui pose problème ? Le curé a bien le droit d'avoir des amies, non ?

J'essaie de lui expliquer tout ça avec une grimace, mais je ne suis pas certaine qu'il comprenne. Pas dans les détails, en tout cas.

Mais bon, je m'en fiche. J'attends tranquillement la fin de la cérémonie, assise sur mon banc.

Si bizarre que cela puisse paraître, je ne suis pas vraiment croyante. Disons que je crois en Dieu – je suis quand même la fille d'un ange – mais pas exactement à la manière des catholiques. Je pense que cela vient d'avoir vu mon père chercher Dieu dans toutes sortes de lieux sacrés (ermitages, cathédrales, mosquées, synagogues, ruines grecques ou romaines, et les innombrables temples orientaux dédiés à tous les dieux possibles et imaginables) et en ressortir systématiquement déçu. Pendant cette étape de sa vie, il se disait que les humains avaient peut-être trouvé Dieu, et que c'est pour cela qu'ils érigeaient des temples dans des lieux déterminés où on pouvait espérer percevoir quelque chose de l'essence divine. Nous allions donc d'église en église, mais il n'écoutait jamais les messes et cérémonies. Il restait debout au fond, sans déranger mais sans participer. Il levait la tête et fermait les yeux. Il espérait ressentir quelque chose ; j'ignore quoi. Mais chaque fois qu'il les rouvrait, il avait le même regard triste, désillusionné. Il secouait la tête, me prenait par la main et quittait l'église discrètement, sans faire de bruit.

Un jour, il s'est lassé de chercher dans des lieux sacrés. Il a alors commencé à parcourir les quelques espaces naturels vierges qui existent encore dans le monde.

Il en était là quand on l'a tué.

Jipé n'est pas encore au courant, bien sûr. Il va être horrifié. Pour l'instant, il est très concentré sur sa messe. Soit il ne m'a pas vue, soit il ne m'a pas reconnue, soit il refuse de se laisser distraire. Il a raison. Après tout, c'est son boulot.

Je profite de la messe pour me reposer. Lorsque Jipé conclut avec un « Allez dans la paix du Christ », une femme s'approche de lui pour lui parler. Je reste patiemment assise. Je viens de remarquer une image qui n'était pas là quand je suis venue pour la dernière fois. Ça fait un bout de temps, et j'ai visité beaucoup d'autres églises depuis, mais je sais que je m'en serais souvenue.

C'est une toile qui représente l'Annonciation. Dans ce genre de tableau, tout le monde observe la Vierge, son regard doux, l'étonnement qui se lit dans ses yeux quand on lui annonce qu'elle va donner le jour à un bébé divin. Mais moi, face aux Annonciations, je ne m'intéresse pas à Marie, mais à l'ange. À Gabriel.

On dépeint habituellement Gabriel comme le plus aimable des anges. Ce n'est pas pour rien qu'il est censé apporter de bonnes nouvelles et fréquenter les humains, tout comme Raphaël, un autre ange relativement sociable. J'ignore si tout cela est vrai. Je ne connais pas Gabriel. Je ne sais même pas s'il existe encore. C'est l'un des sept grands archanges. D'après mon père, certains ont disparu.

Le Gabriel de ce tableau est blond, avec une expression pleine de bonté, une auréole resplendissante et des ailes immenses, splendides. J'ai toujours dit à mon père que les anges auraient dû se matérialiser avec de véritables ailes, comme dans l'iconographie traditionnelle. Il me répondait que c'était peut-être le cas autrefois, lorsque les anges se montraient aux humains sous leur vraie forme et non sous une apparence humaine comme aujourd'hui. Mais désormais, aucun ange ne pourrait se permettre de se créer un corps de ce genre. D'abord parce qu'il n'en aurait plus la force, et ensuite parce que je n'ose imaginer ce qui arriverait à un individu ailé qui aurait l'audace de se balader dans un lieu civilisé !

Il n'est pas nécessaire de croire en Dieu, Jésus, la Vierge ou même les anges pour apprécier la beauté d'une Annonciation – si elle est bien faite, bien sûr. La beauté existe pour qu'on en profite, et elle n'a pas besoin d'être liée à un culte, une religion, une croyance. Les anges sont bien au-dessus de tout ça, et je suis convaincue que Dieu aussi, où qu'il soit.

« Cat ? C'est toi ? »

Je lui adresse un large sourire, ce qui me tire sur les joues. Ma mâchoire n'a rien fait de tel depuis un bon mois.

« Salut, Jipé ! »

Comme prévu, la femme avec qui il vient de discuter se retourne et me lance un regard furibond. Ça m'est égal. Je sais que je n'ai plus sept ans, l'âge auquel j'ai commencé à le surnommer ainsi, mais je ne crois pas que ça le dérange.

« Salut, Cat, dit-il avant de se corriger immédiatement. Pardon, je veux dire Caterina. »

Je secoue la tête.

« Cat. »

Nous nous dévisageons. Je suppose qu'il est en train de penser que j'ai bien grandi, que le temps a passé, bla, bla, bla. Personnellement, je n'ai pas l'impression qu'il a changé le moins du monde. Ces mèches grises sur ses tempes, peut-être ? Mais il a toujours les mêmes cheveux noirs, la même coiffure – une raie sur le côté – et le même sourire, à la fois bienveillant et un peu perplexe. Je crois aussi qu'il porte les mêmes lunettes que la dernière fois que je l'ai vu, il y a... cinq ans ? Six ?

« Comme tu as grandi, Cat... »

Je vous avais avertis : Jipé est extrêmement prévisible. Dans une seconde, il va me demander des nouvelles de mon père.

« Comme le temps passe... Et ton père ? Il n'est pas avec toi ? »

Qu'est-ce que je vous disais ?

« Non, il... il n'a pas pu m'accompagner. C'est une longue histoire. »

Je lui lance un regard lourd de sens, mais il ne comprend pas.

« Il t'attend, peut-être ? Dans ce cas...

— Non, non. Je veux dire... Je suis venue toute seule. De Pologne. Et je n'ai nulle part où aller. Sans compter que j'ai besoin de te parler de ce qui est arrivé à mon père. De te demander... »

Je n'arrive pas à continuer. Je vous ai dit que ça faisait un mois que je ne souriais pas, n'est-ce pas ? Ça faisait également un mois que je n'avais pas prononcé trois phrases d'affilée. Et ce n'est pas si facile de redevenir subitement loquace.

Jipé a l'air d'avoir du mal à digérer cette nouvelle.

« Tu es venue de Pologne en Espagne toute seule ? »

Quand je pense que je ne lui ai encore rien raconté !

« Oui. Est-ce que je peux dormir chez toi cette nuit, s'il te plaît ? »

Il semble soudain mal à l'aise.

Jipé habite dans un appartement exigu près de l'église. Il n'y a qu'une seule chambre, la sienne, un tout petit bureau, et un salon/salle à manger. Même la cuisine et la salle de bains sont minuscules. Nous y avons logé la dernière fois que nous sommes passés par Valence. À l'époque, j'avais dormi sur le canapé, et comme à son habitude, mon père n'avait pas dormi du tout. Je me rappelle que Jipé était très gêné, convaincu que mon père faisait ça par politesse, pour ne pas le déranger, mais ce n'était pas le cas. Mon père n'avait pas besoin de dormir. Il avait passé la nuit dans le bureau à lire les livres de notre hôte. Depuis qu'il nous connaît, Jipé se passionne pour l'angélologie. La dernière fois que nous sommes venus, il possédait déjà une collection non négligeable d'essais sur ce sujet. Pas étonnant que mon père s'y soit intéressé. Quant à moi, j'avais dormi sur le canapé sans me poser de questions. En fin de compte, je n'avais que dix ou onze ans.

J'imagine que c'est justement mon âge qui pose problème. Pour un curé, ce n'est pas la même chose de loger une gamine accompagnée de son père ou d'accueillir une jeune fille qui voyage seule. Surtout quand on est entouré de voisines curieuses.

« Tu habites toujours au même endroit, pas vrai ? Je me contenterai du canapé. » J'ajoute rapidement, avant qu'il ne puisse répondre : « Je t'assure, je n'ai besoin de rien d'autre. Ce sera toujours mieux que les bancs des gares routières et les sièges arrière des autocars. »

Il cligne les yeux. Je sais qu'il n'aura pas le cœur de me laisser à la rue.

Pour une fille d'ange, je suis plutôt manipulatrice, pas vrai ?

« A... Assassiné ? » balbutie Jipé.

Il se laisse tomber sur la seule chaise libre, abasourdi.

« Par un groupe de démons », je précise avant de mordre encore une fois dans le sandwich qu'il a tenu à me préparer. Du jambon serrano. Miam ! Et il m'a promis une omelette de pommes de terre pour demain... Re-miam ! Et un canapé pour dormir, et une salle de bains... Quel luxe. Si je n'avais pas juré de me venger, je m'installerais ici sans hésiter. Quitte à jouer les enfants de chœur à l'église au besoin.

Jipé ôte ses lunettes et les nettoie avec son pull.

« Des démons », répète-t-il. J'imagine ce que cela peut représenter pour un prêtre. Il sait que les démons existent, bien sûr, mais il ne pensait pas qu'il en entendrait parler un jour, en tout cas pas de manière aussi directe. « Tu en es certaine, Cat ? Tu les as vus ?

— Non. » J'ai la gorge nouée. J'avale une gorgée d'eau, mais ça n'améliore pas les choses. « Mais mon père est mort, Juan Pedro. Et ce n'est pas si facile de tuer un ange. Tu comprends ? »

Nous ne lui avons jamais parlé des épées. Il vaut mieux qu'il ne sache rien à ce sujet.

« Non, c'est justement ça que je ne comprends pas. Les anges ne peuvent pas mourir ! »

Je lutte pour étouffer la rage qui menace de m'envahir.

« Oublie toutes les salades que tu as entendues à propos des purs esprits et compagnie, d'accord ? Les anges d'aujourd'hui possèdent un corps. Un corps qui guérit tout seul, qui ne vieillit pas et qui ne tombe pas malade, mais qui reste vulnérable à une chose, une seule : l'attaque d'un démon. Eux seuls ont pu le tuer. Voilà pourquoi je sais que ce sont eux les coupables, même si je ne les ai pas vus faire.

— Comment ça s'est passé, Cat ?

— Je te l'ai déjà dit.

— Vaguement. J'aimerais connaître les détails.

— Pour quoi faire ? » Il ne mérite pas que je dirige ma colère contre lui, mais je suis incapable de me retenir. « Des démons ont attaqué mon père, ils l'ont tué, et quand je suis arrivée, il était mort. Point final. Qu'est-ce que tu veux savoir d'autre ? Tu aimes les détails scabreux ?

— Te sens-tu coupable ?

— Pourquoi est-ce que je me sentirais coupable ? Ce n'est pas moi qui l'ai tué ! Et arrête un peu de m'interroger. Nous ne sommes pas au confessionnal ! »

Jipé ne dit plus rien. Moi non plus. Je dévore le reste de mon sandwich avec voracité.

Il se lève. Juste avant de sortir de la pièce, il reprend :

« Si ton père a été assassiné par un démon, ou par plusieurs, il vaut mieux que tu n'aies pas été là. Tu n'aurais rien pu faire pour le sauver. »

Je détourne le regard, agacée. Qu'en sait-il ?

Tout à coup, je n'ai plus faim.

Nous nous étions arrêtés dans cette station-service parce que j'étais fatiguée, que j'avais soif et qu'il fallait que j'aille aux toilettes. C'était toujours moi qui retardais notre avancée. J'avais constamment besoin de me reposer, de manger, de dormir, toutes ces nécessités qu'ignorait mon père. Mais il m'assurait sans cesse qu'il n'était pas pressé, et ne protestait jamais quand il devait m'attendre.

Nous avions cheminé à travers champs, mais nous avons fait un détour pour trouver un endroit où nous arrêter. Nous avons décidé de faire une halte à la station-service, même si la ville n'était plus très loin. Mon père a préféré m'attendre à l'extérieur, à l'orée du bois. L'odeur de l'essence l'incommodait. Je lui ai promis que je n'en aurais pas pour longtemps.

C'est la dernière fois que je l'ai vu.

Pourtant, cela ne m'a réellement pas pris long-temps. Bon, d'accord, j'ai dû aller demander la clef des toilettes au comptoir, et, ne parlant pas polonais (j'ai une certaine facilité pour les langues, mais je suis loin d'égaler mon père, capable de parler cou-ramment toutes les langues existantes ou ayant existé), j'ai eu un peu de mal à me faire comprendre. De plus, l'homme s'est trompé et m'a donné la clef des toilettes des hommes, qui étaient répugnantes – je ne suis pas quelqu'un qui fait des chichis, donc vous pouvez imaginer la pire crasse sans crainte d'exagérer – et j'ai dû retourner l'échanger contre celle des toilettes des femmes (qui n'étaient pas beaucoup mieux, mais passons). J'ai alors attendu quelques minutes devant la porte, car une gamine occupait les lieux.

Entre une chose et l'autre, j'ai dû m'absenter un quart d'heure, tout au plus. Quand j'ai eu terminé, j'ai contourné la station-service, j'ai avancé entre les camions garés derrière...

C'est alors que j'ai vu un corps étendu sur le sol, dans une flaque où se mêlaient du sang et de l'essence. J'ai tout d'abord pensé qu'une bagarre d'ivrognes avait dû dégénérer. Mais lorsque je me suis approchée, j'ai vu que la victime était mon père.

Pendant un instant, je me suis dit que c'était un mauvais rêve, un cauchemar, une hallucination. Que ça ne pouvait pas être vrai.

Mais ça l'était.

Je ne me rappelle pas bien ce que j'ai fait ensuite. La seule chose qui me soit venue à l'esprit a été de ramasser ses affaires, épée comprise, et de partir en courant.

Vous vous dites que je suis vraiment une fille indigne d'avoir laissé mon père mort dans une flaque d'essence, n'est-ce pas ? Mais j'étais effrayée, figurez-vous. Et j'avais deux bonnes raisons pour m'enfuir :

1) En général, les humains ne remarquent pas les épées angéliques, c'est vrai. Mais il était clair que mon père avait été transpercé par une lame. Si quelqu'un avait cherché l'arme du crime, il aurait forcément vu l'épée qui se trouvait à un mètre du cadavre. Et comment aurais-je pu expliquer sa présence ?

2) J'étais seule dans un pays étranger, et mon père avait été assassiné dans d'étranges circonstances. Je n'avais aucune famille pour s'occuper de moi, ni en Pologne, ni ailleurs. Étant mineure, j'étais donc condamnée à me retrouver à l'orphelinat, ou au mieux dans une famille qui n'était pas la mienne. Et que voulez-vous... j'aime trop aller où il me plaît !

Voilà pourquoi j'ai mis les voiles. Et non, la possibilité que les assassins soient encore dans les environs n'a pas influencé ma décision.

Je me suis demandé plusieurs fois ce qu'il était advenu du corps de mon père. J'imagine qu'on a dû l'emporter dans un institut médico-légal et le soumettre à une autopsie. Comme personne ne l'a identifié, c'est probablement devenu un John Doe quelconque. Un Monsieur X, au cas où vous ne connaîtriez pas l'expression : c'est ainsi que l'on appelle les cadavres anonymes.

Au moins, on ne risque pas d'avoir découvert sa véritable nature lors de l'autopsie. Son anatomie était semblable à celle de n'importe quel humain. Les seules choses qui le différenciaient du commun des mortels – sa résistance surnaturelle, son regard, ou son infinie sagesse, par exemple – ont disparu avec lui.

Je ne ressens pas le besoin de savoir où se trouve son cadavre. Après tout, il a été immatériel pendant presque toute sa vie. Son corps était la partie la moins importante de Iah-Hel. Ce que j'aimerais savoir, c'est si un ange matérialisé continue à exister quand il a été tué. Seuls les morts connaissent la réponse. L'esprit des anges prisonniers d'un corps qui meurt suit le même chemin que l'âme des humains quand ils arrivent au terme de leur vie. Si ce chemin mène quelque part, je reverrai probablement mon père quand je mourrai moi-même. Et s'il existe un paradis et un enfer, je ne crois pas que le fait d'avoir éliminé un ou deux démons avant de mourir me fasse mal voir de Dieu.

On pourrait s'imaginer que je m'y connais mieux que les autres au sujet du paradis, de l'enfer, de la vie après la mort et tout ça, pas vrai ? Ce n'est pas le cas. Mon père me parlait de plein de choses, mais il n'a jamais voulu aborder ce thème avec moi.

2

Je suis réveillée par une kyrielle de coups de klaxon : quelqu'un semble éprouver un mystérieux plaisir à casser les oreilles du voisinage. Il me faut un certain temps pour revenir à la réalité.

Où suis-je ? Dans une maison ? Sur un lit moelleux ? Ah non, c'est un sofa. Celui de Jipé. J'ai découvert qu'il avait échangé son vieux divan contre un canapé-lit beaucoup plus confortable. Un vrai luxe.

Je m'assois et je tends l'oreille. Silence. Apparemment, je suis seule. Quelle heure est-il ? Et où est passé Jipé ?

Je me lève. Je dors en T-shirt, et mon hôte serait peut-être un peu gêné de me voir ainsi, mais s'il n'est pas là, tout va bien. Je m'étire (comme un chaton, je sais) et je vais faire un tour à la cuisine pour trouver de quoi petit-déjeuner. Le frigidaire est plein de choses basiques. Pas la moindre friandise, pas de sucreries, rien de mauvais pour la santé. Je soupire.

Il y a un petit mot sur la table.

Cat,
J'ai une course à faire. Je ne serai pas de retour avant midi. Sers-toi. Je t'ai laissé un jeu de clefs et un peu d'argent sur la commode de l'entrée. À tout à l'heure !

JP

Certaines choses ne changent pas. Jipé a toujours eu l'habitude de laisser des petits mots pour rendre compte de ses mouvements, et il a toujours signé avec ses initiales. C'est même pour ça que j'ai commencé à l'appeler Jipé.

Je suis bien ici, mais prendre un peu l'air ne peut pas me faire de mal. J'ai les clefs, donc je peux aller et venir à ma guise, et j'ai... vingt euros ! Pas de quoi s'acheter un yacht et partir au loin, d'accord, mais plus d'argent que j'en ai vu depuis longtemps.

Quelque chose me dit que j'ai intérêt à cesser de me lamenter, sinon vous allez finir par me prendre pour une incapable. Or, je suis tout de même arrivée jusqu'ici, pas vrai ?

D'après ce que j'ai compris, les gens qui visitent Valence s'intéressent habituellement à la cathédrale, à la place de l'Hôtel-de-Ville, et à un complexe futuriste qui contient un aquarium ou quelque chose du genre, si mes souvenirs sont bons. N'allez pas me reprocher mon manque d'informations, s'il vous plaît ! Ça fait longtemps que je n'ai pas mis les pieds dans cette région du monde. Et si j'y suis revenue, c'est pour venger mon père, pas pour faire du tourisme.

Les deux fois où je suis passée par cette ville, je suis allée au même endroit. Jamais deux sans trois, dit-on. Effectivement, m'y revoici.

La Bibliothèque municipale.

Il y a plein de bibliothèques dans la ville, mais celle-ci n'est pas comme les autres. Ce doit être la plus ancienne de Valence ; en tout cas, elle en a l'air. Bien sûr, j'ai vu des bibliothèques plus grandes et plus impressionnantes au cours de mes voyages. Mais j'ai une affection particulière pour celle-ci. C'est là que j'ai rencontré Jipé.

Je pousse la porte et j'entre silencieusement, un peu intimidée. Je me réjouis de voir que la bibliothè-que est restée telle que dans mon souvenir. Enfin, il y a bien plus d'ordinateurs, de CD et de DVD, mais pas moins de livres pour autant, du moins j'espère. Je me rappelle le jour où je suis venue ici pour la pre-mière fois. J'avais sept ans, et les colonnes me sem-blaient interminables. Quand je regardais la coupole, j'avais la sensation de frôler le ciel.

Aujourd'hui, les colonnes ne me paraissent plus si immenses, ni le couloir si long. Ce doit être parce que j'ai grandi : il est rare que les bibliothèques rapetissent.

Je me souviens encore de la bibliothécaire qui m'avait vue entrer. Elle m'avait orientée vers la porte d'en face, celle de la section enfants. Tout le monde faisait la même erreur. Lasse de répéter que *Oui-oui* et le *Club des Cinq* ne m'intéressaient pas, j'avais appris depuis longtemps une autre tactique. J'avais fait ma tête de bonne petite fille et je lui avais dit que je cherchais mon papa.

En fait, je ne sais plus où était alors mon père, ni pourquoi j'étais entrée toute seule dans cette bibliothèque. Quoi qu'il en soit, j'étais parvenue à me glisser dans la section adultes.

C'est là que j'avais rencontré Jipé, au rayon consacré à la religion. Il cherchait un livre et s'était rendu compte qu'il se trouvait entre les mains d'une mioche de sept ans assise sur une marche, sous la fenêtre.

« C'est le *Vocabulaire de théologie biblique* que tu veux ? lui avais-je demandé. Je te le rends tout de suite. »

Effectivement, j'avais terminé. Je m'étais arrêtée au A du mot Ange, et je n'y avais rien trouvé que je ne sache déjà.

Ensuite ? En résumé, Jipé avait exprimé ses doutes quant au fait que ces neuf cents pages puissent contenir quelque chose susceptible d'intéresser une petite fille. Je lui avais répondu qu'il avait raison, et qu'il existait des monographies bien plus détaillées. J'avais ajouté que, de toute façon, l'étude de la Bible ne pouvait plus m'apporter grand-chose maintenant que j'avais lu le Livre d'Hénoch.

« Le Livre d'Hénoch ? » avait-il répété, plus ahuri que jamais.

La tête penchée sur le côté, je l'avais regardé avec une innocence feinte.

« Tu es un prêtre, lui avais-je lancé. Ne me dis pas que tu n'as jamais entendu parler du Livre d'Hénoch ! »

Il en avait entendu parler, bien sûr. Mais les hommes d'Église s'intéressent davantage à la Bible qu'aux textes apocryphes. Or, le Livre d'Hénoch fait partie de ces derniers.

Ce qui différencie ce texte de tous les autres, c'est qu'il consacre un certain nombre de pages à l'histoire des anges. Et il rapporte une version très étrange de la Chute. Ce n'est pas une lecture appropriée pour une enfant de sept ans ; mais il est logique qu'elle retienne l'attention de la fille d'un ange cherchant à en savoir davantage au sujet de son père, de sa nature, de ses origines.

Pourquoi est-ce que je ne m'adressais pas directement à lui ? me direz-vous. C'est une bonne question.

Imaginez que vous existez depuis le début des temps. Depuis l'apparition de la vie. Quatre milliards d'années, en gros. C'est long. Très long. Aucun cerveau ne peut contenir autant de souvenirs. Pas même celui d'un ange transsubstantié.

Vous voyez où je veux en venir, n'est-ce pas ? Exact : les anges ne se rappellent pas leurs origines. En se matérialisant dans des corps humains, ils ont perdu la mémoire. Ils ne savent donc pas d'où ils viennent, ni quelle est la cause de leur dispute avec les démons, ni ce qui s'est passé avec Adam et Ève, si tant est qu'il se soit vraiment passé quelque chose. Et par-dessus le marché, ils ont également oublié comment retourner vers Dieu, ou au paradis, en supposant qu'un tel lieu existe.

Il n'est donc pas surprenant que les anges se plongent dans les textes de toutes les religions avec tant d'intérêt. Théoriquement, les humains tirent leurs connaissances au sujet de Dieu et des anges de ce que ces anges ont eux-mêmes raconté à nos ancêtres, il y a quelques milliers d'années. Maintenant qu'ils ont du mal à évoquer le passé, les anges ont recours à ce que les humains ont écrit à leur sujet... Et bien sûr, ces écrits ne rapportent pas l'exacte vérité, mais des interprétations distinctes du message que les anges ont essayé de transmettre. N'est-ce pas paradoxal ?

Mon père disait souvent qu'il y a forcément un fond de vérité commune dans toutes ces écritures. Mais les gens sont tellement obsédés par les différences qu'ils ne remarquent pas ces points communs. C'est pourtant ce qui pourrait les mener vers la vérité.

Mais franchement, la plupart des anges se fichent totalement que les hommes trouvent cette vérité. Ce qu'ils veulent, c'est la trouver, eux.

Et vous savez ce qu'il y a de plus drôle dans cette histoire d'amnésie générale ? C'est que les démons aussi en sont victimes.

À présent, représentez-vous un peu la tête de Jipé quand je lui ai raconté tout cela. Il a dû penser que mes parents étaient membres d'une secte bizarre, ou que j'avais trop d'imagination – mais même les gamines dotées d'une imagination débordante ne sont pas capables de réciter par cœur des paragraphes entiers du Livre d'Hénoch, donc l'hypothèse de la secte devait lui sembler la plus plausible... En tout cas, il m'a demandé de lui présenter mon père. Pour s'assurer que je n'étais pas en de mauvaises mains, j'imagine.

Comme on dit, *the rest is history.*

Je sors de la bibliothèque d'excellente humeur. Pour la première fois depuis longtemps, j'ai l'impression d'être en sécurité. Ça fait du bien de se remémorer de bons moments. Mon père me manque toujours autant, mais je me sens bien mieux maintenant que j'ai retrouvé Jipé.

Je vais me reposer avant de reprendre mon voyage. Je vais passer quelques jours ici, dans une maison normale, à dormir sur un canapé-lit normal, à manger des repas normaux. Ensuite...

Quelque chose interrompt le fil de mes pensées. Rien de concret, juste une intuition, un pressentiment. Je regarde autour de moi, inquiète.

Je suis devant la bibliothèque. Il y a des gens à l'entrée, assis sur le muret, et d'autres à la terrasse des cafés. Presque tous des étudiants, venus davantage pour profiter du beau temps que pour travailler. Rien d'anormal.

Non loin de là s'étend une allée bordée d'arbres et de colonnes de différentes hauteurs, qui ne soutiennent aucun toit mais contribuent à donner au paysage une atmosphère mystérieuse, étrangement calme.

Le calme qui précède la tempête.

Je secoue la tête. Quelle absurdité. Il n'y a rien, ici.

Je commence à contourner la bibliothèque, tournant le dos aux cafés et aux étudiants qui font bronzette. Je m'enfonce dans le petit bois de colonnes, en direction du parc qui jouxte le bâtiment. Les pigeons s'envolent à mon approche. Bientôt, l'ombre de la bibliothèque me cache le soleil. Je frissonne à nouveau. Cette fois-ci, je n'ai pas rêvé. Il y a quelqu'un... ou quelque chose.

Je porte la main à mon épaule pour pouvoir tirer mon épée si nécessaire, mais on me prend de vitesse.

Je l'aperçois du coin de l'œil. Une silhouette qui m'observe du haut d'une colonne. Je lui fais face, mais elle s'est déjà déplacée. Je l'entrevois sur une autre colonne. Cette fois, je n'ai même pas le temps de me tourner – encore moins de comprendre ce que c'est. D'un bond incroyable, trop rapide, inhumain, la créature se jette sur moi et me projette au sol. Le fil d'une épée qui ne m'appartient pas reluit un instant devant mes pupilles.

Les pigeons s'envolent en battant des ailes.

« Je suis vivante, je murmure pour la troisième fois en plongeant le nez dans la tasse fumante que me tend Jipé. J'ai du mal à y croire. C'est impossible. C'est... » Je secoue la tête. « Je ne comprends pas.

— Si seulement tu voulais bien m'expliquer, je pourrais peut-être t'aider », suggère Jipé.

Je le regarde sans le voir. Le pauvre. Tout ce qu'il sait, c'est que je suis arrivée à la maison les nerfs en pelote, et que je n'ai pas encore été capable de prononcer deux phrases cohérentes de suite. Je m'efforce de rassembler mes idées. J'absorbe une grande gorgée de camomille en me brûlant la langue, puis je ferme les yeux et inspire à fond. Jipé attend patiemment.

« Je suis allée à la bibliothèque. Et quand je suis sortie... on m'a attaquée.

— On t'a agressée ? En plein jour ?

— Je ne parle pas d'un pickpocket ou d'un racketteur, Jipé. La personne qui m'a attaquée – si c'était une personne – voulait ma peau. »

C'en est trop pour lui. Il s'assoit, ouvre la bouche comme pour dire quelque chose, mais reste sans voix. Il me fait signe de continuer. Mais comment le puis-je sans mentionner les épées ?

La créature qui a essayé de me tuer possédait une épée. Quand elle l'a dégainée, il m'a semblé voir défiler ma vie entière devant mes yeux. J'ai eu le temps de brandir ma propre lame, et je crois même que les deux se sont entrechoquées. Mais j'étais tombée par terre. Il était impossible que j'aie le dessus. Il m'avait sauté dessus pour me tuer, et il aurait aisément pu le faire. Pourtant, je suis encore vivante.

Je suis certaine que c'est grâce à mon épée. Je crois qu'il a été surpris, non par le fait que j'essaie de me défendre, mais par l'arme que j'empoignais. Il ne s'attendait pas que je possède une épée angélique. Ça l'a dérouté, et il m'a laissé la vie sauve. Il a disparu – ou plutôt, il est parti tellement rapidement que je n'ai rien vu.

Ce ne peut être qu'un démon. Mais alors, pourquoi m'a-t-il épargnée ? Parce que je suis humaine ? Non, certainement pas. Mon épée ne prouve pas ma condition humaine, mais ma parenté avec les anges.

En tout cas, mon agresseur n'était pas humain, lui. Personne ne peut bouger aussi vite. Mais c'est tout ce que je sais à son sujet. Avait-il l'apparence d'un homme ou d'une femme ? Je n'ai pas eu le temps de voir son visage. Juste ses yeux, quand nos regards se sont croisés. Des yeux profonds, insondables... comme ceux de mon père.

Est-il possible qu'il se soit agi d'un ange, et qu'il ait changé d'avis en voyant que je portais l'épée d'un autre ange ? Non : les anges n'attaquent pas les humains.

« Quelqu'un a voulu me tuer, je résume à mi-voix. Quelqu'un qui n'était pas humain. Mais il a changé d'avis et m'a laissé la vie sauve. Un ange ne m'aurait pas attaquée. Et un démon ne m'aurait pas épargnée. »

Long silence.

« Je comprends, dit finalement Jipé. C'est assez embrouillé. Enfin, pour le moment, l'identité de ton agresseur n'est pas le plus important. Tu es en danger, Cat. Quelqu'un en a après toi. »

Et il laisse tomber un tas de papiers sur la table. Je les feuillette rapidement.

« Qu'est-ce que c'est ?

— Je suis allée au cybercafé ce matin. J'ai cherché des informations au sujet de la mort d'Ismaël.

— Sur des sites polonais ? Comment as-tu fait ?

— J'ai utilisé des traducteurs automatiques. Ce n'était pas facile. Voilà pourquoi j'ai passé la matinée dehors. Mais j'ai trouvé quelque chose de très intéressant. Regarde. »

Il me tend un article de journal. En polonais, bien sûr. Je ne comprends rien, mais je n'ai pas l'impression qu'il y ait un rapport avec mon père. La photo d'une enfant illustre l'article. Elle me rappelle quelqu'un, mais qui ? Je n'arrive pas à mettre le doigt dessus.

« On parle de la découverte du cadavre de ton père dans une station-service près de Walbrzych. Cette fille a disparu au même endroit, au même moment. »

Ah. Oh. Ah.

Damnation. Ça me revient. La fille de la station-service. Celle qui était dans les toilettes avant moi. Je l'ai croisée quand elle en est sortie.

« Elle a disparu, tu dis ?

— D'après ce que j'ai compris, elle est allée aux toilettes pendant que sa mère faisait le plein. Plus personne ne l'a revue depuis. »

Je soupire.

« Je vois. Une gamine kidnappée, un inconnu assassiné, et une adolescente qui ne parle pas un mot de polonais et qui est la dernière à les avoir vus tous les deux vivants. J'ai toute la police internationale à mes trousses, j'imagine ?

— Je ne parlais pas de ça, Cat. Tu ne comprends pas ? Le kidnapping... la mort de ton père... ce n'est pas une coïncidence. »

Soudain, la lumière se fait. J'ai la certitude que Jipé ne se trompe pas, et je suis secouée par une tornade intérieure.

« On a fait une erreur, je murmure. On a voulu m'enlever, moi, et c'est elle qu'on a prise. On nous a confondues.

— Exactement. Celui qui a tué ton père voulait à la fois l'éliminer et enlever sa fille. Tôt ou tard, il se rendra compte qu'il a fait erreur, et il te cherchera. Peut-être même qu'il le sait déjà.

— Je ne vois pas comment. Je ne ressemble pas à mon père ; je suis une fille comme les autres, et rien ne me distingue de cette gamine, à part qu'elle est plus jeune que moi, que je ne parle pas polonais et que j'ai une ép... »

Je m'interromps brusquement.

« Une quoi ?

— Une épouvantable propension à m'attirer des ennuis », j'improvise. Je change rapidement de sujet : « Mais puisqu'on a essayé de me tuer aujourd'hui... est-ce que ça veut dire que la gamine de la station-service est morte ?

— Peut-être que l'auteur du kidnapping et l'auteur de l'attaque ne sont pas la même personne. Ne t'imagine pas toujours le pire, Cat. »

Je le regarde sombrement.

« Quand on parle de démons, il faut toujours s'imaginer le pire. »

Il soupire.

« Je veux rester optimiste, dit-il. Parce que quelqu'un te cherche. Et si ce quelqu'un te trouve...

— Ce doit être une erreur. Pourquoi m'en voudraient-ils ? Je ne suis pas un ange ; s'il y a des gènes angéliques dans mon ADN, ils sont bien cachés ! Je ne suis même pas un pion dans leur guerre. Le moindre angelot de troisième zone serait une prise plus intéressante que moi. »

Jipé me dévisage, et je me sens vaguement mal à l'aise. Pourtant, je dis la vérité. D'accord, je veux venger mon père ; mais je doute que les légions démoniaques s'en soucient le moins du monde. Après tout, qui peut me prendre au sérieux ? J'en suis tellement persuadée que j'estime même que ça peut jouer en ma faveur. À vrai dire, c'est la *seule* chose qui puisse jouer en ma faveur. Alors pourquoi diable s'occupent-ils de moi ?

« Tu n'as pas fait de bêtise, Cat ?

— Je n'en ai pas encore eu le temps. Je plaisante ! j'ajoute rapidement en le voyant hausser un sourcil. Sérieusement, j'ai toujours suivi mon père, et c'était la dernière personne au monde pour se faire des ennemis. Du coup, cela ne m'arrivait pas non plus, puisque je l'accompagnais. Bon, d'accord, une fois j'ai volé une pomme dans un supermarché, mais je ne crois pas que cela puisse inquiéter le moindre démon, sans compter que la Bible dit qu'il faut donner à manger à ceux qui ont faim... »

Jipé fronce les sourcils.

« Eh ! je proteste. Tu ne vas tout de même pas te fâcher pour une pomme !

— Oublie le supermarché, Cat, et réfléchis. Si tu n'as rien fait aux démons et que tu ne représentes aucun danger pour eux, ça veut dire que le problème n'est pas ce que tu as fait ou ce que tu pourrais faire, mais ce que tu *es*. »

Il laisse tomber un livre sur la table. Je sursaute.

« Ah... ça... Ce n'est qu'un texte apocryphe, tu sais.

— Les chrétiens orthodoxes d'Éthiopie l'incluent dans les textes sacrés.

— D'accord, mais... ce n'est qu'une version des faits. Une de plus. Va savoir ce qu'il avait fumé, celui qui a écrit ça !

— Ce n'est pas ce que tu m'as dit quand tu m'en as parlé pour la première fois, Cat.

— Bah ! Je n'étais qu'une gamine... Je ne savais pas ce que je disais. Je ne comprenais pas tout ce que cette théorie impliquait. »

Jipé me regarde fixement et soupire.

« Quoi qu'il en soit, ce livre existe, Cat. Apocryphe ou non, il y a des gens qui le prennent au sérieux. Et tu sais ce que ça signifie, pas vrai ?

— Je crois, oui », j'admets à contrecœur.

De quoi sommes-nous en train de parler ? Du Livre d'Hénoch, bien entendu. Ce n'est pas un grimoire antique ou un manuscrit mis sous clef dans la bibliothèque secrète d'un monastère. En fait, il est facile à trouver. Il a été traduit en plein de langues, et publié par des maisons d'édition spécialisées dans l'ésotérisme, de sorte qu'il n'y a rien d'étrange à ce que Jipé en ait trouvé un exemplaire. Je lui en ai tant parlé qu'il est logique qu'il ait eu envie de l'étudier.

Il est également logique que de nombreux anges et démons l'aient lu, eux aussi. Le Livre d'Hénoch raconte une histoire qui les touche de près. *Leur* histoire.

Ou du moins une partie.

Connaissez-vous l'histoire biblique ? Savez-vous que Lucifer signifie « porteur de lumière » et que c'était le plus beau de tous les anges, ce qui lui monta à la tête au point qu'il défia Dieu ? Qu'une guerre céleste s'ensuivit, et que Lucifer et ses partisans furent vaincus et envoyés aux enfers ? Selon cette version catholique officielle, le péché des anges déchus fut donc l'orgueil.

Mais le Livre d'Hénoch raconte une histoire légèrement différente. Il explique que le péché de ces anges fut l'amour. Ou plutôt la luxure, pour être exact. Mon père m'avait parlé d'amour quand j'étais petite, mais en grandissant, j'ai compris un certain nombre de choses.

En résumé, le Livre d'Hénoch dit que certains anges se lièrent avec des femmes humaines, eurent des enfants et leur apprirent tout un tas de choses que les humains n'auraient jamais dû savoir, entre autres la sorcellerie, la manière de forger des armes et des bijoux, ou l'alphabet, par exemple. Mais ils furent dénoncés, et Dieu les punit et les changea en démons.

Comme je le disais, ce n'est qu'une histoire apocryphe. Elle n'a aucun fondement. Mon père était d'accord là-dessus. Les démons ne sont pas devenus ce qu'ils sont à cause des humains : ils existent depuis bien plus longtemps que les humains.

Pourtant, mon père appréciait beaucoup le Livre d'Hénoch, et il emportait un exemplaire en latin partout avec lui. Petite, j'étais fascinée par cette histoire. L'idée que certains anges aient aimé les humains au point de s'unir à eux, d'avoir des enfants, de leur transmettre des connaissances me plaisait beaucoup. Et je trouvais injuste qu'on les ait punis pour ça.

J'étais trop petite pour tout comprendre. En grandissant, j'ai fini par deviner pourquoi mon père aimait tant cette histoire – et aussi pourquoi elle ne pouvait pas être vraie.

Mon père avait commis le même péché que ces anges antiques. Il avait eu une fille avec une humaine. Et quoi qu'en dise Hénoch, il n'avait pas été « déchu » pour autant.

« Peut-être que quelqu'un a pris ce livre au sérieux, suggère doucement Jipé, et n'a pas pardonné à ton père.

— Il n'a rien fait de mal ! Peut-être qu'autrefois se transsubstantier et avoir une relation avec un humain était mal vu, mais aujourd'hui, tous les anges ont un corps, et même s'ils n'ont aucun besoin physique, ils peuvent manger, dormir ou faire l'amour s'ils en ont envie.

— Ne t'énerve pas. Ce n'est qu'une théorie. Je ne vois aucune autre raison pour laquelle quelqu'un pourrait vouloir te tuer.

— Juste à cause d'un livre ? » je réplique, sarcastique.

Je ferme aussitôt mon clapet, comprenant combien ce que je viens de dire est ironique. Des centaines de massacres ont eu lieu « juste à cause d'un livre ». Les écrits qui parlent de Dieu provoquent souvent ces effets secondaires sur certains esprits tordus. Que voulez-vous que je vous dise ? C'est la nature humaine. Mais j'ai toujours pensé que les anges et les démons étaient au-dessus de tout ça.

« Je suis désolé, mais on ne peut pas écarter cette possibilité, répond-il.

— Tu le penses vraiment ? Tu préfères croire que j'ai été attaquée par un ange fanatique plutôt que par un démon ? »

Touché. Il détourne le regard, gêné.

« Hum... non, bien sûr que non. »

Pauvre Juan Pedro. C'est déjà difficile d'être prêtre de nos jours. Il n'a pas besoin qu'une ado vienne remettre en cause ce qu'on lui a enseigné. Mais Jipé possède une foi à toute épreuve. C'est parfois exaspérant, et pourtant c'est l'une des choses que je préfère chez lui. Il est intègre. Il est bon. Il croit vraiment que Dieu est amour, qu'il faut s'aimer les uns les autres, et tout le tralala. C'est beaucoup plus important pour lui que des détails insignifiants tels que le sexe des anges ou le jeûne pendant le Carême.

Revenons à mon problème. Quelqu'un a tué mon père et séquestré une fille qu'on a prise pour moi ; puis quelqu'un a voulu me tuer avant d'y renoncer. Est-ce la même personne ? Deux personnes faisant partie d'une même bande ? Deux adversaires ? Et qu'ont-ils contre mon père et moi ? Jusqu'à présent, j'étais persuadée que les seuls ennemis potentiels de mon père étaient des démons. Je ne sais désormais plus quoi penser. Et le fait que Jipé me rappelle que Dieu n'apprécie peut-être pas que les anges forniquent avec des humaines ne m'aide absolument pas.

Je baisse la tête, pensive.

« Je vais partir. Ça vaut mieux.

— Partir où ? »

Je soupire.

« Mon père connaissait un homme très calé en histoire angélique. Peut-être pourra-t-il m'aider. »

Jipé fronce les sourcils.

« Et où se trouve cet homme ?

— À Madrid. Ne t'inquiète pas, Jipé. Je suis venue en auto-stop de bien plus loin.

— En auto-stop ? » répète-t-il, horrifié. Il secoue la tête. « Il n'en est pas question. Je ne te laisserai pas aller là-bas toute seule.

— Je sais prendre soin de moi ! Et faire de l'auto-stop n'est pas si dangereux que ça. »

Il ne me manquerait plus qu'un prêtre collé à mes basques ! Ce n'est pas comme ça que je vais retrouver les assassins de mon père. Non que les démons risquent de s'enfuir épouvantés en voyant son col romain, mais ils se méfieraient forcément. Surtout s'ils ont vu *L'exorciste*.

« De toute façon, j'ai dix-huit ans. Légalement, je peux aller où je veux. » Avant qu'il n'ait le temps d'additionner dix plus six et de découvrir que ça ne fait pas dix-huit, je déclare fermement : « Je m'en irai demain matin. Plus tôt je comprendrai ce qui se passe, mieux ce sera. »

Jipé soupire. Puis il soupire encore. Enfin, il saisit son portefeuille et en sort une carte bleue. Il me la tend, mais je ne la prends pas. Je le regarde comme s'il était devenu fou.

« C'est pour toi, dit-il. C'est un duplicata de la mienne. Elle est à mon nom, donc tu ne pourras rien payer avec, mais tu pourras retirer de l'argent dans les distributeurs du monde entier. C'est une Visa. »

Je cligne les yeux – sans doute une poussière...

« Mais... ça va pas, la tête ? Tu donnes ta carte bleue à une quasi-inconnue ? Pourquoi ? »

Il sourit.

« Parce que tu n'as pas dix-huit ans. Parce que quoi que je dise, tu vas partir. Parce que je dois bien ça à ton père. Parce que j'ai confiance en toi : tu sais que je n'ai pas beaucoup d'argent et que tu n'as aucune chance de t'enrichir en me dépouillant. » J'ouvre la bouche, mais je ne trouve rien à dire, et il continue : « Parce que, comme tu l'as dit, la Bible demande de donner à manger à ceux qui ont faim ; or, tu n'as aucun moyen de gagner ta vie, et je ne me fais aucune illusion quant à ton désir d'aller vivre dans un internat. Et parce que de toute façon, presque toutes mes économies sont sur un compte sur livret, donc personne ne peut y toucher. Comme on dit, aide-toi, le ciel t'aidera ! »

Il sourit malicieusement. Je ne peux pas m'en empêcher : j'éclate de rire et je prends la carte. Jipé rit lui aussi, mais il redevient rapidement sérieux.

« Dis-moi simplement si la personne que tu vas voir est quelqu'un de confiance. Était-ce un grand ami de ton père ?

— Oh oui, dis-je en lui mentant pour la deuxième fois en cinq minutes. Ils étaient intimes. »

Cette fois-ci, il me croit.

En réalité, je ne l'ai vu qu'une seule fois, et je n'avais que dix ans à l'époque, donc je m'en souviens à peine. Mais non, ça ne revient pas à chercher une aiguille dans une botte de foin ! Je sais qu'il tient une librairie, parce que c'est là que mon père était allé le voir. Une librairie pleine à craquer de vieux livres. Un bouquiniste, donc. Et je me rappelle qu'il se trouve dans la Calle Libreros, c'est-à-dire la rue des Librai-res : comment pourrait-on oublier un tel détail ?

Malgré cela, quand j'essaie de revoir son visage, je n'y arrive pas. Je sais qu'il était jeune, voilà tout.

Tout en contemplant le paysage par la fenêtre du car qui m'emmène à Madrid, je repense à Juan Pedro. Je suis partie sans lui dire au revoir, et j'ai emporté la carte bleue qu'il m'avait offerte. C'est comme ça que j'ai pu payer le billet. Il m'avait conseillé de pren-dre le train, mais c'était plus cher. Et l'important, c'est d'arriver, non ?

Il aurait aussi voulu que je reste plus longtemps, mais c'était impossible. Si quelqu'un me cherche, et si ce quelqu'un est l'assassin de mon père, chaque minute que je passe chez Jipé le met en danger, lui aussi. Voilà pourquoi je me suis enfuie de nuit, comme une voleuse.

Avant de partir, j'ai trouvé un téléphone portable et un chargeur sur la table où Jipé avait posé la carte bleue. Il y avait aussi un petit mot.

Cat,

Je sais pourquoi tu fais ça. Fais bien attention, et ne cours pas de risques inutiles. Ton père n'a pas donné sa vie pour que tu perdes la tienne.

Je ne peux pas te retenir, mais s'il te plaît, accepte ce deuxième cadeau. Je ne le fais pas pour toi mais pour moi. Je serai bien plus tranquille si je sais que tu peux me joindre. J'ai mis mon numéro dans le répertoire ; tu trouveras le PIN ci-dessous.

Prends soin de toi.

JP

Je suis donc presque une fille civilisée. Une carte visa et un téléphone portable, rien que ça ! Qu'est-ce qui viendra ensuite ? Un top moulant ? Une voiture ? Un petit copain ? Toutes ces choses me semblent encore bien loin, mais qui sait ?

N'allez pas vous imaginer que c'est un portable dernière génération, cependant. Il ne possède ni connexion à Internet, ni lecteur MP3, ni même un appareil photo intégré. Mais il représente un lien avec quelqu'un qui s'inquiète pour moi, et c'est la seule chose qui compte.

La première chose que je fais en arrivant à Madrid est de chercher un logement. Je me renseigne auprès de plusieurs hôtels avant d'en trouver un suffisamment bon marché. Le niveau de saleté est inversement proportionnel au prix, mais ce n'est pas moi qui paie, donc je n'ai pas le droit de faire la difficile.

J'ai de la chance, la chambre n'est pas si mal. La douche est dans le couloir, mais je suis habituée à bien pire. Je demande un plan de la ville à la réception et je l'étudie jusqu'à ce que je trouve la Calle Libreros. C'est juste à côté de la Gran Via. Il y a un ou deux changements, mais je peux y aller en métro. Parfait.

Il est quatre heures de l'après-midi, et comme partout en Espagne, les magasins sont encore fermés pour la pause déjeuner. Autant attendre un peu. Je m'allonge sur le lit pour me reposer un instant...

Je me suis endormie. Tout en jurant à mi-voix, je descends deux à deux les marches du métro. C'était une sieste bien trop longue. Il est presque sept heures et demie, et si j'arrive trop tard, il me faudra revenir demain. Or, je ne suis pas d'humeur à attendre !

Je me précipite dehors et je manque renverser un vieux monsieur avec une canne, mais je n'ai pas le temps de m'arrêter pour m'excuser. Enfin, j'arrive en vue de la Calle Libreros. Je prie Dieu et tous les anges disposés à m'écouter pour que la rue ne soit pas trop longue.

Elle ne l'est pas. Mais elle est pleine de bouquinistes. D'un bout à l'autre. Ai-je dit que ce ne serait pas comme chercher une aiguille dans une botte de foin ? Je me trompais peut-être...

J'entre successivement dans tous les magasins et je demande aux vendeurs s'ils ont des livres sur les anges. On me regarde comme une bête rare, ce qui est une réaction normale de la part d'humains normaux. Je ne croise aucun visage familier.

L'un des libraires a déjà à moitié baissé son rideau de fer. Quand j'essaie de me glisser dessous, il me chasse avec hargne. Il doit penser que je suis une jeune délinquante.

La boutique suivante est un peu à l'écart, dissimulée dans un recoin qu'atteint à peine la lumière du lampadaire. Une cloche tinte quand j'ouvre la porte. Un homme d'une trentaine d'années se tourne vers moi, l'air sévère.

« C'est fermé. »

Soudain, il voit quelque chose dans mon dos et son expression change radicalement. Je me retourne, intriguée, mais il n'y a rien derrière moi. C'est alors que je me rends compte que c'est mon épée qui l'a fait ainsi sursauter.

C'est l'un d'eux. De quel camp, je l'ignore, mais c'est l'un d'eux.

Il penche la tête sur le côté et me fixe, méfiant. Ses cheveux sont noirs, embroussaillés, et ses yeux d'un vert incroyablement intense. Peut-être son nez trop long et sa mâchoire carrée l'empêchent-ils d'être réellement beau, mais quels yeux !

« Qui es-tu ?

— Je viens de la part de Iah-Hel. Vous le connaissiez, n'est-ce pas ? »

Le libraire continue à m'examiner avec la suspicion d'un chat confronté à une souris qui miaule.

« Je le connais. Que fais-tu avec son épée ? »

J'avale ma salive. J'ai encore du mal à en parler.

« Il est mort il y a un mois. »

Le libraire fronce les sourcils.

« L'Ennemi ? »

C'est ainsi que les anges appellent les démons. Certains les nomment aussi les déchus, mais d'après mon père, nombreux sont ceux, d'un côté ou de l'autre, qui doutent que les démons aient jamais chuté. Autrement dit, il y aurait toujours eu des démons, depuis le début, et non des anges qui auraient été condamnés aux flammes de l'enfer pour cause d'insoumission et patati et patata.

Je hausse les épaules.

« Je suppose, oui. On l'a tué avec une épée, donc ça ne peut être que l'Ennemi... N'est-ce pas ? »

L'ange comprend mon interrogation indirecte, et son expression devient encore plus dure.

« Qui d'autre ?

— Pourtant, il ne participait pas à la guerre. Pourquoi l'aurait-on assassiné ?

— Nous sommes tous impliqués dans cette guerre. Qu'on le veuille ou non. Maintenant, va-t'en. C'est l'heure de la fermeture. »

Je me contiens pour ne pas montrer mon agacement.

« Vous n'avez besoin ni de manger, ni de dormir ; et comme vous êtes immortel, vous n'avez aucune raison d'être pressé. Vous pouvez donc sans problème me consacrer dix minutes, non ? »

Il soupire.

« Dix minutes, pas plus. Que veux-tu savoir exactement ? »

Je dégaine mon épée d'un geste théâtral et je la pose devant lui sur la table.

« Iah-Hel était mon père. Je veux des explications. »

Il ébauche un sourire.

« Ah oui, ça me revient. C'était toi, la gamine qu'il emmenait partout avec lui, pas vrai ? Dans ce cas, tu dois savoir que nous sommes engagés dans une guerre éternelle, et que de temps en temps, il y a des pertes de part et d'autre. Crois-moi, il vaut mieux mourir comme ton père plutôt qu'autrement...

— Autrement ?

— La Plaie », répond-il simplement.

Je sais de quoi il parle. Il s'agit de cette mystérieuse maladie qui fait que les anges perdent des forces peu à peu. Au début, cela les a empêchés de revenir à l'état spirituel. Mais ce n'est pas tout. Quand la maladie évolue, leur énergie continue à s'évaporer goutte à goutte, jusqu'à ce que certains d'entre eux meurent d'épuisement, ou de nostalgie, ou quelque chose du genre. Nombreux sont les anges qui ont ainsi disparu. Ils l'appellent donc la Plaie ? Très biblique, en tout cas.

Cette maladie est la raison pour laquelle les démons sont désormais bien plus nombreux que les anges. La raison pour laquelle les anges sont en train de perdre la guerre, irrémédiablement. Voilà pourquoi n'importe quel ange avec deux sous de jugeote se préoccupe aujourd'hui davantage de sa propre survie que de la guerre.

À l'exception du groupe des fanatiques, bien sûr. Ceux que la foudre elle-même n'arrêterait pas. Michel et ses partisans.

« Michel est donc toujours vivant ? »

Le libraire n'a pas pu suivre mon raisonnement (les anges peuvent faire toutes sortes de choses, mais pas lire dans les pensées) et ma question le surprend.

« L'archange Michel est toujours vivant, me répond-il sèchement. Il continue à lutter de toutes ses forces, comme il se doit. »

Allons bon. C'est donc un fanatique, lui aussi. Un ange guerrier. Je rassemble mes idées avant de reprendre la parole. Je n'ai pas intérêt à le prendre à rebrousse-poil. J'essaie de me montrer aimable.

« Je m'appelle Cat. Je suis venue de très loin pour essayer de comprendre qui a tué mon père, et pourquoi. Si c'est l'Ennemi, je veux me venger. »

Il me regarde avec intérêt. Visiblement, je parle enfin le même langage que lui.

« Moi, c'est Yeiazel. Je comprends ta peine, jeune fille, mais c'est le devoir de chaque ange de combattre les démons, et malheureusement, nombreux sont ceux qui tombent au cours de la lutte. Il n'y a rien que tu puisses faire. Tu n'as aucun moyen de t'en prendre à un déchu : seul un ange peut tuer un démon, tout comme seul un démon peut tuer un ange.

— Peut-être, mais il y a quelqu'un qui me cherche, et si ce quelqu'un est celui qui a assassiné mon père... »

Yeiazel hausse un sourcil.

« Les démons sont malveillants et retors. Tu le sais. Si l'un d'eux s'est mis en tête que tu ne lui plaisais pas, il te persécutera jusqu'à ce qu'il parvienne à son but.

— Et si ce n'était pas un démon ?

— Il n'y a aucune raison pour qu'un ange traque une humaine.

— Vraiment ? Pas même l'un de ceux qui pensent que les anges ne devraient pas avoir de relations charnelles avec les humains ? »

Yeiazel soupire et s'appuie sur le comptoir dans une position un peu plus confortable. Il a dû deviner que ça allait durer plus longtemps que prévu.

« Cat, les anges ont mieux à faire que de s'entretuer pour des raisons qui n'ont pas la moindre importance comparées à la Plaie et à l'Ennemi. Crois-moi, aucun ange ne s'aventurerait à tuer son semblable. Nous sommes trop peu nombreux. Nous ne pouvons pas nous permettre ce luxe. »

Il a raison. Cela n'aurait aucun sens.

« Et les lois angéliques ? N'y a-t-il personne qui se charge de punir les anges qui désobéissent ? »

Le regard de Yeiazel se perd dans le vague. Pendant un moment, ses yeux brillent de cette lueur insondable que je voyais dans ceux de mon père quand il essayait de se rappeler quelque chose.

« C'était la tâche de Ragouël. Mais cela fait longtemps qu'il a succombé à la Plaie. »

J'ai déjà entendu parler de ce Ragouël. C'était l'un des sept archanges, qui sont donc aujourd'hui six, peut-être moins. Le Grand Inquisiteur angélique n'existe plus. Je ne sais pas si c'est une bonne ou une mauvaise nouvelle. Qui fera désormais la police de la police ? D'un autre côté, si, comme le dit Yeiazel, les anges sont confrontés à la menace de leur propre extinction, cela n'a plus grande importance.

L'ange libraire est moins étroit d'esprit que je ne le croyais au début. Je commence à le comprendre. Ce n'est pas qu'il s'efforce de se raccrocher à un glorieux passé fait de batailles héroïques et de grandes victoires pour mieux fuir la réalité. En fait, il a peur de la Plaie. Et c'est pour ça qu'il veut mourir en combattant.

Ah, l'honneur angélique... Mon père n'a jamais été l'un de ses hérauts. Mais peut-être l'était-il autrefois ; peut-être même ne s'en souvenait-il pas.

« Pour l'instant, la seule loi angélique qui compte, c'est la Loi de la Compensation, continue Yeiazel. Tu sais de quoi je parle ? »

Je hoche la tête et récite :

« "Quand un ange meurt, un autre doit naître." »

— C'est ça. Cette loi signifie qu'il a toujours existé – et qu'il existera toujours – le même nombre d'anges. Qu'en théorie nous ne pouvons pas disparaître en tant qu'espèce. Quand un ange meurt, et uniquement dans ce cas, une force inconnue pousse deux autres anges à en concevoir un nouveau.

— Et les anges qui font des enfants avec des humains ?

— Les demi-anges ne comptent pas. Même s'ils étaient nombreux, ils n'augmenteraient pas les légions angéliques, formées exclusivement d'anges purs », m'explique-t-il platement.

Je me sens un peu humiliée, mais une question me vient à l'esprit :

« Dans ce cas, pourquoi êtes-vous en voie de disparition ? »

Je n'aurais pas dû formuler ça comme ça. Quel manque de tact ! Le visage de Yeiazel s'assombrit.

« La loi fonctionnait lorsque la Plaie n'existait pas. Un ange naît uniquement lorsqu'un autre meurt au combat. Les anges exterminés par la maladie s'éteignent définitivement. Ils ne sont pas remplacés. »

Je demeure silencieuse. Trop d'informations d'un coup, trop de choses que mon père ne m'a jamais racontées. Et trop de conclusions à en tirer.

« Si mon père a été assassiné par un démon, cela signifie alors qu'au moment où il est mort un autre ange a été conçu quelque part ?

— Oui. Voilà pourquoi il est vital que les anges continuent à se battre. Qui sait, peut-être la Plaie est-elle une punition divine à l'encontre de ceux qui ont abandonné la lutte. Quoi qu'il en soit, la seule manière de se garantir contre l'extinction des anges, c'est de ne pas perdre de vue notre mission. » Il secoue tristement la tête. « J'ai essayé de l'expliquer à ton père, mais il a refusé de m'entendre. Je ne me réjouis pas de sa mort, comprends-moi bien, mais je suis heureux que ce ne soit pas la Plaie qui l'ait emporté et qu'il ait été tué en duel. »

Je repense à l'épée de mon père gisant sur le sol, près de lui.

« Je ne suis pas sûre qu'il y ait eu un combat loyal.

— Les démons ne savent pas ce qu'est un combat loyal, rétorque Yeiazel avec mépris. Mais il a été tué avec une épée démoniaque. C'est ça qui fait la différence. »

Une épée faite d'anti-essence angélique. Essence contre anti-essence. Un choc qui génère, miraculeusement, un autre être dans le ventre d'un autre ange. La mort engendre la vie.

Je n'avais jamais songé à ce qu'impliquait la Loi de la Compensation. Si c'est là l'une des idées géniales de Dieu, il faut reconnaître que c'est assez poétique. Et terriblement cruel. Car cela signifie que même en ces temps obscurs où les anges n'ont plus la force de lutter, ils doivent continuer à le faire s'ils ne veulent pas que leur espèce disparaisse.

« Voilà, tu sais tout, conclut Yeiazel. Tu peux remercier Dieu que ton père soit mort ainsi, même s'il avait tourné le dos à son devoir. Sa disparition n'aura pas été vaine.

— Remercier Dieu ? » je répète d'une voix rauque. Je lève la tête et regarde mon interlocuteur droit dans les yeux. « Croyez-vous que Dieu m'écoutera ? »

J'ai mis le doigt là où ça fait mal. Il soupire à nouveau.

« Je ne sais pas. Mais ce qui est certain, c'est que si tu ne lui parles pas, il ne t'écoutera jamais. »

C'est une autre manière de voir les choses. Yeiazel commence à me plaire, en fin de compte.

« Je veux me joindre à vous, dis-je. Je veux combattre à vos côtés.

— Impossible. Nous n'acceptons pas d'humains parmi nous.

— Quoi ? Pas même des enfants d'anges ? Mais je possède l'épée de mon père !

— Et tu sais l'utiliser ? »

Aïe. Coincée. Oui, je sais l'utiliser... plus ou moins. Mon père m'a appris. Mais quels que soient mes efforts, je ne pourrai jamais battre quelqu'un qui manie cette arme depuis des millions d'années. C'est la dure réalité.

« Je veux combattre ! je répète, ignorant sa question. Vous m'avez dit vous-même que vous n'êtes pas nombreux. Vous ne pouvez pas vous permettre de refuser des volontaires. Surtout pour quelque chose d'aussi stupide qu'une histoire d'ADN. Ne soyez pas raciste !

— Cat ! » m'interrompt Yeiazel. Son visage est devenu si grave que je recule instinctivement d'un pas, intimidée. « La Guerre Éternelle n'est pas l'affaire des humains. Pas même des humains à l'ascendance angélique. Jamais. Dans aucune circonstance. C'est la loi. »

J'avale ma salive.

« Vous avez dit vous-même que la seule loi qui compte, c'est la Loi de la Compensation...

— Oui. Et toi, *tu ne compenses pas.* »

La douche froide. Ai-je dit qu'il commençait à me plaire ? Je le retire. Pour qui se prend-il ?

« Je le dis pour ton propre bien », ajoute-t-il. Il essaie d'arranger les choses, à présent ? « Si tu te mêles de cette affaire, cela finira mal pour toi. Quelqu'un a tué ton père, Iah-Hel, un ange immortel qui existait depuis le début des temps. Crois-tu réellement pouvoir tenir tête à cette personne ?

— Mais... mais..., je proteste, aussi furieuse que honteuse. Je ne suis pas d'accord. Si j'ai tellement peu d'importance, pourquoi a-t-on tenté de me tuer ? »

Yeiazel se tait un instant.

« Je ne sais pas, reprend-il enfin. Les démons sont retors, c'est vrai, mais ils ne perdent pas leur temps avec vous autres. Ou peut-être que si. Peut-être que ça les amuse. Va savoir. »

Je n'y crois pas une seconde. Non que j'aie une haute opinion des démons, mais je sais qu'ils n'ont pas de motivations aussi... bassement humaines.

Et cela me rappelle une autre vieille légende au sujet des anges.

« Qu'en est-il des anges qui n'aiment pas les humains ? » j'insinue. Yeiazel attend que je sois un peu plus explicite. « Vous croyez peut-être que je ne le sais pas ? Il y a des anges qui nous détestent. Inutile de le nier. »

Il part d'un beau rire, musical mais froid.

« Je ne vois pas pourquoi je le nierais. C'est la vérité. Et franchement, je les comprends. Vous ne

nous donnez pas tellement de raisons de vous apprécier. Tu dois savoir qu'Uriel lui-même est mécontent
de vous depuis des milliers d'années. Ces derniers
temps, ça ne fait qu'empirer.

— Ah », fais-je, abattue. Je le savais, certes, mais je
m'attendais à devoir faire preuve d'ingéniosité pour
lui soutirer cette information. Je m'attendais qu'il se
sente coupable. Je ne m'attendais certainement pas à
me sentir coupable moi-même. « Uriel est donc
encore vivant, lui ? »

Uriel est un autre archange. Celui qui brandit l'épée
de feu devant les portes du paradis, vous vous souve-
nez ? La Bible ne précise pas le nom de l'ange qui
empêcha Adam et Ève de revenir en arrière. Certains
pensent que ce fut Michel lui-même, mais mon père
m'a dit que d'après la tradition angélique, il s'agit
d'Uriel, le gardien de l'Éden, l'ange qui s'investit le
plus dans la conservation et la protection de la
Création.

« Uriel est puissant, dit sans pitié Yeiazel. Mais il
est bien trop occupé par la guerre contre les démons.
Il n'a pas de temps à consacrer aux humains. Tu n'as
aucune raison de t'inquiéter.

— Je ne m'inquiète pas. Je veux juste connaître la
vérité.

— La vérité, c'est que ton père a été tué par l'Ennemi,
ce qui est une digne fin pour un ange quel qu'il soit,
réplique sèchement Yeiazel. La vérité, c'est que tu es la
fille d'une humaine, et que tu ne fais pas partie des
légions angéliques, ce qui signifie que tu ne peux pas te
joindre à nous, avec ou sans épée. La vérité, c'est que si
tu t'approches des démons, ils te tueront. C'est tout ce

que j'ai à te dire. Adieu, Cat. Tes dix minutes sont écoulées depuis longtemps, et je dois fermer. »

Je veux protester, mais soudain, il m'arrive quelque chose d'étrange. Je me sens comme paralysée, ou comme si le temps volait autour de moi tandis que je reste bloquée au milieu de ma phrase. Quand je parviens enfin à fermer la bouche, je suis à quatre pattes dans la rue, devant la porte de la librairie bouclée à double tour.

Furieuse, je tambourine contre le store métallique.

« Yeiazel ! Je n'ai pas l'intention de me rendre ! Et si vous refusez de m'aider, j'irai à la rencontre de l'Ennemi toute seule pour lui demander des explications !

— Vandale ! m'injurie-t-on depuis une fenêtre. Arrête tout de suite ou j'appelle la police ! »

Je ravale ma rage et je m'en vais.

Mais ce n'étaient pas des paroles en l'air. Puisque les anges me ferment la porte au nez, je n'ai pas d'autre choix que de partir à la recherche des démons. Et mon entrevue avec Yeiazel m'a donné une idée quant à la manière de les trouver.

Ruminant ma vengeance, je m'enfonce dans un dédale de ruelles sombres et silencieuses.

Il est deux heures du matin, et je tombe de sommeil. Je crois que je me suis perdue.

J'ai couru toute la nuit les boîtes et les bars de Madrid. Pas pour faire la fête. Je cherche un démon. N'importe lequel ferait l'affaire, y compris le plus insignifiant des diablotins. En fait, ça vaudrait même mieux si c'était un insignifiant diablotin : j'aurais certainement plus de courage que face à un grand prince démoniaque !

Vous pensez que cette idée de chercher des démons dans des locaux mal famés est un cliché ? Peut-être, mais c'est moins absurde que vous ne le croyez. Mettez les pieds dans la première gargote venue et regardez autour de vous (si la fumée vous le permet, bien sûr). Que voyez-vous ?

Des gens ivres, qui ont envie de s'amuser. Désinhibés. Prêts à s'acoquiner avec des inconnus. Des gens qui, si on se débrouille bien, feront tout ce qu'on leur demandera.

Selon un axiome qui circule chez les anges, il n'y a qu'une seule chose plus destructrice qu'un démon : un humain encouragé par un démon. Ce n'est pas très glorieux, je sais. Mais au moins, cela nous dédouane un peu de nos responsabilités. Cela dit, mon père aimait à répéter que les humains n'ont pas besoin des démons pour être destructeurs. Ils y arrivent très bien tout seuls. Et j'imagine assez bien quel ange – ou quel archange – a pu suggérer que nous sommes encore pires que les démons.

Toujours est-il que les démons aiment provoquer les humains pour leur faire commettre de mauvaises actions, ou faire d'eux leurs esclaves. (Ce qui n'implique pas que tous les criminels soient inspirés par un démon, loin de là. Apparemment, presque toutes nos actions sont motivées par notre fameux libre arbitre – autrement dit, nous faisons ce qui nous plaît.)

Voilà pourquoi je suis ici. J'espère découvrir un démon en chasse. Ou plutôt, j'espère qu'un démon va me découvrir, moi.

Il m'est impossible de distinguer un démon parmi la foule d'humains ivres et/ou drogués qui s'entasse dans chaque établissement. Mais je porte une épée angélique en bandoulière. Elle a attiré l'attention de Yeiazel, elle en fera autant avec le premier démon venu. Un peu comme si elle émettait des signaux de fumée... Non, cette comparaison ne tient pas debout : ici, des signaux de fumée passeraient totalement inaperçus. Disons plutôt qu'elle brillera comme un phare dans le brouillard.

Néanmoins, ça fait des heures que je déambule, et personne ne fait attention à moi. Il faut dire que je ne suis pas très grande, et je ne porte pas de talons hauts comme la plupart des filles qui fréquentent ce genre de lieu. Je n'ai pas non plus de minijupe ni de T-shirt décolleté, mais un jogging miteux. Je passe donc totalement inaperçue...

Un instant !

Quelqu'un me regarde.

Qui ? Et pourquoi ?

Je me tourne de tous les côtés. En vain. Les lumières clignotent, la fumée m'entoure, et il y a tant de gens que je n'arrive pas même à voir d'un bout à l'autre de la salle.

N'empêche. J'ai *senti* ce regard, exactement comme on sent un courant d'air glacé. Mes cheveux se sont dressés sur ma nuque, et j'ai été parcourue par un frisson des plus sinistres.

Je m'ouvre un passage dans la foule. J'ai la certitude que, quelque part parmi ces gens, quelqu'un brille de sa propre lumière. Une créature surnaturelle prisonnière d'un corps humain.

Je dérange ; on me pousse. Je me laisse ballotter de-ci de-là, m'efforçant de retrouver cette sensation. Soudain, je m'immobilise. Là, dans un coin. Un garçon m'a regardée, et j'ai eu la chair de poule. En fait, pour être tout à fait franche, j'ai eu une crise de panique : je meurs d'envie de partir en courant. Mais je me retiens.

Le garçon en question vient de plonger son visage dans la longue chevelure d'une fille dont la tenue de cuir laisse peu de place à l'imagination. Il lui chuchote quelque chose à l'oreille, et elle rit avec coquetterie. Je ne vois pas son visage, à lui. Il a l'air jeune, plus que Yeiazel. Il n'a pas l'air d'un ange, mais on ne sait jamais.

C'est alors qu'il lève les yeux. Son regard me laisse muette d'horreur.

C'est le regard d'un prédateur.

La fille qui l'accompagne s'aperçoit de ma présence et se tourne vers moi, agacée. Mais elle ne me fait pas peur. Elle me fait plutôt pitié. Elle est convaincue que s'il lui témoigne autant d'attention, c'est parce qu'il veut coucher avec elle. C'est faux. Tu te trompes, pauvre naïve. Ton corps ne l'intéresse pas le moins du monde. C'est ton âme qu'il veut. Et quand tu la lui auras donnée, il n'y aura pas de retour en arrière possible.

Il me dévisage toujours. Ses yeux froids et pénétrants semblent d'acier. Puis il sourit, lentement. C'est un sourire à la fois sournois et fascinant. Un sourire incroyable, magnifique, mais qui me rappelle celui d'un chat qui se lèche les babines avant de sauter sur sa proie.

Je prends une profonde inspiration. Ce n'est pas le moment d'avoir la frousse. J'ai une épée angélique et je n'hésiterai pas à m'en servir !

Ce qui me rappelle pourquoi il me regarde. Il a vu mon épée. Il sait qui je suis, ou du moins, il le devine. En un geste désespéré, je sors la lame de son fourreau et je la pointe vers eux. J'observe non sans satisfaction qu'il est décontenancé. Peut-être même très légèrement effrayé. Après tout, je viens de lui mettre sous le nez la seule chose qui peut le tuer. Quelle tête ferait Superman si on brandissait un morceau de kryptonite sous son nez ?

Il fronce les sourcils et me regarde avec colère.

« Tu es folle, ou quoi ? crache-t-il.

— Qu'est-ce que tu veux ? » demande la fille avec impatience.

J'ai de la chance : comme tout le monde ici, elle est trop peu lucide pour remarquer que devant elle se dresse une fille perturbée armée d'une épée. Tant mieux.

« Dis-lui de partir, j'ordonne au démon.

— Hein ? Mais pour qui tu te prends ? réplique l'autre, stupéfaite. S'il y en a une qui doit partir, ici...

— Va-t'en », la coupe le démon à mi-voix, sans quitter l'épée des yeux.

Elle se fige, puis se tourne vers lui dans l'espoir d'avoir mal entendu.

« Mais...

— Je t'ai dit de t'en aller », répète le démon avec une voix tranchante comme un couteau.

Alors qu'elle s'apprête à protester, il lui lance soudain un regard froid, inhumain. Elle recule précipitamment, baisse la tête et s'éloigne à toute allure. Elle ne le saura jamais, mais elle me doit plus que la vie.

Le démon revient à moi. Effectivement, il est jeune ; autrement dit, il a l'air d'avoir moins de vingt ans, même s'il en a probablement plus de vingt mille – l'âge tendre pour un démon. Naturellement élégant, il porte un pantalon noir et une chemise blanche aux manches à moitié retroussées. Pourtant, son aspect a quelque chose de négligé : ses cheveux noirs sont ébouriffés et ses vêtements froissés, comme s'il venait de se lever. À moins qu'il ne s'agisse d'une nouvelle mode ? Ses traits sont un peu enfantins, ce qui est trompeur, car son expression n'a rien de puéril : maintenant que sa proie a disparu et que je suis seule face à lui, il montre son véritable visage, grave, alerte, et extrêmement dangereux. Dans la pénombre, il est difficile de dire de quelle couleur sont ses yeux ; de toute façon, je ne me sens pas capable de soutenir son regard une seconde de plus.

Je lève l'épée, m'attendant qu'il dégaine la sienne. Rien ne se passe.

J'ai du mal à en croire ma chance. Il n'a pas son épée sur lui. Il n'a pas d'arme ! Mon père m'avait bien dit que les démons devenaient de plus en plus négligents, mais là, c'est un comble. Il croit peut-être que les anges ne sont plus une menace ? Nous allons voir ça.

« Sois prudente avec ce gadget, dit-il tranquillement. Tu pourrais te faire mal.

— C'est toi qui vas avoir mal si tu ne réponds pas à mes questions. »

Il lève les yeux au ciel. Je n'aime pas son attitude. Pourquoi ne me prend-il pas au sérieux ?

« Tu n'es qu'une humaine qui joue à l'ange, fillette, me rétorque-t-il d'une voix de velours qui me fait frissonner sans que je sache pourquoi. Ne pose jamais de questions à un démon. Tu n'aimerais pas les réponses. »

Fantastique. Parmi tous les démons du monde, il fallait que je tombe sur celui qui se la joue mystérieux.

« Ne fais pas le malin avec moi, diablotin. Je porte une épée. Pas toi. »

Il sourit, moqueur.

« La question est donc de savoir qui a une épée et qui n'en a pas ? Intéressant. »

Je devine qu'il s'agit d'une plaisanterie grivoise, mais je suis trop furieuse pour y réfléchir. Ce qui m'agace le plus, c'est qu'il plaisante, tout court. Maudit soit-il ! Je le connais depuis deux minutes à peine, et il s'est déjà débrouillé pour me faire sortir de mes gonds !

« Je veux savoir qui a tué mon père. »

Il y a beaucoup de bruit dans le local, mais je sais qu'il entend chacune de mes paroles. Les démons ont une ouïe excellente.

Il hausse les épaules.

« Comment veux-tu que je le sache ? »

Moi aussi, j'entends parfaitement ce qu'il dit sans qu'il ait besoin de hausser le ton. La voix de ces êtres maudits résonne profondément dans le cœur des hommes, même quand on ne l'écoute pas. Voilà pourquoi ils sont dangereux.

« Mon père était l'ange Iah-Hel. Des démons l'ont tué...

— Oh ! Quels vilains, ces démons ! Pourquoi donc s'amusent-ils à tuer des anges innocents ?

— Tais-toi ! » je crie. Je me concentre pour ne pas perdre mon sang-froid. « Mon père ne participait pas à la guerre, et moi non plus. Pourtant, on me cherche. Je veux savoir pourquoi. »

Le démon fronce les sourcils. Il semble parfaitement calme. En revanche, je transpire par tous les pores et je me sens sur le point d'exploser. Personne ne croirait que c'est moi qui suis armée.

« C'est donc ça ! s'exclame-t-il. La fille d'un ange. Trop humaine pour être avec eux, mais irrémédiablement impliquée dans une guerre qui n'est pas la sienne. Pauvre petite.

— Je ne veux pas de ta compassion ! J'exige de savoir le nom du démon qui a tué mon père et la raison pour laquelle il a fait ça.

— Tu crois que je suis au courant de ce que font tous les démons ? Lucifer lui-même ne sait pas où se trouvent actuellement tous ses serviteurs. Qu'est-ce qui te fait penser...

— Cherche », je l'interromps, approchant l'épée jusqu'à ce qu'elle effleure son cou.

Une ombre d'inquiétude passe devant ses yeux. Il se ressaisit immédiatement et me sourit avec suffisance.

« Je crains que ton père n'ait oublié de t'expliquer certaines règles basiques. Par exemple, celle qui dit que les anges et les démons n'obéissent pas aux ordres des humains. »

Je devine son mouvement une fraction de seconde avant qu'il ne le réalise, et je lui porte une estocade.

Je suis certaine de pouvoir l'atteindre, mais brusquement, il n'est plus là. Je le sens à côté de moi, comme une ombre intangible. Je perds l'équilibre et tombe dans une flaque de bière (du moins j'espère). Je le vois qui se penche sur moi ; je me dépêche de m'asseoir et de poser la pointe de l'épée sur son torse.

« N'avance pas d'un pas ! »

Il sourit, de ce sourire angoissant, et il disparaît, tout simplement.

Je me relève d'un bond et je regarde autour de moi, hébétée. Je ne le vois nulle part. C'est alors que j'entends sa voix dans mon oreille, ou peut-être dans un recoin secret de mon âme :

« Rentre à la maison, fillette. Ne joue pas avec ce que tu ne comprends pas. Que je ne te revoie pas, ou je pourrais bien perdre patience.

— Je t'interdis de partir ! » je braille.

Cette fois-ci, tout le monde m'entend et me regarde avec un mélange de pitié et de mépris. Ils doivent croire que je suis saoule.

Il ne me faut pas longtemps pour comprendre que le démon n'est plus dans l'établissement.

Je suis fatiguée, et trop humiliée pour reprendre mes recherches. Je sors et me remets en marche dans les rues de la ville. J'ai commis une erreur, mais laquelle ? Réussirai-je un jour à venger mon père, ou du moins à savoir pourquoi il a été tué ? Peut-être que Yeiazel a raison. Je ne devrais pas m'approcher des démons : je ne suis pas à leur niveau. Mais si les anges ne veulent pas m'aider, que puis-je faire d'autre ?

Je me suis perdue, et l'hôtel est très loin. Il est trop tard pour prendre le métro. Il est trop tard pour bien des choses.

Quand enfin j'arrive à destination, il est déjà quatre heures du matin. Malgré ça, je décide de me doucher rapidement dans la salle de bains sur le palier. Je récolte divers grognements et insultes de la part de gens que j'ai réveillés, mais je m'en moque. Je retourne dans ma chambre, et juste au moment où je m'effondre sur le lit, je me rends compte que j'aurais pu prendre un taxi.

Que voulez-vous que je vous dise ? Je ne suis pas habituée à ce genre de luxe.

Il y a quelqu'un dans ma chambre.

C'est la première chose que je pense quand j'ouvre les yeux, quelques minutes à peine après m'être endormie comme une souche. Je saisis l'épée que j'ai laissée sur le sol juste à côté de moi et je m'assois dans le lit, paniquée. Toutes les sirènes d'alarme sonnent dans mon cerveau, mais il fait trop noir pour y voir quoi que ce soit.

« Je suis là », me signale aimablement une voix que je reconnais, une voix que je voudrais n'avoir jamais entendue.

J'allume la lampe de chevet. L'ampoule est de faible intensité, mais suffisante pour me permettre de distinguer la personne assise sur la seule chaise de la chambre.

« Qu'est-ce que tu fais ici ? je glapis en reconnaissant le démon de la boîte de nuit.

— Chut ! m'ordonne-t-il, ce qui suffit pour me faire taire immédiatement. Tu vas réveiller tout l'hôtel ! »

Mes neurones sont en état de choc, mais essaient héroïquement de faire le point. Il m'a suivie. Il m'a trouvée. Et cette fois-ci, il a son épée. Il va me tuer.

Il se lève et avance vers moi. Je brandis maladroitement mon arme. (Je voudrais vous y voir ! Ce n'est pas facile de brandir une épée assise dans un lit tout en retenant le drap d'une main – je vous l'ai déjà dit, je dors en T-shirt !)

Mais son épée reste dans son fourreau. À ma grande surprise, il me tend la main.

« Je veux t'aider, m'annonce-t-il.

— Ben voyons ! »

Il retire sa main. Je ne sais pas s'il est agacé ou amusé.

« Quoi ? Ce n'est pas ce que tu voulais ?

— J'aurais compris que tu acceptes de m'aider quand la pointe de mon épée était posée sur ton cœur, maudit fils de Satan. Mais te voir me tendre la main comme si de rien n'était... Tu me prends pour une idiote, ou quoi ? Qu'est-ce que tu mijotes ? »

Il sourit. Je suppose que les démons sont habitués à ce qu'on se méfie d'eux. Ne serait-ce que parce que les anges n'ont cessé de répéter cette maxime aux humains siècle après siècle : quoi qu'il arrive, ne faites jamais confiance à un démon !

Je garde l'épée levée et le suis des yeux avec suspicion. Il se rassoit sur la chaise et m'explique tranquillement :

« Quand nous nous sommes quittés, j'ai reçu une visite inattendue. Quelqu'un nous avait vus ensemble et voulait savoir ce que nous nous étions dit.

— Une fiancée jalouse ? je lance avec sarcasme tout en baissant un peu mon épée.

— Non. Quelqu'un comme moi. Tu avais raison. On te suit. »

Mon cœur s'emballe, mais je m'efforce de ne pas le montrer.

« Qui ?

— Je ne sais pas. Je ne le connais pas. Tout ce que je peux te dire, c'est que ce n'était qu'un sbire, un démon mineur derrière lequel se cache probablement quelqu'un de bien plus puissant. Bref, tu es sous surveillance. Il m'a demandé de lui répéter notre conversation et m'a ordonné de ne plus jamais m'approcher de toi. »

Me voilà complètement déroutée.

« C'est pour ça que tu es venu ici ?

— Exactement. »

Je fronce les sourcils. Sa logique m'échappe.

« Eh bien, figure-toi que moi non plus, je n'ai aucune envie que tu t'approches de moi, surtout quand je suis en train de dormir. Tu peux donc repartir tout de suite. »

Il sourit avec suffisance.

« Je t'ai déjà dit que nous n'obéissons pas aux ordres des humains. Je vais où je veux. Et si j'ai envie d'entrer dans ta chambre pour te parler, tu n'as pas d'autre choix que de m'écouter. »

J'aimerais pouvoir répliquer quelque chose, mais malheureusement, il n'a que trop raison. Je lève le menton, m'efforçant de conserver un peu de dignité :

« Bon, alors parle, et ensuite va-t'en !

— Tu n'es qu'une humaine. La fille d'un ange, mais d'un ange mineur. Il n'y a aucune raison que quelqu'un s'intéresse à toi. Tu me diras que ça ne me regarde pas, et tu n'auras pas tort : on peut t'enlever, t'arracher les tripes et t'écorcher vive, ça m'est parfaitement égal. Ce que je n'apprécie pas, c'est qu'un petit démon de rien du tout se croie en droit de me donner des ordres. Si quelqu'un veut m'interdire quelque chose, je veux au moins savoir pourquoi. »

Ah. Je commence à comprendre.

Les démons sont indisciplinés par nature. Les anges obéissent à leurs lois, avec quelques rares exceptions qui ont eu affaire à l'épée de Ragouël. Les démons, eux, n'ont pas de lois, tout simplement parce qu'ils sont incapables de les respecter. C'est comme ça. Il suffit de donner un ordre à un démon pour qu'il fasse exactement le contraire. La seule manière de se faire obéir par un démon, c'est d'appuyer cet ordre par une menace terrible. Dans la hiérarchie angélique, les individus les plus puissants sont ceux qui ont le plus haut rang : les séraphins sont placés plus haut que les archanges, donc les archanges leur obéissent, simplement parce que ce sont des séraphins. Dans la hiérarchie démoniaque, c'est l'inverse. Les démons n'obéissent pas à leurs supérieurs à cause de leur rang : leurs supérieurs ont obtenu ce rang parce qu'ils savent se faire obéir. Et Lucifer est le plus puissant de tous parce que c'est le plus redouté, tout simplement.

J'ai entendu dire que, de temps en temps, certains démons se mettent en tête de le détrôner et fomentent un complot. Mais à ma connaissance, ça n'a jamais mené nulle part : Lucifer reste le chef suprême. En revanche, il y a régulièrement des mouvements en haut de l'échelle. On ne sait jamais si le numéro deux est Astaroth, Belzébuth, Bélial, ou un autre grand général des légions infernales. Ils sont sans cesse en train de lutter pour se renverser les uns les autres.

Il n'est donc pas si absurde que ce petit démon vienne m'offrir son aide avec un tel naturel. Mais je reste sur mes gardes.

« S'il est tellement évident que tu n'obéirais pas à cet ordre, pourquoi a-t-on pris la peine de te le donner ? »

Il hausse les épaules.

« Il arrive que les chefs soient trop occupés pour faire les choses correctement. Mais aucun démon ne peut s'intéresser à une humaine, à moins d'être en train de préparer un gros coup. Et dans ce cas, je veux savoir ce que c'est. »

Ses yeux brillent de manière sinistre dans la pénombre. Je continue à ne pas lui faire confiance, mais je le crois.

« Peux-tu découvrir qui a tué mon père ?

— Je peux essayer. » Il se lève. « Demain, au coucher du soleil, va au parc du Retiro et attends-moi sous la statue de l'ange déchu. Viens seule, et sans ton épée.

— Tu me prends pour une crétine ?

— Moi, en tout cas, j'y serai. Et peut-être que je t'apporterai des nouvelles de ton père. Tu sais que je dis la vérité. »

C'est vrai. Contrairement à ce qu'affirme l'idée reçue, les démons mentent rarement. Ils n'en ont pas besoin. Ils savent plier tous les pactes en leur faveur. Je le regarde avec méfiance. Où est le piège ? S'il avait voulu me tuer ou me capturer, il l'aurait déjà fait.

« Tu n'es pas obligée de faire ce que je te dis, bien sûr, reprend-il. Mais si tu viens, tu obtiendras peut-être l'information que tu cherches. À toi de voir ! »

Maudit libre arbitre.

« Je ne promets rien », je grogne.

Il sourit.

« À demain, alors.

— Attends, démon ! Je ne sais même pas comment tu t'appelles ! »

Il me regarde, narquois.

« Angelo.

— C'est ça. Bien sûr.

— Pour de vrai ! » Ses yeux brillent dans le noir avec amusement. « À demain, Cat. Au coucher du soleil. »

La lumière s'éteint brusquement. Le temps que je la rallume, Angelo a déjà disparu. Rien n'indique que j'ai reçu la visite d'un démon. Pas d'odeur de soufre, pas de rideaux brûlés, pas de symboles cabalistiques sur le sol. En réalité, ces âneries ont été répandues par les sataniques, c'est-à-dire les humains adorateurs du diable. Les vrais démons sont bien plus discrets. Et visiblement, ils ont un sens de l'humour assez tordu.

Angelo.

Les démons ne révèlent jamais leur véritable nom, pas même à leurs semblables, à moins d'être si puissants qu'ils ne redoutent personne. Les démons ordinaires adoptent donc un pseudonyme, un prénom commun qu'ils utilisent dans leurs relations avec les mortels. Ils se sont souvent tellement habitués à ce nom d'emprunt qu'ils se sentent parfaitement à l'aise avec, autant qu'avec leur « nom antique », celui qui apparaît dans les traités démoniaques et dans nos mythologies.

Mais qu'est-ce qui lui a pris de choisir comme nom d'emprunt un dérivé du mot désignant ses pires ennemis ?

Je me recouche. Je tremble encore de tous mes membres. Au moment où je fourre la tête sous les couvertures, une autre question me vient à l'esprit.

Je ne lui ai pas dit mon nom. Comment le connaissait-il ?

Bon. M'y voici.

J'ai passé presque toute la journée à l'hôtel. Quand on a toujours vécu en nomade, on n'a pas spécialement envie de s'éloigner de n'importe quel lieu pourvu d'un toit et d'un lit. J'ai réfléchi à tout ce que je savais au sujet des démons, en particulier des jeunes démons.

Le mot « jeune » n'est pas à prendre au pied de la lettre. Les origines d'Angelo remontent peut-être à une époque où les humains ne se tenaient pas encore debout. Ça reste relativement récent pour un démon. Songez que la Chute, si elle a réellement eu lieu, date des origines du monde. La vie n'était peut-être même pas encore sortie de l'eau.

Quand j'y pense, ça me coupe le souffle. Mon père a probablement assisté à l'apparition, au développement, puis à l'extinction des dinosaures. Ses yeux ont dû voir tant de choses, tant de catastrophes et de merveilles, tant d'horreurs et de mystères... *Trop* de choses. Pas étonnant qu'il en ait oublié la majeure partie.

Je me demande s'il reste quelqu'un – ange ou démon – qui se rappelle tout ça.

La plupart des jeunes anges sont aussi vieux que l'humanité. J'en déduis qu'il en va de même pour les démons, donc pour Angelo.

Pour les humains, les jeunes démons sont les plus dangereux. Ils ont grandi avec nous, et ils ont vu notre espèce évoluer. Du coup, ils nous ont prêté plus d'attention que les démons antiques, qui ont vu naître et mourir des millions d'espèces avant que le premier humain ne fabrique un outil. Et à force de nous observer, ils nous connaissent bien. Très bien.

Je sais, je sais. Je ne suis pas prétentieuse au point de me croire en sécurité en allant à un rendez-vous avec un démon. Je suis consciente qu'à aucun moment je ne maîtriserai la situation. J'ai décidé de venir, mais je vois des panneaux clignotants qui me crient « danger » à tous les coins de rue.

Avant de me jeter la pierre, il faut que vous sachiez deux autres choses concernant les jeunes démons comme Angelo.

1) Ils sont capables de se mêler à nous avec bien plus de naturel que les anciens démons. Ils ne se contentent pas de nous observer : ils nous parlent, parfois même nous écoutent, et ils sont disposés à collaborer avec un humain si ça les arrange. L'idée qu'Angelo veuille réellement m'aider – pour des raisons retorses qui n'ont rien à voir avec l'altruisme – n'est donc pas si loufoque.

2) Les jeunes démons ne sont pas encore blasés. Les plus vieux en ont tant vu qu'il n'y a pratiquement rien qui éveille leur intérêt. Mais les jeunes sont susceptibles d'éprouver de la curiosité, et certains croient encore qu'il est possible de détrôner Lucifer,

donc les luttes pour le pouvoir continuent à les passionner.

Bien entendu, ce ne sont que des conjectures. En dépit de tous mes arguments, je sais que seuls un fou ou un idiot accourent consciemment à un rendez-vous donné par un démon.

Vous l'avez deviné, je me sens complètement idiote.

Mais je dois bien commencer quelque part, non ? J'en ai assez de donner des coups d'épée dans l'eau, si vous me passez l'expression. Il fallait bien que je tente de m'infiltrer dans le monde des démons. Je le savais quand j'ai décidé de découvrir qui a tué mon père. Je savais quels risques je prenais, et je savais que je n'en sortirais probablement pas vivante.

Je n'ai aucune envie de mourir, mais quelque chose me dit que mon heure n'est pas encore venue. Vain espoir ? Instinct suicidaire ? Comme vous voudrez. Personnellement, je demeure convaincue que si Angelo avait voulu me tuer, il l'aurait fait cette nuit. Le pire qui puisse m'arriver est donc qu'il me pose un lapin.

Du moins j'espère.

Je suis en avance. J'ai quitté l'hôtel assez tôt : je n'étais pas sûre de trouver facilement le lieu de rendez-vous. Effectivement, j'ai dû faire des allées et venues pendant un certain temps avant de la voir enfin.

La statue de l'ange déchu.

J'ai lu quelque part que Madrid est la seule ville du monde à posséder une statue dédiée à Lucifer. Je ne sais pas si c'est vrai, mais il faut reconnaître qu'elle est extrêmement belle.

La main qui a ciselé cette sculpture a représenté l'empereur démoniaque comme un homme jeune, musclé, indubitablement beau. Un serpent s'enroule autour de son corps, peut-être pour le rattacher au monde. Il a les yeux levés et pousse un cri d'horreur. D'horreur, ou de douleur ? Ou de défi ? Je ne sais pas ; j'ai du mal à imaginer le grand Lucifer, dont j'ai tant entendu parler, avec une expression aussi humaine. Et pourtant, il est là, suppliant le ciel et levant une de ses ailes en une dernière protestation désespérée.

Je n'arrête pas de me demander ce qu'ont réellement pu faire les anges déchus pour déplaire à Dieu à ce point, alors qu'on dit qu'il pardonne absolument n'importe quel péché commis par un humain, si effroyable soit-il, du moment que le pécheur se repent sincèrement. Lucifer s'est-il repenti de l'avoir asticoté ? Les démons désirent-ils redevenir des anges ? L'ont-ils jamais été ?

Ce sont des questions auxquelles je n'ai pas de réponse. Je me demande si Lucifer lui-même se pose ces questions, et s'il sait y répondre, lui.

Je quitte la statue des yeux et cherche du regard un endroit où m'asseoir. Il n'y en a pas, de sorte que je m'assois en tailleur à même le sol. Et j'attends.

Le soleil sombre petit à petit derrière l'horizon, mais Angelo ne fait pas son apparition. A-t-il oublié notre rendez-vous ? A-t-il vu les choses sous un autre angle à la lumière du jour ? A-t-il décidé que les problèmes d'une mortelle vindicative ne l'intéressaient pas ?

Je pose mon menton sur mes genoux. Je commence à me sentir un peu inquiète. Aurais-je fait quelque chose de travers ? Je n'ai pas pu mal interpréter ses instructions. Il m'a dit de venir ici, aujourd'hui, au coucher du soleil. Et il m'a ordonné de venir sans arme.

C'est ce que j'ai fait. Je n'ai pas pris mon épée. Il m'en a coûté de la laisser à l'hôtel. Je la porte depuis la mort de mon père. Sans elle, je me sens vulnérable, comme n'importe qui. Je sais : en d'autres circonstances, j'aurais donné n'importe quoi pour être une fille normale. Mais en ce moment même, je ne cesse d'invoquer la moindre goutte d'essence angélique qui coule en moi. Malheureusement, la seule chose angélique que je possède, c'est l'épée de mon père. Point final.

Je suis donc plus que jamais en position de faiblesse, mais il est trop tard pour revenir en arrière.

Ou pas ?

Je jette un coup d'œil autour de moi, légèrement angoissée. Je suis seule. Quelques instants plus tôt, il y avait des promeneurs, des patineurs, des joggeurs, et même quelques flâneurs allongés sur le gazon, mais tout le monde est parti. Il ne reste plus que moi.

Et toujours pas trace d'Angelo.

Peut-être que c'est mieux ainsi. Je vais pouvoir retourner à l'hôtel, récupérer mon épée. Si ça se trouve, en se désintéressant de la question, il m'a sauvée d'un sort atroce.

On parle beaucoup des tourments de l'enfer – lisez donc Dante pour plus de détails – mais, que je sache, il n'y a aucun lieu où les malheureux pécheurs sont soumis aux pires supplices. Ce sont les démons qui font de la vie de quiconque tombe entre leurs griffes un enfer. J'imagine que torturer les gens les amuse.

Ce qui m'amène à me poser toutes sortes de questions. Par exemple : est-il vrai que seuls les méchants vont en enfer ? Jusqu'à quel point le choix des démons est-il arbitraire ? Sur quoi se fondent-ils pour décider si un humain leur est plus utile vivant, mort, ou soumis au supplice le plus épouvantable ?

Bravo, je peux être fière de moi ! J'ai réussi à me faire dresser les cheveux sur la tête. Il fait presque nuit, j'ai froid, et je commence à me dire que ce rendez-vous avec un démon est une très mauvaise idée. Je me lève d'un bond. Si je me dépêche et que je ne me perds pas, je dois pouvoir sortir du parc avant que l'obscurité ne soit complète.

Je n'ai le temps de faire que deux pas avant de détecter un mouvement du coin de l'œil. Un mouvement trop rapide pour provenir d'un humain.

« Angelo ? » Je m'efforce de raffermir ma voix qui tremble. « C'est toi ? »

Pas de réponse. Je recule, angoissée. Je fais mine de porter la main à mon épée avant de me rappeler que je l'ai laissée à l'hôtel.

L'ombre recommence à bouger sous les arbres, rapide comme une flèche, sinistre comme le hurlement d'un loup. Je suis saisie d'une peur viscérale, irrationnelle. Il ne peut s'agir que d'un démon. Angelo, peut-être. Si c'est lui, je suis tombée dans son piège comme une andouille.

Peut-être qu'il n'a pas pu me tuer hier à cause de mon épée. Et si j'avais sous-estimé le pouvoir que ces armes exercent sur les démons ? Il n'a jamais eu l'intention de m'aider ; il voulait juste s'assurer que je viendrais désarmée pour me punir d'avoir osé interrompre sa partie de chasse dans le bar.

Quelle idiote j'ai été ! Mais quelle idiote !

Je tourne les talons et je pars en courant. Je sais que je suis trop lente pour espérer lui échapper et que je suis en train de faire exactement ce qu'il attend de moi, mais je ne peux pas m'en empêcher.

Je sens qu'on me suit. Une ombre glisse entre les arbres avec la rapidité du vent et l'élégance mortifère d'un vampire. Je cours de toutes mes forces, mais il est déjà à côté de moi. Son épée brille à la lueur des lampadaires. Je freine brusquement et je fais un saut de côté ; puis j'essaie de me remettre à courir, mais je trébuche. Je roule sur moi-même pour me mettre hors de sa portée, en un geste désespéré et totalement inutile : il est déjà là, à m'attendre. Son épée s'abat sur moi avec l'irrévocabilité de la trahison d'un démon.

Soudain, on entend un bruit supraterrestre, semblable à la fois au tintement d'une cloche lointaine, à une cascade se déversant sur des cailloux, à un rayon de feu tombant du ciel. Le bruit de deux lames surnaturelles qui s'entrechoquent. L'une d'elles, qui se meut avec la fluidité de l'eau, est à quelques centimètres à peine de mon visage. C'est l'épée qui m'a sauvé la vie.

Et celui qui la porte n'est pas un ange, mais un autre démon. Malgré la pénombre, je distingue les traits d'Angelo. Ce n'était pas mon agresseur. C'est mon protecteur.

L'autre émet un sifflement furieux et dit quelque chose à Angelo dans une langue que je ne connais pas. Angelo répond dans la même langue. Ça suffit : une fraction de seconde plus tard, ils se battent avec acharnement à quelques mètres de moi. C'est une

lutte à mort. Leurs épées scintillent sous les lampadaires comme des éclairs dans la nuit. Je peux à
peine les distinguer l'un de l'autre tant ils bougent
rapidement.

Je suis demeurée assise par terre, bouche bée. Je
n'arrive pas à les quitter des yeux. Je n'ai jamais rien
vu de tel.

Je suppose que peu de gens sur Terre ont eu l'occasion de voir deux démons, ou un ange et un démon,
engagés dans un duel. C'est un spectacle impressionnant. J'en oublie que ma vie est en danger : au lieu
de prendre mes jambes à mon cou, je reste là, à les
contempler.

Ils ne sont pas humains, ce qui dit à la fois tout et
rien.

Ils n'ont pas l'air de combattre, mais de danser,
avec une grâce qui ferait sembler pataud n'importe
quel félin. Ils sont extrêmement rapides et réalisent
des mouvements d'attaque, d'esquive et de défense
humainement impossibles, sans parler de leurs sauts
qui défient les lois de la gravité. Leurs épées semblent une prolongation de leurs bras. Je ne sais pas
qui va l'emporter, et même si ma vie en dépend, je
ne m'en soucie guère. Je pourrais les regarder
éternellement.

Juste au moment où je me dis ça, le spectacle prend
fin. Une épée trouve une brèche, s'enroule autour de
l'autre, l'arrache à son propriétaire et la projette à
quelques pas de là.

Le vainqueur se redresse. La lumière éclaire son
visage.

Angelo.

Je ne ressens aucun soulagement. Complètement sonnée, je le regarde pousser l'autre démon à terre et placer la pointe de son épée sur son cœur. Il recommence à parler dans cette langue que je ne comprends pas.

L'autre ne semble pas vouloir collaborer. Angelo insiste. Son épée effleure le cou du démon, qui crie comme si on lui arrachait les entrailles. Angelo répète sa question, inébranlable. Il obtient une réponse moqueuse et enfonce un peu plus son arme dans la peau de son adversaire. Le démon crie encore et crache enfin des informations.

Angelo sourit.

C'est tout. Il sourit. Il ne prononce pas un seul mot. Pas un remerciement. Rien. D'un mouvement rapide, il plonge son épée dans le cœur de son ennemi. C'est terrible à voir. Le démon se tord dans des convulsions, comme secoué par une décharge électrique. Il pousse un hurlement qui, je le sais déjà, hantera mes cauchemars pendant très longtemps. Enfin, il retombe avec la douceur d'une plume et cesse de bouger.

Je laisse échapper une exclamation horrifiée. Non que je regrette la mort du démon, mais Angelo et lui étaient dans le même camp. Il est choquant de le voir tuer l'un de ses semblables avec un tel sang-froid.

Il se tourne vers moi. Son épée sanglante à la main, il semble bien plus menaçant qu'au bar ou que lorsqu'il est entré dans ma chambre cette nuit. J'ai un mouvement de recul. Un instinct irrationnel me conseille de m'enfuir si je ne veux pas être sa prochaine victime...

« **t** out va bien ? » me demande Angelo.

Je le regarde, incapable de répondre.

« Il t'a blessée ?

— Non, je... je vais bien.

— Lève-toi, alors. Nous avons du travail. »

Je réussis à me remettre péniblement sur pied, mais je sursaute quand il agite l'épée ensanglantée sous mon nez.

« Tiens, prends-la. C'est la tienne.

— Comment ça, la mienne ?

— Eh bien, la tienne ! Celle que tu as laissée à l'hôtel. »

J'accepte l'arme sans comprendre. Angelo me tend également le fourreau, que j'attache dans mon dos en ajustant la courroie. Lui-même s'empare de l'épée de son ennemi et la ceint.

« Et comment se fait-il que tu aies mon épée ? »

Ce type nourrit une affection malsaine pour les armes des autres. Angelo est en train de vider les poches du mort. Il répond sans me regarder :

« Je l'ai prise dans ta chambre. »

Il commence à m'agacer, et ma reconnaissance envers lui est de plus en plus diluée dans le cocktail des émotions qui m'ont envahie depuis quelques minutes.

« Tu m'as dit de la laisser à l'hôtel pour pouvoir me la voler ? »

Il se tourne brusquement vers moi. Je fais un pas en arrière.

« Je te l'ai rendue, ou pas ? Alors arrête de râler ! Si je l'avais tué avec ma propre épée, ça aurait laissé une trace indélébile. Toutes les épées laissent une trace sur leurs victimes. Or, si tu veux que je t'aide, il faut que je reste discret. Un démon assassiné par une épée angélique attire moins l'attention que si l'arme du crime appartient à un autre démon.

— Je comprends. » Je prends soudain la mesure de ce qu'il vient de m'expliquer. « Tu veux dire que je pourrais savoir qui a tué mon père en examinant sa blessure ?

— Toi, non. Mais moi, si. Ou plutôt j'aurais pu le faire si j'avais examiné son corps peu de temps après sa mort. Quand est-ce que ça s'est passé ?

— Il y a un peu plus d'un mois. »

Angelo secoue la tête.

« Dans ce cas, c'est trop tard. »

Une fois de plus, je me demande fugitivement ce qu'il est advenu du corps de mon père.

« Allons-nous-en avant que quelqu'un n'arrive »,
m'ordonne Angelo.

Je regarde le démon mort. À première vue, on
dirait un homme ordinaire. Un jean, une chemise à
carreaux, des chaussures à lacets ; des cheveux frisés,
un visage rond et agréable... Ce pourrait être votre
voisin de palier, ou un collègue, ou l'homme que vous
croisez tous les matins en prenant le bus. Si, au lieu
de m'attaquer, il s'était approché de moi pour me
demander l'heure, je n'aurais jamais nourri le moindre soupçon à son égard. Voilà pourquoi les démons
sont si dangereux. On ne connaît jamais leur identité
jusqu'à ce qu'il soit trop tard.

« Tu le laisses ici ? je demande.

— Bien sûr. »

Il a commencé à partir sans m'attendre. Avec un
peu d'appréhension, je nettoie mon épée ensanglantée sur les vêtements du mort, la rengaine et cours le
rejoindre.

« Tu n'as donc aucun respect ?

— Cat, je suis un démon, explique-t-il patiemment.

— Mais c'est quelqu'un comme toi !

— Et alors ?

— Vous vous entretuez si souvent que ça ?

— Techniquement, c'est interdit. Lucifer ne voit
pas ça d'un très bon œil, car ça déséquilibre la balance
en faveur des anges. Enfin, c'était le cas avant, je veux
dire, se corrige-t-il avec un sourire de requin.

— Comment la balance pourrait-elle se déséquili-
brer ? Un nouveau démon ne naît pas quand un autre
meurt ?

— Si, mais seulement s'il meurt au cours d'un combat.

— Justement, vous venez de... Ah, je vois. Un combat contre un ange, tu veux dire. Donc aucun démon ne va naître pour remplacer celui que tu viens d'éliminer ?

— En théorie, si, puisque je l'ai tué avec l'épée d'un ange. »

Je réfléchis.

« Dans ces conditions, je ne suis pas étonnée que Lucifer ait interdit les combats entre démons. Les anges sont en train de s'éteindre à cause de la Plaie, mais vous, cette maladie ne vous touche pas, n'est-ce pas ?

— Non. Ça fait déjà longtemps que nous nous sommes tous transsubstantiés, mais la plupart d'entre nous peuvent encore revenir à l'état d'esprits. Et que je sache, la Plaie n'a jamais fait de victimes parmi nous.

— Et pourtant, vous vous êtes débrouillés pour trouver le moyen de mourir sans que d'autres démons naissent pour vous remplacer ! Je vous croyais plus intelligents », je conclus avec dédain.

Angelo sourit en montrant toutes ses dents. Ça me donne la chair de poule.

« C'est notre nature. Et il y a une autre raison. Tu as entendu de parler de la Loi de la Compensation ?

— Tu te moques de moi ? Je viens de la mentionner !

— Non, pas celle-là, petite ignorante. Je parle de la Seconde Loi de la Compensation.

— Il y en a une autre ?

— Oui : "Il doit toujours y avoir le même nombre d'anges et de démons." »

Il se tait et me laisse méditer.

« Mais c'est absurde ! je m'exclame au bout d'un moment. Cette loi ne peut pas fonctionner. D'abord, il est évident que vous êtes désormais plus nombreux que les anges. Et ensuite, s'il y avait toujours le même nombre d'individus de chaque côté, ni les uns ni les autres n'auraient la moindre possibilité de gagner la guerre. Cette loi suppose un match nul perpétuel !

— Exactement. D'après ce qu'on dit, la seconde loi fut énoncée par quelqu'un de votre camp il y a quelques milliers d'années. La guerre était alors à son apogée, et comme tu t'en doutes, la nouvelle loi fut assez mal accueillie. Si les forces de chaque camp doivent rester équilibrées pour l'éternité, personne ne peut gagner, donc inutile de lutter ! Mais notre nature nous pousse à nous battre, et l'histoire nous a appris que ce monde n'est pas assez grand pour nous tous. La lumière et l'obscurité ne peuvent pas cohabiter. Ce serait trop demander.

— Et tu dis que cette seconde loi est encore valable ?

— Oui. Parce que, comme tu l'as dit, les anges sont en voie de disparition, et nous n'avons plus personne à affronter. Nous allons rester seuls. »

Je songe aux sept milliards d'humains qui peuplent la planète, et qui, visiblement, ne comptent absolument pas pour lui. Il remarque mon geste indigné et devine mes pensées.

« Les humains ? Ne sois pas absurde. Ça ne vaut pas la peine de se battre contre eux. Ils meurent tout de suite. »

Je repense au duel auquel j'ai assisté, et je suis bien obligée de lui donner raison. Nous ne sommes pas à la hauteur, quel que soit notre nombre. Je me demande combien de démons il y a sur Terre. Dans quelle proportion dépassent-ils désormais les anges ?

« Donc les démons s'entretuent pour maintenir l'équilibre ? Pour respecter la Seconde Loi de la Compensation ?

— C'est l'excuse officielle, oui. Mais en fait, ils font ça parce qu'ils s'ennuient, ou par nostalgie des bons vieux duels d'autrefois. Peut-être que certains croient réellement qu'il faut garder un certain équilibre et que les démons ne devraient pas être plus nombreux que les anges, mais ils se gardent bien de le dire devant Lucifer ou l'un de ses acolytes. Il y a également des peines très sévères à l'encontre des démons qui sauvent ou aident un ange en vertu de la Seconde Loi.

— C'est pour ça que tu as tué ce démon ? Pour respecter la loi ? »

Il me regarde comme si j'étais stupide.

« Non. Je l'ai tué pour qu'il n'aille pas tout raconter à son maître. Je ne t'explique tout ça que pour répondre à tes questions. »

Je le regarde, soupçonneuse.

« Tu m'en dis beaucoup, je trouve. J'ai le droit de savoir ces choses-là ? »

Il rit.

« Qu'est-ce que tu pourrais bien faire de ces informations ? Je ne t'ai rien raconté que les anges ne sachent pas déjà. Nous sommes de vieux ennemis, tu sais. De vieilles connaissances. Nous luttons les uns contre les autres depuis plus longtemps que tu peux l'imaginer. Admets-le une bonne fois pour toutes, Cat : tu n'as pas la moindre possibilité de nous nuire, ni à moi, ni au monde démoniaque en général. Pour moi, tu n'es pas une ennemie. Juste une espèce de mascotte avec un mystère qui a réussi à éveiller un vague intérêt en moi. »

Je ne me suis jamais sentie aussi humiliée. Comment ose-t-il me traiter de mascotte ? Je dégaine mon épée, furieuse.

« Sale prétentieux ! Répète, si tu l'oses ! »

Il lève les yeux au ciel.

« Cat, tu risques de te blesser... »

Je lui lance une estocade. Je ne sais pas exactement pourquoi. Peut-être pour lui prouver que je ne suis pas qu'une « mascotte ».

En un mouvement tellement rapide que mon œil n'arrive pas à le suivre, un éclair frappe ma lame et m'oblige à lâcher la poignée. Ce n'est que quand je vois mon arme sur le sol que je comprends que l'éclair n'était autre que l'épée d'Angelo, qu'il a dégainée si vite que je ne m'en suis même pas aperçue.

« Arrête de faire joujou, Cat. Nous avons à faire. Ramasse ça et partons d'ici avant qu'on nous trouve. »

J'avais l'intention de répliquer, mais sa dernière phrase me fait oublier ce que je voulais dire.

« Que *qui* nous trouve ?

— Les supérieurs de ce démon, bien sûr.

— Hein ? Mais... tu sais pour qui il travaille ?

— Oui. Il me l'a dit avant que je le tue. »

Décidément, je ne supporte pas ce type.

« Et peut-on savoir pourquoi tu ne me l'as pas dit plus tôt ?

— Tu ne m'as pas posé la question. »

D'un pas tranquille, hautain, Angelo franchit la grille du parc. Je suis bien obligée de le suivre : ça va bientôt fermer. Je suppose que demain, on trouvera le corps du démon, qui sera lui aussi un cadavre non identifié assassiné par un criminel non identifié. Les démons s'en fichent. Ils se sentent très au-dessus de la justice humaine, et bien entendu, aucune police au monde n'a jamais réussi à enfermer l'un d'eux dans un cachot.

À contrecœur, j'accélère pour le rejoindre.

« Bien. Alors maintenant, je te pose la question : qui était ce type, et pourquoi voulait-il me tuer ?

— Il se faisait appeler Rüdiger, et il a été envoyé par Nergal, un démon antique, mais pas spécialement haut placé. La dernière fois que je l'ai vu, Nergal travaillait pour Agaliarept. Lui, pour le coup, c'est un démon puissant. »

Aïe. Mauvaise nouvelle.

« C'est donc Agaliarept qui veut me tuer ?

— Non. Agaliarept est appelé le Maître des Espions, parce qu'il est spécialisé dans le commerce d'informations. Il a des démons infiltrés dans tous les services secrets du monde. Certains de ses jeunes sbires fouillent la toile nuit et jour pour lui. Enfin, ça, c'est juste pour s'amuser : ses serviteurs les plus proches, comme Nergal, se consacrent avant tout à espionner les anges et les autres démons. Les affaires humaines, y compris les secrets d'État les plus terribles, ne l'intéressent pas plus que ça.

— Ce qui signifie... ?

— Ce qui signifie que quelqu'un a dû aller le voir pour obtenir des informations, conclut Angelo. Agaliarept est un mercenaire. Il trouve des renseignements et les vend très cher. C'est pour ça qu'il a tant de pouvoir. Avoir recours à lui comporte des avantages : il obtient toujours des résultats, et il joue le rôle d'écran de fumée. Comme tu vois, nous continuons à ne pas savoir qui en a après toi. Nous voyons l'instrument, pas la main qui le tient.

— Je vois. Et que pouvons-nous faire ? »

Il réfléchit.

« Je ne sais pas où peut se trouver Agaliarept, et de toute façon, traiter avec lui serait risqué. Sans compter que c'est quelqu'un de trop important pour perdre son temps à persécuter des humains. À mon avis, la personne qui veut ta mort a contacté directement Nergal. Lui, je peux essayer de le localiser. Il ne saura probablement pas nous dire pourquoi on veut te tuer, mais si on s'y prend bien, il pourra peut-être nous dire qui l'a embauché.

— Donc...

— Donc tu vas retourner à ton hôtel et attendre de mes nouvelles.

— Mais...

— À bientôt, Cat. »

Il ne me laisse pas le loisir de répliquer. En moins de temps qu'il n'en faut pour le dire, le voilà parti. Je ne prends pas la peine de le rappeler.

« À bientôt, monsieur le Prétentieux », je marmonne.

Je suis épuisée quand j'arrive à l'hôtel. J'ai eu mon content d'émotions pour la journée, et je crois que je n'ai pas encore digéré tout ce qui s'est passé. Le pire, c'est que je continue à douter que ce soit une bonne idée de faire alliance avec ce démon. J'ai obtenu quelques informations grâce à lui, c'est vrai ; mais ce n'est pas grand-chose. Je savais déjà que quelqu'un voulait me tuer. Et le fait que ce quelqu'un ait embauché un mercenaire pour faire le sale boulot à sa place ne m'avance pas beaucoup : je continue à ne pas connaître le nom de la personne – humain, ange ou démon – qui m'en veut à ce point.

Il y a une autre chose qui m'inquiète et que je n'ai pas dite à Angelo, car je ne sais pas jusqu'où je peux lui faire confiance : ce fameux Rüdiger n'est pas celui qui m'a attaquée à Valence, derrière la bibliothèque. Et le fait que Rüdiger soit un démon ne signifie pas que mon précédent agresseur en était un également.

Ça ne peut pas être un ange, pourtant ! Les anges vont-ils trouver Agaliarept quand ils ont besoin de lui ? Je repense à Yeiazel, l'intraitable et irréprochable Yeiazel, et j'écarte cette idée. Absurde.

Je fouille dans mon sac à la recherche d'un mouchoir pour nettoyer mon épée un peu plus soigneusement, et je tombe sur le portable que m'a offert Jipé. Je ne l'ai pas appelé depuis que je suis arrivée à Madrid ; et comme j'ai gardé le téléphone éteint tout le temps, il n'a pas pu me joindre. Je cherche donc son petit mot avec le PIN, je branche l'engin et j'allume.

Le portable émet une curieuse musique. Je farfouille dans le menu jusqu'à ce que je trouve le répertoire. Effectivement, le numéro de Jipé y est. J'appelle.

Il répond après moins de trois sonneries.

« Cat ? demande-t-il avec une certaine anxiété dans la voix.

— Qui veux-tu que ce soit, le Saint-Esprit ?

— Dieu soit loué ! Ça fait une éternité que tu ne m'as pas donné de nouvelles.

— Deux jours, Jipé. Seulement deux. N'exagère pas. Tout va bien ?

— Rien de neuf. Et toi ? As-tu trouvé l'ami de ton père ?

— Oui, et il m'a expliqué plein de choses. Je suis enfin sur une piste intéressante.

— C'est vrai ? Et tu sais qui t'a attaquée près de la bibliothèque ? »

Sujet épineux. J'hésite un moment, puis j'avoue :

« C'est arrivé de nouveau aujourd'hui. Mais je n'étais pas seule. Mon agresseur est mort. C'était un démon, et je sais pour qui il travaillait. »

Silence.

« Cat, cet ami de ton père... c'est un ange ?

— Oui », dis-je, et je le laisse tirer ses propres conclusions.

Quoi ? Je n'ai pas menti. Si l'idée que monsieur Nous-n'acceptons-pas-les-humains Yeiazel m'a prise sous son aile le rassure, pourquoi le détromper ? Pourquoi évoquerais-je Angelo ? Jipé serait tellement angoissé qu'il se rongerait les ongles jusqu'aux coudes. Quel intérêt ?

« Bien. Dans ce cas... bonne chance, Cat. Et si tu as besoin d'argent, utilise la carte ; ne te prive pas. Pas de lézard ! »

Je souris. C'est de moi qu'il a appris cette expression.

« Ne t'en fais pas. Merci, Jipé. »

Nous discutons encore quelques minutes, puis nous raccrochons.

C'est étrange, mais je ne me sens pas mieux. D'un côté, c'est réconfortant d'entendre la voix d'un ami et de savoir que quelqu'un s'inquiète à mon sujet. Mais je n'aime pas lui mentir... je veux dire ne pas lui dire toute la vérité.

Je dévore le sandwich que j'ai acheté en rentrant, je lis un peu, puis je me couche. Demain, grasse matinée ! Je ne sais pas s'il sera difficile pour Angelo d'obtenir l'information qu'il cherche, mais le temps n'a pas la même signification pour un démon – ou un ange – et pour un humain. Ils sont immortels, ils ont donc tendance à prendre les choses calmement. Il est fort possible que je n'entende plus parler de lui pendant plusieurs semaines. Je vais en profiter pour me reposer.

Demain est un autre jour.

J'ai décidé comment j'allais m'occuper aujourd'hui. Je cherche un cybercafé plus ou moins correct et je m'installe pour faire une recherche sur Internet.

Le monde des démons nous est bien moins connu que la plupart des gens ne le croient. Même s'ils se mêlent fréquemment aux humains, ils ne nous jugent pas dignes de partager leurs secrets – pas même le plus zélé des sataniques. Si un démon décide de raconter quelque chose au sujet de ses semblables à un humain, ce n'est pas parce que l'humain en question est son adorateur le plus fervent ou parce qu'il a commis toutes sortes d'horreurs au nom de Satan. Cela ne les impressionne pas le moins du monde. Non ; si un démon révèle des informations à un humain, c'est probablement parce qu'il s'ennuie, ou parce qu'il veut nuire à un autre démon, ou pour n'importe quelle autre raison tordue. Par ailleurs, 90 % des « révélations » que les démons ont faites aux humains sont un tissu de mensonges. Rappelez-vous qu'ils ne savent plus rien de leur passé. Donc ils l'inventent. Il ne faut donc pas trop croire ce que peut vous raconter un démon, même s'il décide de vous dévoiler jusqu'aux mystères les plus insondables de l'enfer.

Pour moi, il en va un peu différemment, j'imagine. Je suis la fille d'un ange, donc je sais déjà plein de choses à leur sujet. Assez pour qu'un démon condescende à discuter avec moi, comme l'a fait Angelo.

L'autre problème au sujet de la démonologie, c'est qu'on ne peut jamais être certain du rang et du nom des seigneurs des enfers pour deux raisons :

1) Ce sont des créatures incroyablement antiques, et chacune a été connue sous une multitude de noms différents dans une multitude de cultures différentes. Par-dessus le marché, à l'époque, ils changeaient très fréquemment d'aspect.

2) Il n'existe pas vraiment de hiérarchie démoniaque définie.

Chez les anges, il y en a une. Ils ont toujours été très fiers de leur organisation, et l'ont expliquée à plusieurs humains au cours de l'histoire. Pour être tout à fait honnête, il faut cependant avouer que la hiérarchie angélique n'est plus ce qu'elle était. Avant, il y avait plusieurs catégories, depuis les grandioses séraphins jusqu'aux anges les plus ordinaires. En théorie, cela formait une longue chaîne allant du monde des humains au trône de Dieu lui-même, autour duquel gravitaient les anges les plus puissants. Mais à un moment donné, cette chaîne s'est rompue, sans que personne sache comment ni pourquoi ; et maintenant, les anges qui sont sur Terre ne peuvent plus communiquer avec le Ciel, si tant est que le Ciel existe encore, ou qu'il ait existé. On ne sait plus rien des séraphins, chérubins, trônes, dominations, puissances et vertus. On n'a plus aucune nouvelle d'eux ; on ne sait même pas s'ils sont encore là, quelque part. Sur la Terre ne restent que les anges qui s'occupent soit de communiquer avec l'humanité, soit de lutter contre les démons. Vous pouvez donc oublier toutes les classifications que vous avez pu lire dans les manuels d'angélologie, depuis l'œuvre de Denys l'Aréopagite (écrite en réalité par un anonyme, un ami de l'archange Raphaël) jusqu'à n'importe quel livre *new age* au sujet des anges. Actuellement, il n'existe plus que deux rangs : les anges et les archanges.

La hiérarchie des anges a donc toujours été claire et simple, et elle l'est encore plus aujourd'hui. Pour les démons, c'est une autre affaire.

Je me rappelle qu'un jour m'est tombée dans les mains une édition moderne du *Livre de saint Cyprien*, écrit par un obscur moine allemand nommé Jonas Sulfurin aux alentours de l'an 1000 (voilà l'avantage de l'essor de ce qu'on appelle la nouvelle spiritualité : n'importe quel grimoire antique, si bizarre soit-il, a été publié par une petite maison d'édition ésotérique dans un pays ou un autre). Je l'avais feuilleté dans une librairie, et ça m'avait bien fait rire, car ce fameux Sulfurin avait la prétention d'établir une hiérarchie démoniaque. Ha ! Autant essayer de quadriller l'océan ! La seule hiérarchie démoniaque se résume à ceci : Lucifer est le roi, et tous les autres sont d'un rang inférieur à lui. En dessous, il y a toute une liste de démons plus ou moins puissants qui ne se contentent pas de rester là où ils sont, mais s'efforcent de s'ouvrir un chemin à grands coups de coude et de genou. Ils sont sans cesse en train de monter sur l'échelon supérieur, ou d'être rejetés sur l'échelon inférieur – quand ce n'est pas directement dans le néant.

Cela n'empêche pas qu'une partie de l'information donnée par le *Livre de saint Cyprien* soit digne de foi. Le démon qui lui a fait des confidences lui a révélé un certain nombre de noms intéressants, mais la hiérarchie qu'il a établie (avec des titres comme « Premier ministre du règne des enfers », « Lieutenant général des troupes démoniaques », etc.) ressemble bien plus à une parodie de l'organisation d'une société humaine qu'à une réelle structure démoniaque. Et j'incline à croire qu'en dehors du haut de la liste, où Sulfurin a placé Lucifer et d'autres seigneurs des enfers comme Astaroth ou Belzébuth, les autres niveaux ne sont pas vraiment fidèles à la réalité. Donc si vous lisez dans le *Livre de saint Cyprien* ou l'un de ses plagiaires qu'Anagaton est au service de Nébiros, c'était probablement l'inverse... en l'an 1000, bien sûr. Aujourd'hui, il est tout à fait possible que Nébiros travaille pour Bélial et qu'Anagaton soit le numéro deux des enfers. Avec les démons, on ne sait jamais.

Pourquoi je vous raconte tout ça ? Parce que je voudrais bien savoir à quel point Nergal et Agaliarept sont puissants. Et même s'il est impossible pour une misérable mortelle comme moi d'arriver à percer les mystères de la société démoniaque, j'aimerais au moins comprendre de quel genre de créatures il s'agit exactement.

La vie est parfois ironique. J'ai beau avoir ri aux larmes en lisant le *Livre de saint Cyprien*, aujourd'hui je regrette beaucoup de ne pas l'avoir acheté. Pendant que j'y suis, je n'aurais rien contre un exemplaire du *Dictionnaire infernal* de Collin de Plancy ou de *Praestigiis Daemonum* de Weyer, des œuvres que j'avais aussi consultées dans des librairies et des bibliothèques mais que je n'ai pas en ma possession. Que voulez-vous que je vous dise ? Il me semblait de mauvais goût d'acheter des livres sur des démons tout en voyageant avec un ange...

Je tape « Agaliarept » dans Google et je découvre avec surprise qu'il n'y a pas tellement de résultats sérieux, c'est-à-dire de sites qui parlent réellement d'Agaliarept, fût-ce d'un point de vue mythologique. Si étrange que ça puisse paraître, presque toutes les références renvoient à des forums de discussion où des petits malins utilisent ce nom comme pseudo. Ah, il y a aussi des sites sur le heavy metal.

Il est cité dans Wikipedia, surtout dans la version anglaise. *Agaliarept, grand général de l'enfer, com-*

mandant de la seconde légion, a pour subordonnés Buer, Gusoyn et Botis... Bla, bla, bla... Je vois que quelqu'un a pris Jonas Sulfurin au sérieux !

Visiblement, la plaisanterie a beaucoup prospéré au cours du dernier millénaire. Apparemment, la classification du *Livre de saint Cyprien* fait désormais partie du domaine public, et on l'utilise à droite et à gauche. Je viens même de trouver un manga dont les personnages principaux portent le nom des six grands généraux de l'enfer.

Tiens, tiens... Qu'est-ce que je vois ? « Il a le pouvoir de découvrir tous les secrets. » Et ailleurs : « spécialiste des secrets en tout genre ».

Donc soit Angelo a dit la vérité, soit il est assez farceur pour abonder dans le sens du démon qui est apparu à Sulfurin il y a plus de mille ans. On dirait que c'est plutôt la première option. Je doute qu'Agaliarept soit général de quoi que ce soit, mais il semblerait qu'il soit réellement puissant et qu'il manipule beaucoup d'information.

Je passe au second nom de ma liste : Nergal.

Voilà qui est plus intéressant. Visiblement, le démon Nergal est assimilé à un dieu mésopotamien qui partage le gouvernement de l'enfer avec la déesse Ereshkigal. Je me demande si c'est la même personne, ou si ce Nergal akkadien n'est qu'une légende. Ce n'est pas si absurde : de nombreux dieux antiques n'étaient autres que des démons qui se faisaient passer pour tels auprès des humains.

Je secoue la tête. Inutile de me creuser la cervelle. Le Nergal de Mésopotamie et le Nergal actuel sont presque certainement deux personnes différentes. Il ne s'agit peut-être que d'un mythe, ou alors de deux démons qui portent le même nom. Mais j'ai aussi trouvé d'autres détails concernant le Nergal strictement démoniaque. Il apparaît dans le *Livre de saint Cyprien*, bien sûr, ainsi que dans le *Dictionnaire infernal* de Collin de Plancy. On dit de lui que c'est un espion très doué. On dit aussi que c'est un démon de second ordre, mais va savoir si c'est vrai.

Je m'adosse à ma chaise avec un soupir résigné. J'ai la tête qui tourne, et je ne suis même pas sûre d'avoir trouvé quoi que ce soit, en dehors du fait que, visiblement, les deux démons sont liés aux secrets et aux informations. Il est possible que, comme dit Angelo, l'enfer ait son propre service de renseignements.

« Tu ne trouveras rien d'intéressant là-dedans », fait une voix dans mon dos.

Je sursaute et me retourne. Angelo est là, les yeux fixés sur l'écran de l'ordinateur, une moue ironique aux lèvres.

« Comment m'as-tu trouvée ? »

Il hausse les épaules, avec ce geste qui signifie « Je suis un démon, tu te rappelles ? », et me désigne l'article de Wikipedia.

« Ils se contentent de répéter ce qu'ils ont trouvé dans une demi-douzaine de livres antiques. Il est possible que certains d'entre eux contiennent un fond de vérité, mais ils sont vieux. Ça fait des siècles qu'on n'a rien écrit de vraiment nouveau à notre sujet.

— Il faut croire que vous ne nous avez pas donné de quoi ! »

Il sourit, mais ne répond pas à mon observation.

« Je te parie que tu n'as rien trouvé qui puisse t'aider à mettre la main sur Nergal », lance-t-il.

Je consulte mes notes, tout en sachant que j'ai perdu d'avance.

« D'après certaines sources, Agaliarept domine l'Europe et l'Asie Mineure », je marmonne.

Angelo éclate de rire. Je pousse un soupir résigné et déchire mes feuilles.

« Oublie Agaliarept, il n'est pas si facilement accessible ! C'est Nergal qu'il nous faut. Or, je sais où le chercher.

— Ah bon ?

— Oui. Il est à Berlin. »

Je me fige. Pourtant, ça pourrait être pire. Il pourrait être au Japon, ou en Patagonie.

« Il faut donc aller là-bas », reprend Angelo. Avant que je puisse lui demander par quels moyens, il continue : « Rendez-vous dans deux jours, au coucher du soleil, à la Siegessäule.

— La quoi ?

— La colonne de la Victoire, dans le parc du Tiergarten. C'est l'un des monuments les plus connus de Berlin. Tu ne peux pas te tromper.

— Attends ! » Je le rappelle alors qu'il est déjà en train de partir. « Comment veux-tu que j'aille à Berlin ? Je déploie mes ailes et je m'envole ?

— Écoute, je veux bien te donner un coup de main, mais je ne suis pas ta baby-sitter, d'accord ? Moi, je vais à Berlin pour interroger Nergal. Tu viens ou tu ne viens pas. C'est comme tu veux.

— Est-ce que tu te rends compte que te faire confiance va à l'encontre de tous mes principes ?

Pourtant, j'essaie. Tu sais ce qu'on dit en Slovaquie ? "Écoute un démon et il te récompensera en t'envoyant en enfer." »

Il rit.

« Eh ! bien, en Bulgarie, on dit : "Si tu allumes un cierge pour Dieu, allumes-en deux pour le diable", réplique-t-il. À toi de voir ! »

Il se lève pour s'en aller.

« Dans deux jours, j'irai à la Siegessäule du Tiergarten de Berlin. Si tu es là, tant mieux, sinon tant pis pour toi. *Auf wierdersehen !*

— Une minute ! Donne-moi au moins un peu plus de temps. Je ne peux pas aller en Allemagne en deux jours. Je n'ai aucune chance de trouver un vol bon marché à la dernière minute ! Il faudra donc que j'y aille en car, et ce n'est pas la porte à côté, figure-toi ! »

Il réfléchit un instant, puis lâche :

« Une semaine.

— Une semaine », je capitule en me tournant de nouveau vers l'ordinateur avec un soupir résigné.

Je n'obtiens aucune réponse, et je sais pourquoi. Il est déjà parti, sans faire le moindre bruit.

Je soupire encore une fois et je ferme toutes les pages consacrées à la démonologie. Il ne me reste plus qu'à chercher un moyen d'aller à Berlin à un prix raisonnable. Tant qu'à faire, je vais aussi vérifier l'emplacement de cette fichue colonne.

Je ne serai pas restée longtemps dans mon petit hôtel miteux...

6

J e suis en miettes, mais je suis enfin arrivée à destination.

Ça a été tout sauf simple. J'ai commencé par passer plusieurs heures dans une cabine téléphonique pour appeler une à une des dizaines de compagnies aériennes *low-cost*, mais bien entendu, leurs prix n'étaient *low* que si on était disposé à voyager minimum un mois plus tard. Ensuite, j'ai trouvé des cars qui se rendaient en France et en Allemagne, mais mystérieusement, ils n'allaient pas au-delà de Francfort, et le billet n'était pas vraiment donné non plus. J'ai donc recommencé à me battre avec les opérateurs *low-cost*, et j'ai été à deux doigts de m'acheter un billet pour un vol à destination de Berlin qui partait six jours plus tard. Mais il fallait payer par carte bancaire ; or, ma carte est au nom de Jipé. Et puis je n'aime pas les aéroports. Trop de contrôles à mon goût.

Finalement, j'ai pris le métro jusqu'à la gare routière et j'ai acheté un billet Madrid-Francfort en payant comptant au guichet. Ça m'a fait mal de dépenser tout cet argent. Non seulement parce que c'était beaucoup, mais surtout parce que ce n'était pas le mien.

J'ai immédiatement appelé Jipé pour m'excuser.

« Cat ? Qu'est-ce qui se passe ? m'a-t-il demandé immédiatement en percevant mon agitation dans ma voix.

— J'ai pris beaucoup d'argent sur ton compte, ai-je avoué. Plus de cent euros. »

Il est resté silencieux, et j'ai craint qu'il ne soit fâché.

« C'est pour aller à Berlin. Selon mon ami, nous pourrons trouver des informations au sujet de la mort de mon père là-bas. Il connaît quelqu'un qui devrait savoir qui m'en veut et pourquoi. Je vais donc prendre le car, et...

— Cat, tu es sûre que tout va bien ? Ton ami peut-il vraiment prendre soin de toi ? »

Angelo, prendre soin de moi ? J'ai failli me mettre à rire, mais je me suis retenue pour ne pas l'inquiéter davantage. Puis je me suis rappelée comment il m'avait défendue contre Rüdiger, et j'ai répondu :

« Oui. Je crois vraiment que oui. »

Mon ton a dû lui paraître sincère, parce qu'il a semblé un peu rassuré.

« Ne t'en fais pas pour l'argent, Cat. Mais s'il te plaît, sois prudente. »

Le conseil de « ne pas s'en faire pour l'argent » n'est pas à prendre au pied de la lettre. Je sais com-

bien il reste sur son compte, et j'ai parfaitement conscience que je ne peux pas retirer des euros comme on
puise de l'eau dans l'océan.

« Au fait, a-t-il ajouté, toujours pas de nouvelles
d'Aniela Marchewka.

— Qui ?

— La petite Polonaise qu'on a enlevée à la station-
service, le jour où ton père a été tué.

— Ah, ai-je fait, abattue. Je suis vraiment désolée
pour elle. Je ne pense pas qu'on la retrouvera un jour.

— Je continue à prier pour elle, Cat. »

J'aimerais pouvoir en faire autant. Je voudrais
avoir sa foi, mais malheureusement, j'en ai trop vu
pour avoir confiance en Dieu, en la Providence, ou
tout simplement en la chance. Je n'ai cependant émis
aucune objection. Ce monde a besoin de gens qui
prient pour les enfants perdus. Même s'il n'y a personne à l'autre bout pour les écouter.

Le voyage jusqu'à Berlin a été trèèèès long. Non
que je n'aie déjà fait de longs voyages, pourtant. J'ai
parcouru presque toute l'Europe et une bonne partie
de l'Asie. Mais nous nous arrêtions souvent, au moins
pour la nuit, nous faisions des haltes d'un ou deux
jours dans des villages pittoresques ou des villes inté-
ressantes... Jamais mon père n'aurait eu l'idée de
faire Madrid-Francfort d'une traite.

Une fois arrivée, j'ai trouvé un logement dans un
hôtel près de la gare (et j'ai dû à nouveau tirer de
l'argent du compte de Jipé). Le lendemain, autre car,
direction Berlin.

Je suis fourbue ! Et encore, j'ai eu la chance de
dénicher une auberge bien située et bon marché. Je

partage ma chambre avec trois autres filles, mais ça ne me dérange absolument pas. Je suis étrangère et mon allemand est très pauvre, pour ne pas dire inexistant : personne ne s'attend que je fasse la conversation, donc on me laisse tranquille.

Je suis déjà venue en Allemagne quand j'étais petite, mais je découvre Berlin pour la première fois. C'est une ville immense, très propre, pleine de jardins et de lieux intéressants à voir. Malheureusement, je dois me concentrer sur ce que je suis venue faire ici. D'accord, j'ai encore un ou deux jours avant mon rendez-vous avec Angelo, mais il faut que je me repose, que je me remette de mon voyage, et que je prenne mes marques. Après tout, je vais rencontrer Nergal, un démon assez puissant pour apparaître dans les principaux traités de démonologie.

Le fait qu'il soit trois heures de l'après-midi et que Svenia soit en train de se vernir les ongles de pieds à un mètre de moi n'a donc aucune importance : je m'effondre sur mon lit et m'endors immédiatement.

Voici donc le Tiergarten.

Je suis venue à pied, d'abord parce que ce n'était pas très loin, et ensuite parce que j'avais envie de passer par la célèbre Friedrichstrasse, par l'avenue Unter der Linden et surtout par la porte de Brandebourg.

Devant moi s'étend le parc qui occupe une bonne partie du centre de Berlin. Il est immense. D'après le plan, si j'avance tout droit, je finirai par arriver tôt ou tard à la colonne de la Victoire. Mais les distances sont trompeuses, et c'est bien plus loin qu'il n'y paraît. Heureusement, j'ai beaucoup d'avance. Il me reste encore un bon bout de temps avant le coucher du soleil.

Je chemine donc le long de la grande avenue qui traverse le Tiergarten. Enfin, j'aperçois la colonne de la Victoire au loin, et je comprends brusquement pourquoi Angelo m'a donné rendez-vous là.

En haut de la colonne, veillant sur Berlin, se dresse un ange doré. Ses ailes sont déployées, et il porte un sceptre à la main. Je suis trop loin pour en être certaine, mais je crois l'avoir déjà vu, et je sais où.

J'avais six ans quand nous sommes venus en Allemagne pour la première fois. Nous étions en voyage vers le Sud, en direction de l'Espagne, où j'allais faire la connaissance de Jipé quelques mois plus tard. Je me rappelle que nous traversions une grande ville – je ne sais plus laquelle – lorsque mon père s'est arrêté brusquement devant une filmothèque. Il est demeuré en contemplation face aux affiches, puis a porté la main à sa poche pour compter l'argent qui nous restait.

Je lui ai dit que ce n'était pas le moment d'aller au cinéma, que je voulais aller dîner. Mais il ne m'a pas écoutée. Nous sommes entrés.

Il était rare que mon père fasse passer un de ses caprices avant mon bien-être, et ne croyez surtout pas qu'il lui arrivait souvent d'oublier de me nourrir. Aujourd'hui, je comprends pourquoi il tenait absolument à aller au cinéma ce soir-là.

Le film parlait d'anges qui hantaient le monde des humains ; ceux-ci ne pouvaient pas les voir, mais les anges écoutaient toutes leurs pensées et les enviaient.

Je me suis beaucoup ennuyée. Ce n'était pas un film pour mon âge, et je ne comprenais pas un mot d'allemand. Je me suis endormie à la moitié. Quand je me suis réveillée, j'ai vu que mon père avait les larmes aux yeux. Je lui ai demandé s'il allait bien, s'il s'était fait mal. Il m'a montré l'écran et m'a répété ce que venait de dire l'un des personnages : que des centaines d'anges, désireux de faire partie du monde au lieu de se contenter de l'observer, avaient décidé de devenir humains.

Quand nous sommes sortis du cinéma, mon père était absorbé dans ses pensées. Il m'a laissée choisir où je voulais dîner, et tandis que je dévorais mon hamburger (qu'on nous avait offert, comme d'habitude), il m'a raconté qu'il faisait partie de ces anges qui étaient devenus humains, mais qu'il n'avait pas choisi, et qu'il ne se rappelait ni comment ni pourquoi c'était arrivé. Il m'a dit que le lieu d'où il venait lui manquait (il n'a pas dit « le paradis », mais « le lieu d'où je viens »), mais qu'il était heureux d'avoir un corps humain, parce que sinon, je n'aurais pas été là avec lui, et que c'était ce qui lui était arrivé de mieux d'aussi loin qu'il se souvienne.

Si j'avais été plus grande, j'aurais pensé qu'il était fou. Mais j'avais six ans. Je l'ai cru.

Et voici que je revois cette victoire ailée, cet ange doré qui se dresse au sommet de la colonne à l'horizon du Tiergarten. C'est de là, assis sur l'épaule de la statue, que l'ange du film regardait la ville à ses pieds, rêvant d'en faire partie.

Maintenant, je sais que cette ville était Berlin. Et je parierais qu'Angelo connaît ce film.

Encore un témoignage de son étrange sens de l'humour.

J'arrive enfin à la place au centre de laquelle se dresse la colonne, et je profite d'un moment où il n'y a pas trop de voitures pour traverser l'immense rond-point. J'examine le monument de plus près. Un escalier en colimaçon mène au sommet. Pas jusqu'à l'ange, mais juste en dessous. La vue doit être magnifique, mais que de marches ! J'espère qu'Angelo n'a pas eu l'idée brillante de m'attendre là-haut. Je n'ai pas l'intention de grimper. Je m'assois à l'ombre de la colonne et j'attends, contemplant l'ange doré. Les anges ont-ils jamais été ainsi ? Glorieux, magnifiques, radieux ? Je revois le visage fatigué de mon père, ses larmes. Je me demande...

« On dirait qu'il va s'envoler d'une minute à l'autre, pas vrai ? » demande une voix à mes côtés.

Je sursaute. C'est Angelo, qui regarde pensivement la victoire dorée au-dessus de nos têtes.

Il porte un jean et une chemise grise. Encore une fois, ses cheveux noirs sont en épis, comme s'il venait de se lever. La lumière du soleil couchant le frappe en plein visage, mais ça ne semble pas le déranger : il garde les yeux bien ouverts. Ils sont gris ; la première fois que je les ai vus, j'ai eu l'impression qu'ils étaient en acier. Mais il n'a pas l'air aussi inquiétant que de nuit. On dirait un garçon normal – s'il n'avait pas deux épées sur l'épaule. Je les montre du doigt.

« Qu'est-ce qui se passe ? Tu as besoin de réaffirmer ton autorité ? »

Il sourit.

« L'une des deux est à moi. L'autre est celle de Rüdiger. Je compte l'utiliser comme monnaie d'échange avec Nergal.

— Ah. Et où il est, Nergal ?

— Je lui ai donné rendez-vous au Sony Center dans... » il regarde sa montre « ... une heure exactement. »

J'essaie de me souvenir.

« Le Sony Center ?

— Sur la Potsdamer Platz.

— Et pourquoi ne nous sommes-nous pas retrouvés directement là-bas ? »

Il hausse les épaules.

« J'aime bien cet endroit.

— À cause de l'ange ? je demande avec sarcasme.

— Ne pose pas tant de questions, dit-il en me tirant pour me remettre sur mes pieds. Allons-y ou nous risquons d'être en retard.

— Tiens donc ! Les démons se soucient de la ponctualité ? »

Il me regarde, le visage grave.

« Je ne crois pas que tu aies conscience de ce que tu vas faire, Cat. Nous allons rencontrer Nergal. Un démon qui pourrait te foudroyer d'un seul regard. Il vaut mieux ne pas l'énerver, et ça veut dire ne pas le faire attendre, pour commencer. »

J'avale ma salive.

« D'accord. »

Nous nous mettons en route en silence tandis que le soleil se couche lentement à l'horizon. J'essaie d'entretenir la conversation :

« Un jour, j'ai vu un film qui se passait ici. Un film sur les anges.

— *Les ailes du désir*.

— Tu l'as vu ? Il n'y a pas de démons, dedans.

— J'ai vu tous les films, écouté tous les disques, et lu tous les livres qui existent. L'éternité, c'est long, tu sais.

— Je ne te crois pas. On publie des centaines de nouveaux livres dans le monde chaque jour. Comment pourrais-tu les lire tous ? »

Il secoue la tête avec indifférence.

« *Nil novi sub sole*[1]. La plupart de ces livres ne sont que des copies, des imitations ou des dérivés d'une autre histoire. » Il tord la bouche avec dédain. « Ça fait plusieurs décennies que les humains n'inventent rien d'original. Pour ne pas dire plusieurs siècles. »

Je serre les mâchoires.

« Pourtant, tu as vu ce film.

— Oui. J'ai beaucoup ri.

— Hein ? Mais ce n'est pas une comédie !

— N'empêche que c'était drôle. » Il sourit en y repensant. « Reconnais que la manière dont les anges sont présentés est, disons... particulière !

— Je ne me rappelle pas vraiment. Je n'avais que six ans quand je l'ai vu. Mais ça a beaucoup ému mon père.

— Ces derniers temps, les anges sont émus pour un oui pour un non. La moindre histoire mélancolique suffit à les faire pleurer, surtout si elle se termine bien. N'oublie pas qu'ils sont en train de disparaître. »

---

1. « Rien de nouveau sous le Soleil » (Ecclésiaste 1, 9). (*N.d.T.*)

Je le regarde de côté et j'ose poser la question qui me brûle les lèvres :

« Et qu'est-ce que tu en penses ?

— Moi ? Je m'en fiche. »

Je commence à être agacée, une fois de plus.

« Comment ça, tu t'en fiches ?

— Sans les anges, le monde sera moins dangereux pour les démons, mais aussi plus ennuyeux. Nous n'y gagnons pas, mais nous n'y perdons pas non plus.

— Ah ! Je comprends. »

Il se tourne vers moi. Dans le crépuscule, ses yeux évoquent des nuages porteurs de tempête.

« Tu ne peux rien faire pour empêcher ça, Cat, me dit-il doucement. Les anges sont condamnés depuis plusieurs siècles. Ce monde n'est plus adapté à eux. À ta place, je me contenterais de vivre ma petite vie et d'en profiter au maximum.

— Comment peux-tu dire une chose pareille ? Mon père a été assassiné !

— Ce n'est ni le premier, ni le dernier, dans un camp ou dans l'autre. »

Je soupire, exaspérée.

« C'est ahurissant de penser qu'après des centaines de milliers d'années vous n'avez pas encore été capables d'enterrer la hache de guerre. On peut savoir pourquoi vous ne faites pas la paix ?

— Demande à Dieu », répond-il, énigmatique.

Après cette étrange conversation, nous n'échangeons plus un mot. Nous continuons à marcher, côte à côte, jusqu'à la sortie du parc, puis en direction de la Potsdamer Platz.

J'ai beaucoup de questions à lui poser, mais je ne suis pas certaine de vouloir connaître les réponses. Certes, pour l'instant, il m'aide et se montre plus ou moins amical, mais rien ne me garantit qu'il en sera toujours ainsi. À n'importe quel moment, il peut se lasser de moi et décider qu'il serait plus amusant, que sais-je, de m'étrangler, ou de m'obliger à me suicider, ou tout simplement de me planter là. Je ferme brièvement les yeux et je me répète qu'Angelo reste un ennemi. Je ne le fréquenterai que jusqu'à ce que je découvre qui a tué mon père. Ensuite, je poursuivrai mon chemin. Et pour le remercier de m'avoir aidée... je serai magnanime et je lui laisserai la vie sauve, allez.

Quand nous arrivons à la Potsdamer Platz, un lieu impressionnant, plein de lumières et de gratte-ciel en verre et en acier, nous ne sommes toujours pas sortis de notre mutisme. Soit nous n'avons rien à nous dire, soit nos points de vue divergent tant que nous ne pourrions pas bavarder sans que ça se termine par une dispute. Mais le silence ne me dérange pas. Je suis habituée à ne parler à personne. Quant à Angelo, il se montre aussi volontiers taciturne que loquace, donc tout est pour le mieux.

C'est incroyable. Je suis en train de me promener à Berlin avec un démon. Je suis désolée de me répéter, mais je ne parviens pas à m'habituer.

Nous atteignons enfin le Sony Center, une place couverte, pleine à craquer de gens, de lumières, de bruits. J'essaie de ne pas perdre Angelo de vue dans la foule. Il s'arrête un instant pour regarder la verrière en forme de parapluie au-dessus de nos têtes, puis repart en accélérant le pas. Je cours pour le rattraper.

Enfin, nous arrivons devant la fontaine qui se trouve au centre de la place. Ce doit être un lieu de rendez-vous fréquent, car plusieurs personnes attendent, assises sur le bord. Presque toutes sont jeunes : sur la Potsdamer Platz règne une atmosphère moderne, animée. L'endroit rêvé pour une première rencontre entre deux démons.

Angelo se dirige sans hésiter vers un homme qui lit une revue d'informatique, assis à la table de l'un des cafés qui nous entourent. Il est robuste, grand, avec des cheveux carotte, des favoris et un petit bouc qui lui font un visage large. Il lève les yeux, nous aperçoit, et nous salue de la tête. Angelo s'assoit en face de lui, et je prends place à ses côtés. Les deux démons échangent quelques phrases dans leur langue incompréhensible. Puis l'homme au bouc plante son regard inquisiteur dans le mien...

... et soudain, je tremble de terreur et je n'ai qu'une envie : décamper.

« Tu vas l'effrayer », dit Angelo.

L'autre démon se tourne vers lui.

« Elle porte une épée angélique. »

Il n'a pas levé la voix, mais on devine une menace à peine voilée dans ses paroles.

« Je sais, mais c'est une humaine.

— C'est donc elle ? »

Il m'examine à nouveau, cette fois-ci avec une certaine curiosité.

« Je m'appelle Nergal. Je suis l'un des démons les plus antiques qui peuplent la surface de la Terre. Rares sont les humains qui m'ont vu, sachant qui j'étais, et qui ont survécu. Et toi, tu oses te présenter ici, main dans la main avec un démon !

— Je ne le tenais pas par la main ! » je proteste.

Je me tais aussitôt, effrayée à l'idée d'avoir interrompu Nergal lui-même. Mais il me regarde fixement et sourit comme un vampire.

« Je vois. Tu acceptes l'aide d'un démon, mais tu nies le connaître. J'imagine que l'hypocrisie est une qualité que tu tiens de ton père, l'ange ?

— Je ne nie rien ! j'enrage, les joues en feu. Je veux juste que notre degré d'intimité soit parfaitement clair. Qu'il n'y ait pas d'équivoque. »

À ma grande surprise, Nergal éclate de rire. Juste au moment où je commence à me détendre, il redevient terriblement sérieux.

« Tu devrais être morte », affirme-t-il tranquillement.

Je me redresse sur la chaise, inquiète. Je regarde Angelo, mais celui-ci ne fait pas mine de vouloir me protéger. Je lève subrepticement la main vers la poignée de mon épée.

« Ne fais pas ça », murmure Angelo.

Nergal n'a pas bougé d'un muscle, mais il y a quelque chose de si terrifiant dans sa seule présence que j'abaisse lentement la main.

Un serveur s'approche de nous, mais Nergal croise son regard et le jeune homme retourne illico se réfugier dans le café, la queue entre les jambes. Quelque chose me dit qu'on ne viendra plus nous déranger.

« Tu devrais être morte, répète Nergal. J'ai envoyé quelqu'un te tuer. Et toi, tu es venue volontairement me trouver. Soit tu es stupide, soit tu es folle. »

Je veux répliquer que j'ai simplement suivi les conseils d'Angelo, mais cela ressemble également à un symptôme de folie ou de stupidité, donc je choisis de me taire.

Angelo sort lentement l'épée de Rüdiger de son fourreau et la montre au démon. Bien entendu, les consommateurs assis aux autres tables ne remarquent strictement rien.

« Ton envoyé est mort, déclare Angelo. Voici son épée.

— Je comprends. Tu veux obtenir la récompense à sa place. Tu aurais dû me l'apporter morte et non vivante.

— La récompense ne m'intéresse pas. Je veux te proposer un autre marché. »

Nergal se met à rire.

« Un marché ? Tu ne sais pas ce qu'on m'a donné en échange de la vie de la mortelle, ni si tu es en position de négocier. »

Angelo hausse les épaules.

« Je ne demande pas grand-chose. Juste des informations, et deux jours de délai. Ensuite, tu feras ce que tu voudras. »

Quoi ? Je fais un bond sur mon siège. Angelo essaie de m'acheter deux jours de vie ?

« Qu'est-ce que c'est que cette histoire ? je m'exclame. Nous avons découvert ce qu'il tramait et tué son envoyé. C'est lui qui nous doit au minimum une explication ! »

Nergal rit encore une fois.

« Les démons n'ont pas d'explications à donner, jeune mortelle. Quelqu'un m'a payé pour avoir ton cadavre, et je vais le lui fournir.

— Pourquoi ? Tous les démons sont pleins aux as. Vous allez vraiment vous donner tant de peine pour tuer une humaine, juste en échange de quelques sous en plus ?

— Les démons ne paient pas avec de l'argent, répond tranquillement Angelo. Cela dit, effectivement, tu n'es qu'une humaine. Ta tête ne peut donc pas avoir été mise à un prix très important comparé à ce qu'on paierait pour faire liquider un ange, ou un autre démon. »

Nergal le regarde fixement.

« En échange de la vie de l'humaine, t'auraient-ils promis... l'épée d'un démon ? » demande Angelo avec un sourire en coin, tout en lui tendant l'arme de Rüdiger.

Nergal prend son temps avant de répondre :

« Cette épée ne me servirait pas à grand-chose, Angelo.

— Si. Rüdiger n'a pas été tué par mon épée mais par celle de Cat. Par une épée angélique, donc.

— Rüdiger était mon serviteur, lui rappelle Nergal, menaçant.

— Depuis longtemps ? »

Nergal s'adosse à sa chaise sans perdre de vue son interlocuteur, mais il ne répond pas.

« C'était un serviteur récent, non ? hasarde Angelo. Sinon, tu ne l'aurais pas envoyé accomplir une tâche aussi simple que liquider une humaine. »

Nergal hausse les sourcils.

« Tu crois donc savoir comment je raisonne et de quelle manière je distribue le travail entre mes gens ?

— Absolument pas, se hâte de répondre Angelo. Si Rüdiger était un serviteur précieux, alors cette épée ne compense pas sa perte. Mais s'il ne l'était pas, ce que je t'offre vaut plus que sa vie, et je peux donc exiger quelque chose en échange.

— Tu es rusé et manipulateur, le complimente Nergal avec un large sourire. Mais je ne suis toujours pas convaincu de l'intérêt de ce marché.

— Rüdiger est mort tué par l'épée de Cat, insiste Angelo. Vérifie par toi-même. »

Nergal saisit l'épée par la poignée. Il se concentre pour percevoir quelque chose, une sensation, une information, que sais-je. Enfin, l'épée semble lui dire ce qu'il voulait savoir, et il la lâche.

« Tombé au combat, reconnaît-il avant de me regarder avec un mélange de ressentiment et de curiosité.

— Tu peux envoyer d'autres serviteurs, au risque de les perdre... ou tu peux garder l'épée en échange de quelques noms, et te demander si tout cela en vaut vraiment la peine. »

Nergal continue à me regarder fixement. Je sais ce qu'il est en train de penser. Il existe une troisième option : me tuer lui-même, immédiatement. Mais je comprends brusquement qu'il ne le fera pas. Il y a trop de monde autour de nous. Non que les démons aient peur des humains, ou de ce que ceux-ci peuvent penser d'eux. Mais ils aiment être discrets, et c'est peut-être là le secret du pouvoir qu'ils exercent sur nous : notre connaissance à leur sujet est très limitée, et nous sommes contraints d'imaginer le reste.

Je comprends aussi pourquoi la rencontre a eu lieu dans un endroit public. C'est une manière de s'assurer que personne ne va dégainer. Une sécurité.

« Et toi, l'épée ne t'intéresse pas, Angelo ? » demande Nergal.

L'autre hausse les épaules d'un air insouciant.

« Trop de responsabilités. »

Tous deux échangent un sourire. Je ne sais pas de quoi ils parlent, mais ça ne me plaît guère.

« Je garde l'épée, annonce Nergal en la prenant des mains d'Angelo. Quant au nom que vous cherchez, je ne peux pas vous le donner : je ne le connais pas. Les ordres viennent d'en haut. Tout ce qu'on m'a dit, c'est que la mortelle devait mourir parce que c'était la fille d'un ange. Rien de plus.

— Mais... je proteste. C'est tout ?

— C'est déjà bien trop, répond Nergal. Et maintenant, hors de ma vue, tous les deux, avant que je change d'avis. »

Je me retourne vers Angelo, m'attendant qu'il se rebelle. Mais il sourit, comme si on venait de lui révéler un grand secret. Y a-t-il quelque chose que je n'ai pas compris ?

Ils se lèvent. Angelo salue notre interlocuteur d'un bref signe de tête. Je me mets debout à mon tour, mais je n'ai pas envie de partir comme ça.

« Attendez ! dis-je à Nergal. Qui a tué mon père ? »

Le démon, qui était déjà en train de s'éloigner, se retourne brusquement. Il n'a plus du tout l'air aimable.

« J'ai... dit... hors... de... ma... vue », chuchote-t-il d'une voix qui n'est pas de ce monde, une voix qui évoque tous les tourments de l'enfer, l'horreur, la colère, la haine, la douleur, et surtout l'essence même du mal, le cœur du chaos primitif. Sa voix et son regard s'insinuent au plus profond de moi et me paralysent de terreur. De ma gorge sort un cri d'épouvante.

Nergal fait demi-tour et disparaît dans la foule tandis que je tombe par terre, en proie à une crise de panique. Je me contorsionne, terrorisée, comme si tous les démons du monde des ténèbres fondaient sur moi. Au-dessus de moi, la coupole de la Potsdamer Platz semble tourner sur elle-même telle une spirale qui veut m'emporter. Les badauds m'entourent, mais je ne m'en aperçois pas, tout comme je remarque à peine les bras d'Angelo qui me serrent et sa voix qui susurre à mon oreille :

« Du calme... Réveille-toi... Tout va bien, Cat... Du calme... »

La voix d'Angelo est douce et amicale, mais c'est la voix d'un démon, et elle ne fait que redoubler ma panique. Je crie de toute la force de mes poumons et je suis secouée par un dernier soubresaut. Juste avant de perdre connaissance, j'entends au plus profond de mon âme un rire d'outre-tombe : celui de Nergal qui se moque des prétentions d'une malheureuse humaine.

Quand je me réveille, il fait nuit. Je suis dans une chambre que je ne reconnais pas tout de suite : celle que je partage avec trois autres filles, dans l'auberge où je suis descendue à Berlin. J'essaie de me lever, mais je n'y arrive pas. Je suis trop lasse. J'ai l'impression d'être vidée de mes forces. Je veux parler, mais seule une faible plainte s'échappe de mes lèvres.

« Je t'avais bien dit de ne pas l'énerver », dit la voix d'Angelo dans le noir.

Je tente de répondre, mais je gémis encore une fois, un peu plus fort.

« Chut ! Tu vas réveiller les autres ! »

Petit à petit, je reviens à la réalité. Il fait nuit, et je suis dans mon lit, grelottante. Les autres filles dorment. J'imagine que j'étais déjà couchée quand elles sont rentrées et qu'elles n'ont pas voulu me réveiller. Angelo est assis à côté de moi. Il ne devrait pas être ici.

« Je vais dire quelque chose, chuchote-t-il, et tu vas m'écouter, d'accord ? »

J'ai mal au cou, de sorte que je parviens à peine à hocher la tête.

« Ce n'est pas Nergal qui a parlé à la personne qui veut ta mort. C'est son maître, Agaliarept. Tu sais ce que ça signifie ? Que celui qui te persécute est assez puissant pour s'adresser au Seigneur des Espions lui-même. Agaliarept doit penser qu'il s'agit d'une affaire sans importance, et c'est pour ça qu'il a refilé le boulot à Nergal ; mais au fond, n'importe quel démon aurait pu te tuer sans problème. Donc si on a chargé Agaliarept de le faire, ça signifie que celui qui a fait ça ne veut pas qu'on puisse remonter jusqu'à lui, et qu'il veut être sûr que tu seras morte et bien morte. Autrement dit, il prend ça très au sérieux.

« Nous ne pouvons pas négocier avec Agaliarept. Nous ne pouvons même pas lui parler, en fait. La seule chose que nous savons, c'est que le problème vient du fait que tu es la fille d'un ange. De cet ange-là, plus exactement. C'est donc certainement lié à quelque chose qu'a fait ton père avant de mourir. Peut-être s'est-il mis en travers de la route d'un puissant démon, peut-être était-il détenteur d'un secret dont on soupçonne qu'il te l'a transmis... »

Encore une fois, j'essaie de parler, mais je ne peux que secouer la tête.

« Tu ne peux pas tout savoir au sujet de ton père, dit Angelo. Il était immensément plus vieux que toi. Tu ignores ce qu'il a fait pendant tous ces millions d'années avant ta naissance. »

Ce qu'il dit n'a rien d'absurde, et pourtant je suis convaincue qu'il fait fausse route. Est-ce parce que le Livre d'Hénoch fut l'une de mes premières lectures, ou parce que je suis paranoïaque ? Toujours est-il que le fait qu'on veuille me tuer « parce que je suis la fille d'un ange » me semble significatif. J'essaie de le dire à Angelo, et j'arrive à souffler :

« Hénoch... »

Il secoue la tête.

« Être la fille d'un ange ne fait pas de toi quelqu'un d'exceptionnel. Les anges et les démons ont eu beaucoup de descendances avec les humains au cours des millénaires. Surtout les démons », ajoute-t-il après une pause. Je me demande brusquement s'il a des enfants lui-même. Il a eu largement le temps, malgré son aspect juvénile. « Personne ne considère que ça pose problème, ni dans un camp ni dans l'autre, et personne ne prendrait la peine d'éliminer des enfants mi-humains. »

Il fait une pause. Cette fois, je ne cherche même pas à parler.

« Cat, écoute mon conseil. Va-t'en très loin, laisse cette épée quelque part, et commence une nouvelle vie anonyme. Ou alors, mets-toi sous la protection des anges. Tu ne vas pas pouvoir continuer comme ça toute seule.

— Seule ? » je répète faiblement.

Il pousse un petit soupir.

« Je suis désolé, mais je ne peux pas aller plus loin. Affronter des démons de la catégorie de Rüdiger était amusant, mais regarde ce que Nergal a fait de toi juste en te regardant. Imagine un peu ce qu'il en serait avec Agaliarept ou les autres. Tu n'es pas de taille à les affronter, et moi non plus. Adieu, Cat. »

Il se lève, me tourne le dos et s'éloigne aussi silencieusement qu'une ombre. J'essaie de l'appeler, mais je ne parviens qu'à prononcer son nom d'une voix chevrotante, à la fois pathétique et humiliante :

« Angelo... »

Pas de réponse. Toujours aussi étourdie et endolorie, je referme les yeux et m'efforce de dormir. Peut-être que demain, je découvrirai que ce n'était qu'un cauchemar.

7

ma convalescence dure toute une journée.
Je reste au lit, parfois dormant, parfois
délirant, sans l'envie ni la force de bouger ou de manger. Mes compagnes de chambre, Anika, Svenia et
Heidi, essaient de comprendre ce qui m'arrive, mais
je suis incapable de le leur expliquer. C'est comme si
je n'avais plus d'énergie.

Comme si ça ne valait pas la peine de vivre.

Heureusement, au fur et à mesure que les heures
passent, mon état s'améliore. Le soir, je parviens à
m'asseoir dans le lit. Anika m'offre en souriant un
sandwich et une bouteille d'eau gazeuse.

« *Danke* », je murmure.

Elle se lance alors dans un grand discours en
anglais mâtiné d'allemand. Je l'écoute avec attention
en mâchant lentement mon sandwich. Elle croit
savoir ce que j'ai : il est arrivé quelque chose de semblable à sa sœur, un jour, en période d'examen. C'est

une crise de stress : le cerveau se paralyse, le corps dit « assez », on a mal partout, et on n'est bien que dans son lit. Le seul remède est le repos et l'inactivité absolus.

Je souris et je la remercie encore une fois. Oui, ça doit être ça, je réponds. Ce sera donc la version officielle.

Les trois filles viennent de Munich. Ce sont trois amies de fac qui profitent de quelques jours de libres pour visiter la capitale. Comme je suis plus jeune qu'elles, elles s'occupent de moi comme d'une petite sœur. Elles sont adorables. Mais je ne peux pas, je ne *dois* pas les mêler à mon histoire.

Demain, je partirai. Je ne sais pas où, mais je débarrasserai le plancher. Peut-être que j'irai à nouveau supplier Yeiazel, ou que je me débrouillerai pour aller de l'autre côté de la Terre. Tout ce que je sais, c'est que je ne peux pas retourner chez Jipé.

Les deux jours de sursis seront bientôt passés, et la chasse à Cat sera de nouveau ouverte. S'il n'y a personne capable de me protéger, il vaut mieux qu'il n'y ait personne tout court.

La nuit tombe. Je suis toujours au lit. Je pense que je ne suis pas seulement épuisée, mais que j'ai attrapé une dépression, comme on attrape un rhume. Pour la première fois, je me rends compte que je suis dans un monde de géants. Un monde qui leur appartient, un monde régi par leurs règles, même si les humains, dans leur arrogance, veulent croire qu'ils en sont les maîtres.

Je me réveille en sursaut lorsque quelqu'un pose sa main sur mon épaule. Je crois voir des yeux rouges briller dans le noir. J'essaie de crier, mais une autre main me couvre la bouche.

« Cat, c'est moi, dit la voix d'Angelo. Je suis venu te chercher. »

Ça ne me rassure pas, même si, maintenant que je suis sortie de mon cauchemar, les yeux rouges ont disparu. Je me libère et me redresse.

« Va-t'en.

— Je ne peux pas. J'ai reçu des ordres.

— Des ordres ? De qui ?

— C'est un peu long à raconter, mais quelqu'un est disposé à te prendre sous son aile. Je vais t'emmener en lieu sûr.

— Qui est ce quelqu'un ? Et pourquoi voudrais-tu m'aider maintenant alors que tu m'as abandonnée à mon sort hier ? »

Je peux presque deviner son sourire dans l'obscurité.

« Quelqu'un d'assez puissant pour que je n'ose pas le contrarier, répond-il.

— Tu es donc revenu juste par peur de représailles. » Je me recouche et je lui tourne le dos, résumant en un seul mot ce que je pense de lui : « Lâche. »

Il soupire avec agacement et allume ma lampe de chevet, au risque de réveiller les autres.

« Allez, Cat, dépêchons-nous. Tu es en danger.

— Nergal a promis de me donner deux jours.

— Et depuis quand les démons tiennent-ils leurs promesses ? »

Voilà qui me fait réagir. Je m'assois.

« Prends tes affaires et partons », m'ordonne-t-il.

À ce moment-là, la tête d'Anika émerge de sous les couvertures, ensommeillée et décoiffée. Elle cligne les yeux en voyant Angelo. Elle ouvre la bouche, mais Angelo susurre :

« *Schlaf ein.* »

Et Anika referme les yeux docilement et retombe sur son oreiller, profondément endormie.

« Allez, lève-toi, insiste-t-il. Nous devons partir.

— Où ?

— En lieu sûr. »

Je proteste un peu, pour la forme, mais je tente de me lever. J'ai la tête qui tourne. Angelo claque la langue, contrarié.

« Tu es encore HS ? Quelles chiffes molles, ces humains. J'imagine que je vais devoir t'habiller ? »

Il prend le pantalon que j'ai laissé sur une chaise. Je le lui arrache des mains, furieuse.

« Donne-moi ça. Je peux encore me débrouiller toute seule, merci bien ! Et tourne-toi, s'il te plaît. »

Il lève les yeux au ciel. Je lui jette mon sac à la figure.

« Tiens. Si tu veux te rendre utile, fourre là-dedans tout ce qu'il y a dans ce placard. »

Il hausse les épaules et obéit, ce qui le contraint à me tourner le dos. Svenia et Heidi se réveillent à leur tour, mais il les rendort aussitôt. Pendant ce temps, je m'habille maladroitement.

« C'est tout ce que tu as ? me demande Angelo en scrutant l'intérieur du placard.

— C'est tout ce dont j'ai besoin », je réplique avec une certaine férocité en lui prenant le sac des mains et en tirant la fermeture Éclair.

D'accord, je n'ai que deux joggings, trois T-shirts, une paire de baskets, quatre slips et un pull chaud, mais c'est plus qu'il n'en faut, non ? Il suffit de laver ses affaires régulièrement !

Angelo fronce les sourcils et me regarde avec une expression dont j'espère que ce n'est pas de la pitié, parce que sinon je vais lui casser la figure.

Enfin, je suis prête à partir. Soudain, une idée me traverse l'esprit et je le dévisage, soupçonneuse.

« Tu ne serais pas en train de me trahir, par hasard ?

— Ne sois pas ridicule. »

Pourtant, c'est louche, ce revirement soudain. Je me rassois sur le lit et je croise les bras.

« Je n'irai nulle part tant que tu ne m'en auras pas dit davantage. »

Avec un soupir exaspéré, il me tire pour me contraindre à me relever. J'ai les jambes qui tremblent.

« Je ne vais nulle part, j'ai dit !

— Mais tu peux à peine marcher ! observe-t-il, consterné.

— Raison de plus. »

Mais toute résistance est inutile. Angelo passe mon bras par-dessus ses épaules et me hisse avec mon sac. Je n'ai plus la force de protester. Je me laisse traîner jusqu'à l'ascenseur.

« Il faut que je paie la chambre, dis-je.

— Ne t'inquiète pas pour ça.

— Mais...

— Je te dis d'oublier ça ! »

Je n'insiste pas. Nous descendons en silence jusqu'au rez-de-chaussée. J'essaie de sortir sans aide de l'ascenseur, mais je trébuche, et Angelo doit me rattraper. Je l'entends murmurer :

« Il y est vraiment allé fort, l'animal… »

Je lève la tête.

« Je vais parfaitement bien, tu m'entends ? »

Je rassemble le peu de dignité qui me reste pour marcher toute seule jusqu'à la sortie. Soit la chambre a déjà été réglée, soit le réceptionniste a été « incité » à oublier ma note, car il ne fait rien pour m'arrêter. Dans la rue, Angelo hèle un taxi. Nous nous installons sur le siège arrière.

« *Steigenberger Hotel, bitte*, lance Angelo au chauffeur.

— Tu me sors d'un hôtel pour m'emmener dans un autre hôtel ?

— Ce n'est pas un hôtel quelconque, tu verras. Il appartient à la personne qui veut te protéger. »

Il me regarde avec curiosité, presque avec admiration.

« Tu n'as aucune idée de ce qui se passe, n'est-ce pas ?

— Non. »

Il s'installe plus confortablement et commence à raconter à voix basse :

« Quand je suis parti hier soir, j'étais convaincu que je ne te reverrais jamais. Ne le prends pas mal, mais quand on atteint un certain âge, on apprend à ne pas se mettre en travers du chemin des démons les plus puissants. C'est une des lois non écrites de notre monde. Mais en sortant, j'ai rencontré un démon qui venait de la part de quelqu'un situé bien au-dessus d'Agaliarept. Quelqu'un qui avait entendu parler de toi, Cat, et qui m'a demandé de te protéger à tout prix. Il fallait que tu restes vivante. Cela devait devenir ma priorité.

« Honnêtement, j'ai mieux à faire que jouer les nounous. Mais quand un grand seigneur démoniaque s'abaisse à demander une faveur à quelqu'un comme moi... il vaut mieux ne pas refuser !

— Un grand seigneur démoniaque... je répète, abasourdie. Mais *qui* ?

— Je ne sais pas. Il n'a pas voulu me révéler son identité. Mais je t'assure que celui qui m'a contacté en son nom est un démon antique qui n'obéirait pas à n'importe qui. À partir de maintenant, je suis donc à son service. J'avoue que je préfère être libre, mais si je dois obéir aux ordres d'un démon, autant que ce soit l'un des princes des enfers. Il n'y a pas dix démons qui puissent se vanter de faire partie de ce club ultra select. Au fond, nous avons de la veine, tu sais : toi, tu es protégée par l'un des êtres les plus puissants qui existent, et moi j'ai été embauché par quelqu'un qui a des serviteurs sur toute la surface de la Terre.

— Tu plaisantes, je balbutie.

— Non. C'est ton jour de chance. Personne n'osera te toucher tant que tu seras sous sa protection. Alors profites-en !

— Mais... mais... pourquoi fait-il ça ?

— Je ne sais pas, Cat. Réjouis-toi et ne pose pas de questions. C'est ce qui pouvait t'arriver de mieux, étant donné les circonstances.

— Ce qui pouvait m'arriver de mieux ? Être sous la protection d'un prince des enfers anonyme ? Tu es malade ? »

Je n'arrive pas à poursuivre : ma voix se brise. Je suis à bout de nerfs, j'ai peur, et je suis à deux doigts d'avoir une crise d'hystérie.

Angelo pose son bras sur mes épaules et m'attire à lui. C'est alors que je craque.

J'enfouis le visage dans son épaule et je me mets à pleurer en silence. J'essaie de faire en sorte qu'il ne me voie pas et ne m'entende pas, mais je tremble de tout mon corps, et je crains de ne pas pouvoir lui dissimuler ce moment de faiblesse. Malédiction !

C'est juste que je suis malade et fatiguée. C'est tout. Demain, je redeviendrai moi-même, j'en suis convaincue.

Je me réveille dans un immense lit aux draps blancs, doux et parfumés. Suis-je morte ? Suis-je au paradis ? Je ne vois pas d'autres explications. À moins que...

Petit à petit, tout me revient. Notre départ de l'auberge, le taxi, le récit d'Angelo... et l'arrivée dans cet incroyable et gigantesque hôtel cinq étoiles en plein centre de Berlin. On m'a attribué une suite. Je n'ai jamais dormi dans une pièce aussi grande et luxueuse, encore moins toute seule.

Je me lève lentement. Je vais bien mieux qu'hier. La moquette est moelleuse sous mes pieds nus. Je pousse une première porte et je découvre une salle de bains, énorme et immaculée. Je continue mon exploration. Derrière une seconde porte se trouve un petit salon, lui aussi strictement réservé à mon usage personnel. J'ai du mal à y croire. J'ouvre les rideaux et je contemple la ville à mes pieds, extatique.

C'est trop de luxe pour moi. Je dois être au paradis, finalement.

On frappe à la porte. Je sursaute. Une femme m'appelle dans le couloir :

« *Hallo ! Frühstück, bitte !* »

Comme je ne réponds pas, la voix musicale répète, en anglais cette fois :

« *Good morning ! Breakfast, please !* »

J'entrouvre la porte et glisse un œil à l'extérieur, méfiante. Devant moi se trouve une femme de chambre souriante qui porte un immense plateau argenté. Je la laisse machinalement passer pour qu'elle puisse le déposer quelque part. Elle le place sur une petite table et repart, sans cesser de sourire.

Je soulève le couvercle du plateau.

Une montagne de choses délicieuses s'offre à ma vue. Jus d'orange, café, œufs, bacon, pain grillé, fruits, confitures, brioche... Tout ça pour moi ?

L'odeur est irrésistible. Moins de cinq minutes plus tard, je suis en plein festin. J'ai déjà dévoré la moitié du repas lorsque Angelo entre, sans même prendre la peine de frapper.

« Alors, ça va mieux ? Je t'ai commandé un petit-déjeuner complet. Je vois que j'ai bien fait ! »

Je cesse aussitôt de manger.

« C'est un piège, pas vrai ? Vous essayez de m'acheter.

— Ce n'est pas moi qu'il faut remercier, mais ton protecteur », déclare Angelo en s'asseyant sur le lit.

Il a l'air d'excellente humeur.

« Écoute, je suis ravie que tu aies trouvé un patron généreux, mais je n'apprécie pas tellement qu'un grand prince démoniaque sache que j'existe. Qu'est-ce qu'on va me demander de faire en échange de tout ça ?

— Juste de rester à l'hôtel et de ne pas en sortir, au moins pour le moment. D'après ce que j'ai compris, il est très occupé, mais il compte venir te voir dès que possible.

— Et si je ne veux pas le voir, moi ?

— Cat, Cat, ne sois pas désagréable ! Il te vient en aide, il te met à l'abri, et il a l'intention de te révéler son identité, à toi. Le moins que tu puisses faire, c'est d'écouter ce qu'il a à te dire.

— Ce n'est jamais une bonne idée d'écouter un démon, surtout s'il est puissant, je marmonne. Me dira-t-il qui a tué mon père ?

— Probablement, à moins que sa mort ait été commanditée par Lucifer lui-même, ce qui m'étonnerait. »

Je réfléchis. Angelo ajoute, un peu plus doucement :

« Je dois dire que tu possèdes une grande force intérieure pour une humaine.

— Ben voyons.

— C'est vrai ! Tu me rappelles ceux d'avant.

— Qui ?

— Les humains d'autrefois. Il y a quelques milliers d'années. » Il soupire et se lève en secouant la tête. « Ils étaient d'une autre trempe.

— Tu te souviens vraiment de comment c'était il y a quelques milliers d'années ? »

Il pose sur moi ses yeux gris, de la couleur d'un océan calme sous un ciel nuageux. Je me rends compte qu'il rit sous cape.

« Non », avoue-t-il.

Il se dirige de nouveau vers la porte.

« Où vas-tu ?

— J'ai des choses à faire. Toi, reste ici. Ne sors pour rien au monde.

— Je suis une "protégée" ou une prisonnière ? », je demande, sarcastique.

Mais Angelo est déjà parti. La porte s'est refermée derrière lui, et me voilà seule... ce qui ne me dérange pas le moins du monde. Puisque je dispose d'une suite dans un hôtel cinq étoiles, autant en profiter !

Je commence par prendre un looooong bain dans l'immeeeeense baignoire. Peu à peu, mes muscles se détendent et mon esprit s'apaise. Quand je sors de l'eau, je suis presque calme.

Je me regarde dans le miroir. Malgré toutes ces heures passées à dormir, il me reste des cernes, mais en dehors de ça, mon aspect est nettement meilleur.

Comment je suis ? Je ne vous l'ai pas encore dit ? Voyons... J'ai des cheveux acajou, courts, qui frisottent un peu. Ils m'arrivent juste en dessous des oreilles ; pour éviter de les avoir dans les yeux, je porte presque toujours un bandeau ou un serre-tête. Mes yeux sont noisette, parfois dorés quand le soleil brille ; mon père disait qu'ils étaient couleur vieil or. Ses yeux à lui étaient très foncés, presque noirs, comme un puits sans fond. Je suppose donc que cette teinte me vient de ma mère. J'ai le teint basané à force d'être tout le temps à l'air libre. Pour la même raison, j'ai les joues couvertes de taches de rousseur. Ah, j'oubliais : je suis plutôt petite.

Rien de spectaculaire, comme vous voyez. Une fille ordinaire, quoi.

Mais cette fille ordinaire connaît aujourd'hui un luxe auquel elle n'est pas habituée. Après m'être rhabillée, je fouine dans tous les coins de la chambre. Je découvre le minibar. Des boissons, et des bonbons. Après une brève hésitation, j'ouvre un paquet. Pourquoi pas ? Ce sont les démons qui paient !

Je passe le reste de la journée à grignoter des bonbons et à zapper. À midi, on m'apporte un repas complet, non moins délicieux que le petit-déjeuner. Mais je n'ai aucune nouvelle d'Angelo, ni de personne d'autre.

À sept heures du soir, je me sens comme un lion en cage. La télévision m'ennuie, et je meurs d'envie d'aller me promener. Hier, je n'ai pas quitté mon lit parce que j'étais malade. Et maintenant que je me porte comme un charme, on m'enferme !

C'est alors que le téléphone sonne. Je décroche. Un monsieur me parle en allemand, puis passe à l'anglais. Il m'informe qu'un jeune homme désire me voir.

Ce n'est pas le style d'Angelo de s'annoncer avant d'entrer, donc ça ne peut pas être lui. Je raccroche le téléphone sans rien dire et je retourne devant la télé.

Quelques instants plus tard, on frappe à la porte. Je me lève et je vais voir qui c'est en entrebâillant le battant.

Dans le couloir se trouve un garçon de treize ou quatorze ans qui sourit de toutes ses dents en m'apercevant.

« Cat ?

— Qui es-tu ?

— Je m'appelle Johann. » Il baisse la voix. « Je suis venu te tirer de là. Je viens de la part de Gabriel.

— Gabriel ? L'archange ?

— Oui. Je peux entrer ? »

J'hésite un instant.

« Attends. »

Je referme la porte et je cours prendre mon épée. Ce n'est que quand je la tiens bien en main que j'ouvre complètement.

L'adolescent entre. Il aperçoit l'épée et hoche la tête, approbateur.

« L'épée de Iah-Hel, dit-il. Je suis content de savoir qu'elle est en de bonnes mains et que ces maudits ne te l'ont pas prise. »

Je m'assois sur le canapé et lui indique un fauteuil sans lâcher mon épée.

« Explique-toi.

— Nous n'avons pas le marches, s'impatiente-t-il. Gabriel a eu du mal à te localiser. Les démons n'ont pas arrêté de te trimbaler d'un endroit à l'autre ! Si tu ne viens pas tout de suite, ils vont de nouveau te transférer ailleurs.

— Me transférer ? Tu parles comme si j'étais prisonnière !

— Ce n'est pas le cas, peut-être ? »

J'ouvre la bouche, mais je la referme. Je suis ici, dans cette chambre, parce que Angelo l'a souhaité. Avant de le connaître, j'allais où je voulais, quand je voulais.

Je médite un moment. Je n'ai pas encore réfléchi à ce qui m'arrivait parce que c'était trop perturbant, et parce que j'avais besoin de repos. Mais je n'aime pas l'idée qu'un grand prince démoniaque m'ait prise sous son aile. Johann a raison, cela n'a aucun sens. La seule raison pour laquelle ils me « protègent », c'est que ça constitue le meilleur moyen de me tenir sous surveillance.

« Dépêchons-nous, insiste-t-il. Nous sommes sur un territoire démoniaque, et si je reste trop longtemps ici, ils vont finir par percevoir ma présence. »

Je l'observe avec attention. C'est un garçon blond, éveillé, au sourire amical.

« Tu es un ange ?

— Ne me dis pas que tu viens juste de le comprendre ! »

Il se lève et me prend par la main pour m'inciter à en faire de même. Quand je suis devant lui, je me rends compte qu'il est un peu plus grand que moi, même s'il a l'air plus jeune.

« Tu m'emmènes donc voir d'autres anges ? Mais Yeiazel m'a dit...

— Yeiazel a agi sans consulter ses supérieurs, réplique Johann. Nous n'allions tout de même pas laisser la fille de Iah-Hel errer toute seule dans le monde à la merci des démons ! Comment as-tu pu t'imaginer une chose pareille ? » Il secoue la tête, indigné.

Un immense soulagement m'envahit. C'est donc vrai. Ils m'acceptent enfin parmi eux. Les anges ne sont pas aussi insensibles que Yeiazel me l'a laissé entendre. Ils sont prêts à accueillir la fille d'un ange même si elle est à demi humaine ; ils vont me protéger et répondre à mes questions, et je n'aurai plus besoin de pactiser avec des démons.

« Je prends mes affaires ! » je m'exclame.

Je me lève rapidement et je rassemble mes possessions. Je suis prête en moins de deux minutes : je n'avais même pas pris le temps de mettre mes vêtements dans l'armoire. Je quitte la chambre – avec un soupçon de regret, j'avoue – et je suis Johann dans le couloir. Il marche résolument jusqu'à l'escalier.

« Tu ne veux pas prendre l'ascenseur ?

— Il vaut mieux que personne ne nous voie, me répond-il à voix basse. La plupart des gens qui travaillent dans cet hôtel sont des humains, mais il y a aussi quelques démons, et ils ont failli me repérer quand je me suis enquis de toi à la réception. Si j'en croise, ils me reconnaîtront. Je préfère passer par l'entrée de service. »

Nous descendons les marches jusqu'en bas, longeons quelques couloirs, passons une porte. Nous voici dans la rue.

« Parfait ! s'exclame-t-il avec un sourire enchanté. Ils devaient être vraiment sûrs que tu n'allais pas t'enfuir. Que t'ont-ils dit pour te convaincre de rester dans ta chambre ?

— Que c'était dangereux de sortir, et qu'ils allaient me donner des informations sur la mort de mon père », j'explique, un peu honteuse.

Johann secoue tristement la tête.

« Ton père est mort au combat, Cat. Il a probablement été tué par le groupe de Malfas : ils s'amusent à traquer de pauvres anges isolés. Mais ne t'en fais pas, Michel les suit depuis un bon bout de temps, et il les attrapera tôt ou tard.

— Mais... pourquoi s'intéressent-ils tant à moi ?

— Oh, tout simplement parce que Gabriel te cherchait. Tout le monde sait que de nombreux seigneurs des enfers sont dans une mauvaise passe. On dit que Nysrock lui-même se fait marcher sur les pieds, me confie-t-il en riant. C'est une exagération, bien sûr, mais le fait est que ceux qui espèrent s'attirer les bonnes grâces de Lucifer épient Gabriel et les anges qui l'entourent. Quelqu'un a découvert que nous te cherchions, et a pensé qu'il devait y avoir une bonne raison. » Il hausse les épaules. « Les démons sont incapables de comprendre que nous puissions protéger un humain par pure compassion. Pour eux, il doit toujours y avoir des considérations pratiques et secrètes. »

Je soupire, soulagée. Enfin, quelqu'un me fournit les explications auxquelles j'aspire depuis si longtemps. C'est incroyable comme tout peut changer du jour au lendemain. Hier, j'étais convaincue que la vie n'avait aucun sens, et aujourd'hui on m'accepte au sein de la communauté angélique !

« Dis-moi, ajoute Johann, redevenu grave, qui t'a emprisonnée ? »

J'hésite. Je n'ai pas envie de lui avouer que je n'en ai aucune idée.

« On ne te l'a pas dit ? » devine-t-il. Pendant un instant, il semble frustré, mais il retrouve rapidement son sourire. « Aucune importance, nous finirons bien par l'apprendre. Le démon qui était avec toi ne le sait pas non plus ?

— Angelo ? Non. Il m'a dit que quelqu'un s'était mis en contact avec lui, un démon antique au service de quelqu'un de beaucoup, beaucoup plus puissant. Il ne m'a donné aucun nom.

— Je vois.

— C'est important ?

— Il est plus facile de lutter contre un démon quand on connaît son identité. Voilà pourquoi nombreux sont ceux qui se cachent sous un pseudonyme. Mais théoriquement, les princes démoniaques n'ont pas besoin de faire ça. Celui-là doit être particulièrement peureux, ou moins puissant qu'il ne veut le faire croire. »

Nous descendons les marches d'une bouche de métro. Personne ne nous suit. Je me sens en sécurité pour la première fois depuis très longtemps.

« Toi non plus, tu ne m'as pas dit ton vrai nom », je fais remarquer.

Il m'offre un autre de ses francs sourires.

« Nithael.

— C'est le nom d'un ange très antique. »

Il éclate de rire.

« Ne te laisse pas tromper par les apparences, je ne suis pas si jeune que ça ! Et toi, ton nom n'est pas vraiment Cat, je me trompe ?

— Caterina, j'admets à contrecœur.

— Italienne. » Il hoche la tête. « Tu as encore un peu d'accent. »

Je le regarde avec surprise. C'est vrai, je suis née en Italie, où j'ai passé les deux premières années de ma vie, même si je ne m'en souviens pas. Ensuite, mon père m'a emmenée vivre en Espagne, dans un petit village des Asturies. C'est là que j'ai véritablement appris à parler. À cinq ans, j'ai commencé à voyager avec lui... jusqu'à aujourd'hui.

« Comment peut-il me rester un accent italien ? Je n'avais que deux ans quand j'ai quitté le pays !

— On n'oublie jamais ses origines, Cat.

— Tu as bien oublié les tiennes, toi ! » je réplique, acerbe.

Johann rit encore une fois, d'un rire gai et cristallin. Nous sommes arrivés sur le quai du métro.

« Où allons-nous, au fait ?

— À l'aéroport. » Je m'émerveille de le voir répondre à toutes mes questions directement, sans détour, sans phrases sibyllines, sans demi-vérités. « J'ai deux billets pour Rio de Janeiro. C'est là que nous retrouverons Gabriel.

— Gabriel est au Brésil ? »

De mieux en mieux. Mon père m'a toujours parlé de Gabriel comme d'un ange bon et aimable. C'est même l'un des anges les plus nobles. Je suis honorée qu'il veuille faire ma connaissance. Et je vais aller au Brésil !

« Pourquoi prendre le métro plutôt qu'un taxi ?

— Sous terre, nous sommes plus difficiles à détecter... » explique Johann. Ses derniers mots sont à moitié couverts par le bruit du train qui approche.

C'est alors que j'entends quelqu'un crier mon nom. Ce n'est pas mon ouïe qui le capte, car le vacarme du train noie tout autre bruit. C'est mon esprit, ou mon cœur.

Angelo.

Je me retourne. Une ombre est en train de dévaler l'escalier, si vite que mes yeux ont du mal à la suivre. Qu'est-ce que... ?

Soudain, on me pousse, et je perds l'équilibre. J'agite désespérément les bras pour essayer de rester sur le quai, mais le poids de mon sac et de mon épée m'attire vers le bas.

Tout se passe en moins de deux secondes, pourtant c'est comme si l'action se déroulait au ralenti. Tout en basculant irrémédiablement dans le vide, je vois le visage de Johann, dont le sourire franc s'est transformé en un rictus malveillant, sinistre.

Un millième de seconde avant que le train ne me passe sur le corps et ne le mette en pièces, sectionnant le fil de ma vie, je comprends que je n'ai pas été capable de reconnaître le démon avant d'être au bord de l'abîme... avant qu'il soit trop tard.

Intermède

La station s'emplit de cris, de bruits de course, de crises hystériques... Le train freina brusquement. Angelo vit par la fenêtre le visage décomposé du conducteur, qui sortit précipitamment du wagon.

Mais il n'y avait plus rien à faire. La jeune fille était tombée sur les rails et le convoi l'avait heurtée de plein fouet. Son corps ensanglanté gisait à côté des roues.

Angelo s'ouvrit un passage entre les gens qui s'étaient attroupés sur le quai et sauta près du cadavre de Cat avant que quiconque puisse le retenir. Par acquit de conscience, il vérifia qu'elle était morte, puis détacha lentement la courroie de son épée et lui ferma les yeux.

« Je t'avais prévenue ! » chuchota-t-il, même si elle ne pouvait plus l'entendre.

On lui criait de ne pas la toucher. La police venait d'arriver. Angelo se remit debout et remonta sur le quai d'un bond gracieux.

« Eh, toi ! l'interpella un policier, tandis que trois de ses collègues descendaient à leur tour. C'était une de tes amies ?

— Je la connaissais, oui, répondit-il calmement, convaincu que personne n'avait remarqué l'épée qu'il avait prise à Cat.

— Tu as vu ce qui s'est passé ?

— Elle était là avec un garçon qui l'a poussée.

— Ah. » L'agent fronça nerveusement les sourcils. Ce n'était pas la même chose d'être confronté à un suicide ou à un assassinat. « Pourrais-tu décrire le coupable ? »

Angelo le fit, tout en sachant que c'était parfaitement inutile.

« Merci. Ne t'éloigne pas, s'il te plaît. Il va falloir que je prenne tes coordonnées et que je te fasse signer ta déposition. »

D'autres personnes avaient vu le meurtrier, et les policiers s'étaient mis à sa recherche. Angelo savait qu'ils ne parviendraient pas à le rattraper. Dès que l'agent lui tourna le dos, il se faufila vers un coin d'ombre... et disparut.

Il suivit les traces de Johann à la vitesse de l'éclair. Il le rejoignit dans une ruelle. Le jeune démon avançait tranquillement, les mains dans les poches. Angelo l'empoigna violemment, le poussa contre le mur et plaça la pointe de son épée sur sa gorge.

« Explique-toi », exigea-t-il dans la langue des démons.

L'autre éclata d'un rire méprisant.

« Tu joues les chevaliers auprès des humaines, maintenant, Angelo ?

— J'obéis aux ordres d'un grand prince des enfers », répliqua-t-il d'un ton menaçant. Il s'attendait que Johann blêmisse de frayeur face à cette nouvelle, mais l'autre sourit, narquois. « Quand il saura que tu as tué sa protégée, il te fera souffrir tant et tant que tu te pendras à désirer que l'enfer existe pour pouvoir y pourrir.

— Peut-être te punira-t-il, toi aussi, pour avoir failli à ta mission !

— Pas si je lui dis qui est l'assassin. »

Johann rit encore une fois.

« Je n'ai pas peur de ton chef. Un de ces jours, il y aura un nouveau roi des démons, quelqu'un d'assez puissant pour écraser non seulement tous les princes des enfers, mais aussi Lucifer lui-même. Des temps meilleurs approchent, et tu n'es pas du bon côté ! »

Angelo baissa son épée, écœuré. Encore un conspirateur. Il y en avait de plus en plus, comme si les humains les avaient contaminés avec leurs idées absurdes.

Johann le repoussa pour se libérer. Angelo hésita un moment. Devait-il le tuer ? Il valait mieux s'abstenir. Si son maître était réellement puissant, ou si Lucifer apprenait qu'Angelo avait occis un démon uniquement pour venger une humaine, cela pourrait lui poser bien des problèmes. Il rengaina donc son épée.

« Prends bien garde à toi, lui conseilla-t-il avant de s'en aller. Je suis certain que tu seras puni pour ton audace. Et je doute fort que ton maître puisse te protéger. »

Ils se quittèrent après avoir échangé un dernier regard torve.

Perdu dans ses pensées, Angelo s'éloigna de la station de métro où l'on recueillait le corps de Cat pour l'emporter à la morgue, et il se dirigea tranquillement vers chez lui. En chemin, il s'arrêta dans un bar, commanda une bière et s'assit.

Il n'eut pas à attendre longtemps. Un homme élégant, grand, aux cheveux gris et aux yeux bleus, entra et prit place à ses côtés.

« Hanbi, le salua Angelo. Je savais que tu viendrais. »

Le démon ne répondit que lorsque le serveur lui eut apporté un verre de vin. Il en but une gorgée et dit enfin :

« Moi, par contre, je ne comptais pas te revoir si tôt.

— C'est la vie. »

Hanbi avait été autrefois un terrible dieu de la tempête qui s'amusait à envoyer des ouragans et des tornades aux quatre coins du monde. Il ne le faisait désormais plus que ponctuellement : le dérèglement climatique s'en chargeait pour lui. Il jouait à présent le rôle de messager auprès du grand seigneur démoniaque qui avait demandé à Angelo de protéger Cat.

« La fille devait rester vivante. Ce n'est pas très réussi, n'est-ce pas ?

— C'est vrai, reconnut Angelo. C'est sa faute : elle est sortie de l'hôtel. Et bien sûr, c'est surtout la faute du démon qui l'a poussée sur la voie. Un certain Johann, au service de quelqu'un qui nourrit d'impressionnants rêves de grandeur.

— Il le paiera », dit calmement Hanbi. Angelo eut la certitude que Johann ne verrait pas le soleil se lever le lendemain.

« Bref, elle est morte, déclara Angelo sans détour.

— Mon maître te transmet ses plus sincères condoléances, fit Hanbi, moqueur.

— C'était lui qui s'intéressait à elle, non ?

— Jusqu'à un certain point seulement. Elle était importante, mais pas irremplaçable. Bien sûr, il regrette cette perte, mais il m'a chargé de te dire que tu ne seras pas puni. Au moins, tu as retrouvé le coupable, ce qui peut nous fournir une bonne source d'information. Malgré tout... »

Il se tut un moment, et Angelo attendit qu'il poursuive, tendu.

« Oui ?

— Malgré tout, mon maître est déçu de toi. Tu avais les pleins pouvoirs pour faire ce qu'on t'avait ordonné, et pourtant, tu as échoué.

— Je comprends. »

Angelo avait contracté une dette envers un grand seigneur démoniaque, et il fallait qu'il s'en acquitte. Ç'aurait pu être pire. Cela lui donnait au moins une chance de se racheter, et ça valait mieux que d'être puni.

« Nous interrogerons ce fameux Johann, mais nous nous arrêterons là, continua Hanbi. Toi, tu t'occuperas de remonter jusqu'à celui qui l'a envoyé, qui que ce soit. Suis-je clair ?

— Ton maître ne veut pas être compromis dans cette histoire, devina Angelo.

— Exactement. Si on te pose la question... tu ne nous connais pas, et tu agis de ton propre chef.

— Au cas où j'aurais des ennuis, vous ne ferez donc rien pour moi ?

— Tu as tout compris. »

Angelo réfléchit un moment, évaluant les options qui s'offraient à lui.

« Que tramez-vous exactement ? Encore un complot pour accéder au trône ?

— Si c'était ça, je ne te le dirais pas. Ne pose pas trop de questions, Angelo. Ce n'est pas dans ton intérêt. La seule chose que nous avons besoin de savoir, c'est qui a fait tuer la fille...

— ... et pourquoi.

— Nous savons déjà pourquoi. Nous voulons juste découvrir qui d'autre le sait. »

Il ne donna pas d'explications supplémentaires. Angelo comprit qu'il valait mieux ne pas insister.

« Et pourquoi est-ce à moi que vous confiez cette mission ?

— Parce que tu as passé beaucoup de temps avec cette fille. Ça te permet d'enquêter sur sa mort sans éveiller de soupçons. Tu peux toujours invoquer la question de la propriété. »

C'était vrai. Il arrivait que des démons s'entichent d'êtres humains et voient d'un très mauvais œil qu'on leur fasse du mal. Les disputes dérivant de questions de ce genre étaient nombreuses. Certains démons considéraient que tuer un homme ou une femme dont ils étaient les « propriétaires » constituait une attaque à leur autorité.

« Il n'y avait rien entre elle et moi, murmura Angelo en jouant avec sa chope. Ça m'est égal qu'elle soit morte.

— Je sais. Mais si ton enquête étonne quelqu'un, tu pourras toujours donner cette excuse, sans révéler que tu travailles pour nous.

— Et Johann ? Je lui ai dit...

— Je me doute de ce que tu lui as dit, grogna Hanbi, agacé. Il fallait s'y attendre. Un petit démon qui se voit confier une mission par un grand seigneur des enfers ne peut pas s'empêcher d'en parler à droite à gauche, hein ? »

Angelo se tut, humilié. Le démon des tempêtes soupira :

« Johann sera mort avant de pouvoir le répéter à quiconque. Et nous ferons en sorte qu'on pense que c'est toi qui l'as tué. D'accord ? »

Angelo contint un juron et tendit à contrecœur son épée à son interlocuteur. Celui-ci remarqua alors la deuxième arme qu'il portait dans le dos.

« Une épée angélique ?

— C'était celle de Cat. Ou plutôt celle de son père, l'ange.

— Je vois. Et tu sais déjà à qui tu comptes l'offrir ? Je connais quelques démons qui seraient certainement intéressés.

— Je n'ai pas encore pris de décision », répondit Angelo, méfiant.

Hanbi sourit :

« Si tu changes d'avis, avertis-moi, d'accord ? »

Angelo haussa les épaules.

« D'après ce que j'ai compris, ce n'était pas un ange important. À propos, sais-tu qui l'a tué ? »

Hanbi fit la moue.

« Non. Nous n'avons rien à voir avec sa mort, et je doute fort que nos ennemis aient pris la peine de chercher et d'éliminer un ange mineur. »

Angelo fut sur le point de répondre qu'un ange, si modeste soit-il, valait toujours mieux qu'une humaine, et qu'ils avaient bien pris la peine de chercher et d'éliminer Cat, mais il tint sa langue. Il savait que toutes les questions concernant les motifs de l'assassinat de la jeune fille seraient mal perçues. Hanbi lui avait fait clairement comprendre qu'il devait se consacrer à apprendre *qui* avait fait ça, et non *pourquoi*.

« Peut-être une affaire personnelle, avança Hanbi. Un règlement de compte, une vengeance, quelque chose du genre. Ça n'a plus aucune importance.

— C'est vrai », admit Angelo.

Hanbi vida son verre et se leva.

« À très bientôt, donc. »

Angelo ne répondit pas. Hanbi ne lui avait pas demandé s'il acceptait cette nouvelle mission. Ils savaient tous deux qu'il n'avait pas le choix.

Le démon des tempêtes jeta quelques pièces sur le comptoir et sortit en silence, emportant l'épée d'Angelo.

Ce dernier resta assis encore quelque moment. Il réfléchissait. Comment allait-il se tirer d'affaire ? Il n'aurait jamais dû proposer à Cat de l'aider, mais qui aurait pu croire que de grands princes démoniaques seraient impliqués dans cette histoire ? Il ne lui restait plus qu'à obéir. Avec un peu de chance, Johann avouerait tout lorsqu'on l'interrogerait... Pour peu qu'il ait quelque chose à avouer, bien sûr. Connaissant les démons, et en particulier les maniaques des complots, il était très probable que le « grand seigneur » qui avait envoyé Johann ne lui ait même pas révélé son nom.

Angelo sortit et se mit en route sans hâte vers la Uhlandstrasse. Comme tous les démons, il possédait de nombreuses demeures disséminées ici et là dans le monde ; l'une d'elles se trouvait dans cette rue. Il s'agissait d'un luxueux appartement avec des meubles design et de hautes fenêtres qui donnaient sur la partie ouest de Berlin.

Il ouvrit tranquillement la porte et posa les clefs sur la commode.

Il remarqua immédiatement qu'il n'était pas seul. L'intruse, qu'il avait détectée de la même manière qu'on sent une brise légère, était en train de flotter devant la fenêtre, à la fois déroutée et furieuse. Angelo poussa un soupir résigné.

« Encore toi ? Qu'est-ce que tu fais ici ? »

ue... que m'arrive-t-il ? C'est bizarre... Je suis
légère... trop légère...

Je ne sens rien... Enfin si, j'ai peur... J'ai très peur, je
suis triste, je suis furieuse... mais je n'ai pas froid, ni
chaud, ni faim. Je ne sens même pas le sol sous mes pieds.
Je ne touche rien. Je ne vois rien, je n'entends rien. Que
se passe-t-il ? Où est mon père ? Jipé ? An... Angelo ?

J'essaie de crier, mais je n'y arrive pas. N'ai-je plus
de voix ?

J'essaie de bouger, mais la seule chose que je fais,
c'est... flotter. Comment est-ce possible ? Je ne pèse
plus rien ? Je continue à flotter lamentablement de-
ci de-là. Je... je n'ai plus de corps ? Que suis-je devenue ? Un ange immatériel, comme ceux d'autrefois ?
Ce serait trop beau...

Je place mes mains devant mes yeux... Maintenant,
je les vois. Mais elles ne sont pas comme avant. Elles

sont pâles, translucides, comme si elles étaient faites de brume. Mon Dieu... Ce n'est pas possible. Ce doit être un cauchemar...

Si je ne rêve pas, il n'y a qu'une seule explication.

Je suis un fantôme. Enfer et damnation, je suis un fantôme !

Je suis MORTE !

J'essaie encore une fois de crier, de rage et d'angoisse, mais aucun son ne sort. J'essaie de palper mon corps, mais je ne sens rien. Je n'ai plus de corps. Je suis une ombre, un souvenir. Un fantôme.

Je ne peux pas pleurer. Je n'ai plus de larmes. Je voudrais casser quelque chose, mais je suis intangible. Je n'ai aucun moyen de me défouler, aucun moyen d'exprimer ma peur, mon chagrin, ma frustration.

Désormais, j'en suis certaine. Je suis morte. Tout me revient. Ce maudit démon m'a poussée sur la voie, et j'ai senti un coup si fort que j'en ai eu la respiration coupée... Avant même que la sensation de douleur n'atteigne mon cerveau, ma vie s'était arrêtée.

On m'a tuée. Dans la fleur de l'âge. Il me faut désormais venger deux morts : la mienne et celle de mon père. Mais comment le puis-je, alors que je suis... Attendez un instant. Où suis-je ?

Je regarde autour de moi. Le noir où j'étais plongée s'est dissipé, et même si je n'ai plus d'yeux, je vois. Ou pour être exacte, je perçois. Je sens les choses qui m'entourent, plus nettement encore que lorsque j'étais vivante. Les murs, les objets... Je devine leur volume, leur forme, leur texture. Je capte bien plus d'informations qu'avant, et le fait que la pièce ne soit pas éclairée n'y change rien.

Cette manière de percevoir le monde est à la fois étrange et fascinante. Peu à peu, ma peur cède la place à la curiosité. Au bout du compte, être un fantôme n'est peut-être pas si tragique. J'essaie de comprendre où je me trouve en analysant toutes les informations dont je dispose actuellement.

Je suis dans un grand appartement, assez chic – bourgeois, même. Est-ce le paradis ? Si oui, désolée de vous le dire, mais Dieu n'a pas très bon goût.

Je flotte jusqu'à la fenêtre, et je vois à mes pieds une énorme ville sous un ciel nocturne. Les panneaux publicitaires sont écrits dans une langue que je reconnais. De l'allemand. Mais alors... je suis encore à Berlin ?

Qu'est-ce que c'est que cette blague ? Où sont le royaume des cieux, le Walhalla, le paradis, la réincarnation, enfin tout ce qu'il devait y avoir après la mort ? Je me refuse à croire que finalement, nous n'avons droit qu'à un absurde état fantomatique qui oblige à rester sur Terre sans réellement en faire partie ! Si c'est là tout ce que Dieu a à m'offrir, il peut se le garder, merci bien !

Soudain, la porte s'ouvre, et quelqu'un entre dans l'appartement. Je demeure immobile, mais le nouveau venu m'a déjà vue. Comment est-ce possible ? Ne suis-je pas invisible ? Une voix connue s'élève :

« Encore toi ? Qu'est-ce que tu fais ici ? »

C'est Angelo. Mais ce n'est pas vraiment Angelo, en tout cas pas l'Angelo que je connais. Il a toujours l'apparence d'un garçon brun mal coiffé et il porte toujours les mêmes vêtements que la dernière fois que je l'ai vu, mais ses yeux ne sont plus tout à fait gris : ils émettent une lueur rougeâtre qui ne me plaît pas du tout. Et il y a quelque chose d'étrange derrière lui, quelque chose qui bouge. Un nuage noir ? Ou bien... attendez... mais... mais oui, ce sont des ailes !

On ne dirait pas vraiment des ailes, en tout cas pas des ailes que l'on puisse toucher ; plutôt deux cascades d'obscurité qui jaillissent de ses omoplates et recouvrent son dos comme une cape. Pourtant, elles sont vivantes, du moins dans une certaine mesure, car Angelo semble les bouger à volonté. En ce moment même, tandis qu'il me fixe de ses yeux rouges (comment n'ai-je pas remarqué plus tôt qu'ils brillaient de manière aussi sinistre ?), elles sont dressées et s'agitent doucement.

Il a l'air agacé. Il est évident qu'il me voit. Il regarde dans ma direction, et c'est forcément à moi qu'il parle : il n'y a personne d'autre.

« Que fais-tu chez moi ? insiste-t-il.

— Chez toi ? » Je n'ai pas utilisé ma voix, j'ai juste pensé ce que je voulais dire, mais apparemment, Angelo peut m'entendre, ou me percevoir, ou quelque chose comme ça. Je poursuis donc : « Que veux-tu que j'en sache ? Je me suis contentée de mourir, figure-toi, ou plutôt d'être assassinée ! »

Angelo se masse les tempes comme s'il avait une migraine. Ses ailes battent avec plus de force.

« Tu devais juste suivre le tunnel de lumière, abrutie ! Ce n'était pas si compliqué !

— Dis donc, démon de pacotille, ne m'insulte pas, j'ai déjà eu une journée bien assez... » Je me tais brusquement en prenant conscience de ce qu'il vient de dire. « Tunnel de lumière ? Quel tunnel de lumière ? »

Angelo s'effondre sur l'un des canapés et se prend la tête dans les mains. Ses ailes retombent. Il a l'air abattu.

« Il y avait un tunnel de lumière, Cat. Tu aurais dû le voir. Tu aurais dû y entrer.

— Et où mène-t-il, ce tunnel ? je demande en m'efforçant de ne pas céder à la panique.

— Comment veux-tu que je le sache ? Je ne suis jamais mort ! »

Je volette à travers la pièce, angoissée.

« Il n'y avait aucun tunnel de lumière, Angelo. Nulle part. Je l'aurais vu. »

Il baisse les mains et me regarde fixement.

« J'espère que tu n'as pas fait une bêtise...

— Quel genre de bêtise ?

— Quelque chose comme un vœu, un serment... Par exemple "Je jure que je ne connaîtrai aucun repos avant d'avoir vengé mon père". Tu n'as pas dit ça, hein ? »

Je ne réponds pas. Mon silence est suffisamment éloquent.

« Super, marmonne Angelo en se prenant à nouveau la tête dans les mains.

— Qu'est-ce que ça veut dire ? » Je suis au bord de la crise de nerfs. « Que je ne pourrai pas aller au ciel avant d'avoir vengé mon père ?

— C'est toi qui sais. » Il continue à se tenir la tête comme s'il avait peur qu'elle tombe. « Mais ça ne m'amuse pas du tout que tu m'aies choisi comme ancre. Tu n'avais nulle part ailleurs où aller ?

— Je ne t'ai absolument pas choisi ! » je proteste, indignée.

Il porte ses mains à ses tempes et gémit comme s'il venait de recevoir un coup de marteau sur le crâne.

« D'accord, d'accord ! Ne crie pas comme ça. Je t'entends parfaitement, inutile de me démolir le cerveau !

— Tu plaisantes ou quoi ? Je n'ai plus de voix !

— Non, tu n'as pas de voix, au sens où tu n'émets plus d'ondes sonores, mais j'entends tes pensées. Et si tu projettes une pensée avec force, elle résonne de manière très désagréable dans mon cerveau et m'empêche de me concentrer. Ce sont les "cris" des fantômes. Or, tu n'as pratiquement pas cessé de crier depuis que j'ai franchi la porte d'entrée, je te serais donc reconnaissant de te calmer un peu !

— Très bien, je réponds avec moins, disons... d'enthousiasme. Je disais que je ne t'ai pas choisi. »

Angelo hoche la tête pour me remercier d'avoir « modulé » mes pensées, se lève avec un soupir et fait un grand geste de la main pour désigner ce qui nous entoure.

« Tu es chez moi, ici, déclare-t-il. C'est le premier lieu où tu es apparue. Que crois-tu que ça signifie ? »

Je regarde autour de moi, intéressée. L'appartement est toujours plongé dans la pénombre, mais j'y vois parfaitement sans lumière. Apparemment, lui aussi. Une économie non négligeable sur les factures d'électricité !

« Ça signifie que tu as décidé de te manifester à travers moi, reprend-il, irrité. Et que tant que tu ne partiras pas par ce fichu tunnel de lumière, tu vas rester sur mes talons à n'importe quelle heure du jour et de la nuit !

— Certainement pas ! » je m'indigne. Il lève encore une fois les mains aux tempes avec un grognement, mais une nouvelle pensée me vient : « C'est pour ça que tu peux me voir, même si je suis un fantôme ? »

Angelo soupire et se laisse à nouveau tomber sur le canapé.

« Approche-toi », dit-il, un peu plus aimable.

Je flotte dans sa direction et je descends sur le siège en face de lui.

« Tous les démons peuvent voir les fantômes, et leur parler. Pareil pour les anges. Quand un fantôme choisit une ancre dans le monde des vivants, il reste lié à cette ancre jusqu'à ce qu'il ait accompli la tâche inachevée qui le retient ici. Ce n'est pas quelque chose que le fantôme décide consciemment. Si tu es ici à présent, c'est parce que instinctivement, tu estimes que je suis le seul à pouvoir t'aider à venger la mort de ton père. »

Je réfléchis. Ainsi, les anges et les démons peuvent voir les fantômes ? Mon père ne me l'avait jamais dit. Il voyait constamment des esprits errants et n'a jamais songé à le mentionner !

J'essaie de contrôler mes pensées, parce que Angelo commence à s'agiter. Ce qu'il est sensible, ce garçon ! Il va falloir que j'apprenne à adoucir mon tempérament, même quand je pense. Formidable.

« Il y en a beaucoup comme moi ?

— Un certain nombre. Mais en général, ils ne m'approchent pas.

— Ça ne m'étonne pas, avec les machins que tu as dans le dos ! »

Il jette un coup d'œil par-dessus son épaule, tend son aile droite, puis la replie.

« Ah, ça ? fait-il avec indifférence. C'est la partie de mon essence qui ne tenait pas dans mon corps. Le contenant était trop petit, si tu vois ce que je veux dire.

— Avant d'avoir un corps, tu étais donc entièrement comme ça ? » je l'interroge, fascinée. Je me l'imagine comme une grande silhouette faite de ténèbres, avec des yeux rougeoyants, étincelants comme des braises, et d'énormes ailes noires dans le dos.

« Tous les démons étaient ainsi autrefois, et il y en a encore un certain nombre qui restent presque tout le temps dans cet état. Les anges, c'était l'inverse : des figures radieuses faites de lumière. Mais tu ne pourras plus en trouver un seul comme ça à présent. »

J'observe avec curiosité les ailes noires d'Angelo jusqu'à ce qu'il me reproche :

« Je t'avais dit de ne pas sortir de l'hôtel !

— Comment voulais-tu que je fasse confiance à un démon ?

— Et le démon qui t'a tué, tu lui as fait confiance, à lui ?

— Heu...

— Que t'a-t-il dit exactement ? » demande Angelo.

Ses yeux rouges sont toujours fixés sur moi, ce qui me rend nerveuse, même s'il ne peut plus me faire de mal... Parce qu'il ne peut plus me faire de mal, n'est-ce pas ?

« Ça ne te regarde pas.

— Tu veux que je t'aide, oui ou non ?

— Tu vas m'aider à venger la mort de mon père ? Pourquoi ?

— Pour que tu franchisses ce tunnel de lumière et que tu me laisses tranquille ! »

Quelque chose me dit qu'il ne me raconte pas toute la vérité. Mais il y a trois faits incontestables. Premièrement, la dernière fois que je n'ai pas suivi ses instructions, je me suis fait tuer. Deuxièmement, pour une raison mystérieuse, je suis apparue chez lui, ce qui veut dire qu'effectivement j'ai besoin de son aide. Troisièmement, si un fantôme débarquait dans mon appartement, moi aussi je ferais tout mon possible pour m'en débarrasser.

« Il m'a dit qu'il s'appelait Johann et que c'était un ange », je lâche, honteuse.

Angelo se met à rire.

« Il avait l'air sympa ! je me défends. Et j'étais incapable de voir ses ailes, à l'époque !

— C'est vrai, concède Angelo. Que t'a-t-il dit d'autre ?

— Qu'il venait de la part de Gabriel.

— Gabriel ? répète-t-il en levant les sourcils.

— L'archange.

— Je sais qui est Gabriel, figure-toi. » Il se caresse le menton, pensif. « C'est peut-être vrai...

— Tu ne t'imagines pas sérieusement qu'un archange est mêlé à tout ça ? Johann a dit ça pour me faire marcher, c'est tout.

— C'est probable. Mais ça fait longtemps qu'on est sans nouvelles de Gabriel. On soupçonne qu'il a été victime de la Plaie. Pourquoi Johann n'a-t-il pas mentionné un autre archange ? Michel, ou Uriel, par exemple ?

— Gabriel est l'un des archanges les plus connus, et il a la réputation d'apprécier les humains. »

Il réfléchit, puis hoche la tête.

« Tu as sans doute raison. Après tout, c'est si facile de tromper un humain.

— Dis donc ! » je m'indigne, pour la forme. Au fond, il a raison.

« Raconte-moi tout ce que tu sais au sujet de ce Johann, Cat. Tout ce dont tu te souviens. On ne sait pas ce qui peut être important. »

Je lui relate ma rencontre avec Johann dans les moindres détails. Lorsque j'en arrive à mes dernières impressions, juste avant d'être écrasée par le métro, Angelo s'enfonce dans un long silence. J'attends patiemment, mais il reste dans la même position pendant plus d'une demi-heure.

« Alors ? » je demande quand je commence vraiment à m'ennuyer.

Il lève la tête. Il a l'air de sortir d'un songe.

« Nous en saurons davantage demain », dit-il, énigmatique.

Il se met debout et, sans la moindre hésitation, entreprend de se déshabiller.

« Qu'est-ce que tu fais ? je demande, sidérée, en le voyant jeter sa chemise sur le lit.

— Je vais prendre une douche. Il est tard.

— Mais... mais... je suis là ! »

Il hausse les épaules.

« Va-t'en, si tu veux. C'est toi qui es venue ici sans demander la permission, après tout ! »

Gênée, je vais explorer le reste de la maison pendant qu'il se lave. J'en profite pour m'accoutumer à mon état et pour faire des expériences. Je découvre que je suis capable de traverser les murs. Chouette ! Par contre, je ne peux pas déplacer le moindre objet. Pas même une feuille de papier. Comme *Poltergeist*, je ne vaux pas grand-chose.

Quand je reviens au salon, Angelo est allongé en caleçon sur le canapé devant MTV.

« Eh, oh, tu dors ? »

Angelo m'ignore. Il ne semble même pas m'avoir entendue. Je l'appelle, mais il fait obstinément mine de ne pas me voir. Je pourrais crier jusqu'à lui refiler une migraine mais, prise de générosité, je m'abstiens. Attendons que ça lui passe.

Il continue à regarder la télévision, toujours la même chaîne, publicités comprises, pendant toute la nuit. Il ne remue pas une seule fois. Je n'ai pourtant pas l'impression qu'il prête réellement attention à l'écran. Ses yeux rouges sont perdus dans le vague, comme s'il méditait sur une question transcendantale – ce que j'ai du mal à croire, vu comme il est difficile de se concentrer avec cette musique.

L'aube arrive sans qu'Angelo ait mangé ou dormi, même s'il dispose d'une chambre bien équipée. Mon père m'avait dit que les nuits étaient longues pour un ange transsubstantié qui n'a pas besoin de repos. Je n'avais jamais songé qu'il en allait de même pour les démons. Je croyais que la nuit était leur moment favori, et qu'ils en profitaient pour sortir. Mais maintenant que j'y pense, au bout de quelques milliers d'années, il y a peu de chances pour que la civilisation humaine leur réserve encore des surprises.

Pour moi non plus, la nuit n'en finit pas. Je flotte un peu partout, je continue à exercer mes nouvelles capacités, et surtout je réfléchis, mais ça ne m'empêche pas de m'ennuyer. Les heures passent très lentement quand on est un fantôme.

Enfin, Angelo lève la tête comme s'il sortait d'une longue transe, se met debout, s'étire et éteint la télévision.

« Bonjour.

— Ah, tu daignes enfin me parler ?

— Tu n'exiges tout de même pas que je te fasse la conversation vingt-quatre heures sur vingt-quatre, non ?

— Ce serait pourtant une délicate attention de ta part, sachant que je ne peux parler avec personne d'autre, et... » Je m'interromps, hésitante. J'ai eu une longue nuit pour m'habituer à l'idée d'être morte, et j'ai pensé à quelque chose. «... et que je ne peux pas dire à mes amis ce qui m'est arrivé », j'ajoute.

Angelo se frotte un œil et me regarde de l'autre. Je distingue à peine une étincelle rouge sous sa frange noire tout emmêlée.

« Tu ne t'imagines pas que je vais les appeler pour leur transmettre mes condoléances, hein ?

— Ce n'est pas tant demander. En fait, je crois qu'il n'y a qu'une seule personne à qui je risque de manquer. »

Angelo hausse les épaules.

« Tu peux toujours rêver.

— Je ne te demande pas d'organiser mes funérailles ! Juste de passer un coup de fil. En plus... j'avais des choses à lui dans mon sac. Une carte bleue et un téléphone. Si on enquête sur ma mort, on va forcément l'appeler...

— Dans ce cas-là, inutile que je le fasse moi-même », me coupe Angelo tout en enfilant sa chemise. Ses ailes affleurent sur ses épaules, traversant le tissu comme si elles étaient faites de fumée. « Il l'apprendra par la police. »

Si j'avais des tripes, elles se tordraient d'angoisse.

« Je ne veux pas qu'il l'apprenne ainsi.

— Il fallait y penser avant de mourir.

— Tu es vraiment une ordure, toi, hein ?

— Je suis un démon, me rappelle-t-il.

— Et c'est pour ça que tu es allergique au téléphone ? »

Il me lance un regard irrité, presque menaçant.

« Tu es le fantôme le plus chiant que j'aie jamais vu !

— Tu vas le passer, ce coup de fil, oui ou non ?

— D'accord, à une condition : qu'ensuite, tu fiches le camp jusqu'au coucher du soleil. Je ne veux plus te voir de la journée. Tu as compris ?

— Et pourquoi ?

— Parce que ce soir, j'ai rendez-vous avec quelqu'un qui peut me donner des pistes au sujet du démon qui t'a tuée. Mais d'ici là, je ne peux rien faire de plus, et je refuse de passer la journée à te voir tournicoter autour de moi et à t'entendre jacasser à n'en plus finir. »

Je me tais, vexée. Quand on meurt, on s'attend que les gens vous plaignent, vous disent des choses gentilles, vous traitent avec douceur. Mais il ne semble absolument pas ému par mon nouvel état. D'accord, c'est normal : Angelo est un démon, et il n'y a aucune raison pour que la mort d'une fille de même pas dix-sept ans lui fasse le moindre effet. Mais je trouve frustrant de ne pouvoir parler qu'à quelqu'un pour qui je n'ai aucune importance...

Angelo sort son téléphone portable, l'ouvre et me regarde d'un air interrogateur. Je reviens à la réalité.

« Il s'appelle Juan Pedro », dis-je. La tristesse m'envahit soudain ; si j'avais encore des glandes lacrymales, je me mettrais certainement à pleurer. « C'est un prêtre. »

Angelo sourit, narquois. Effectivement, il est ironique que ce soit un démon qui informe Jipé de ma mort.

« Il sait qui je suis, et il sait que je cherchais des informations sur la mort de mon père. Mais je ne lui ai pas expliqué... je ne lui ai pas parlé de toi. Je lui ai juste dit que quelqu'un m'aidait. J'ai pensé...

— Je comprends », fait Angelo, et je me rends compte qu'il n'est pas nécessaire de donner d'autres explications.

Je lui récite le numéro. Il tape sur les touches et attend que l'on décroche. Je flotte tout près de lui.

« Allô ? » fait la voix de Jipé.

Je me sens mal. Angelo demande calmement :

« Juan Pedro ? Je m'appelle Angelo. Je vous appelle de Berlin.

— C'est au sujet de Cat ? demande immédiatement Jipé.

— Oui. J'ai le regret de vous annoncer qu'elle est décédée. Elle a été écrasée par un métro hier, à la station de Kurfürstendamm. »

Jipé ne dit rien, et Angelo continue :

« Ce n'était pas un accident. Un démon l'a poussée sur la voie.

— Vous... vous plaisantez..., balbutie le pauvre Jipé, la voix tremblante. Cat ne... ne...

— La police allemande se mettra bientôt en contact avec vous, continue Angelo sur le même ton, doux et serein. Elle avait en sa possession des affaires vous appartenant...

— C'est vous qui étiez censé prendre soin d'elle ? » l'interrompt Jipé.

Angelo en reste un instant sans voix. La question semble l'avoir pris par surprise.

« D'une certaine manière, oui.

— Et comment avez-vous pu laisser arriver une chose pareille ? »

La voix de mon ami contient tant de choses... Douleur, incrédulité, colère, impuissance...

Encore une fois, Angelo tarde un peu à répondre :

« Il n'est pas si facile de tromper les démons, et il est extrêmement dangereux de les provoquer. Cat était courageuse, mais... elle s'est aventurée dans un monde qui n'a jamais été accueillant pour les humains. »

Jipé ne dit plus rien.

« Je suis désolé », ajoute Angelo, et il raccroche sans attendre de réponse.

Nous restons quelques instants silencieux. Puis je murmure :

« Merci. »

Je sors de la pièce par la fenêtre.

Je passe le reste de la journée à flotter de-ci de-là, plongée dans de sombres pensées. Je vois d'autres fantômes comme moi, des ombres floues qui me regardent avec perplexité, avec peur ou avec une infinie tristesse. Personne n'a envie de bavarder.

Je tente malgré tout de parler à l'un d'eux, l'esprit d'un homme pâle et très maigre.

« Bonjour ! Je m'appelle Cat, et je suis morte hier. »

Il me regarde comme s'il ne comprenait pas mes paroles, ou ne m'entendait pas.

« Bonjour ! j'insiste. Je suis...

— Maaaa-riiiie ! hurle-t-il soudain en roulant des yeux fous. Oùùùùùùùù... touuuuuuus... Maaaa-riiiiiiiiiiiiie ! »

Je recule un peu, effrayée, mais le fantôme se rue sur moi. Son visage dénote une souffrance tellement intense que je n'arrive même pas à la concevoir.

« Maaaaaa... ? réussit à formuler son esprit torturé.

— Non, réponds-je, émue. Je ne suis pas Marie. Qui est...

— Maaaaaaaaaaaaaaaaa... ! » gémit-il, à l'agonie. Il se tourne de tous côtés, affolé, comme s'il était le dernier être vivant sur Terre. « Jeeeee... Maaaaa-riiiiiie ! »

Et il s'enfonce dans le brouillard de sa solitude, appelant encore et toujours celle qu'il cherche – son épouse, sa fiancée, sa fille peut-être. Je suis horrifiée. Depuis combien de temps erre-t-il ainsi ? D'après son aspect, au moins un demi-siècle. Que lui est-il arrivé ? Pourquoi n'a-t-il pas franchi le tunnel de lumière ? Serai-je... Serai-je moi-même ainsi dans quelques années ?

Cette idée est si angoissante que je la repousse aussitôt. À partir de ce moment, je n'essaie plus d'entamer la conversation avec les autres fantômes. Ils ont tous l'air aussi désespérés que ce pauvre diable qui cherchait Marie. Savent-ils ce qui leur arrive ? Sont-ils conscients d'être morts ? Où sont les humains qui leur servaient d'ancre ? Ils sont peut-être déjà morts, se sont peut-être déjà enfoncés dans le tunnel de lumière, abandonnant ces spectres derrière eux.

Est-il possible de retrouver ce tunnel de lumière lorsqu'on l'a raté la première fois ? Mon père doit m'attendre de l'autre côté. Ma mère aussi, j'imagine. Je pourrais enfin la connaître. Même si, sincèrement, je n'y tiens pas plus que ça. Elle ne m'a jamais manqué, puisque je n'ai aucun souvenir d'elle.

Je songe également à Jipé. J'imagine la tête qu'il a dû faire lorsque Angelo lui a annoncé la nouvelle. Ça a dû lui faire un choc, mais c'est mieux ainsi. Il pourra désormais se consacrer à sa paroisse sans être mêlé à des histoires qui le dépassent. Et il sera en sécurité.

Je sais qu'il doit prier pour moi. Dieu l'entend-il ? Ça n'a aucune importance. Ce qui compte, c'est que quelque part, quelqu'un prie pour moi.

À la tombée de la nuit, je retourne à l'appartement d'Angelo. Bizarrement, j'ai été incapable de m'en éloigner. Il se prépare déjà à sortir.

« J'ai vu d'autres fantômes. Des fantômes qui ont l'air d'avoir erré pendant des dizaines d'années. »

Il hausse les épaules.

« Il y a aussi des fantômes centenaires, et même millénaires. Et alors ?

— Que leur est-il arrivé ? Pourquoi ne résolvent-ils pas leur problème et ne partent-ils pas une bonne fois pour toutes ?

— Je ne te l'ai pas dit ? Un fantôme ne peut rien faire tout seul. Il ne peut pas agir sur le monde des vivants, donc il dépend entièrement de son ancre pour accomplir sa tâche inachevée et trouver le tunnel de lumière. Mais si l'ancre du fantôme ne peut rien faire, ou meurt, alors le fantôme se transforme en esprit errant... pour toujours. »

Je digère la nouvelle de mon mieux.

« Pour... toujours ?

— Oui. Ne fais pas cette tête ! Tu aurais pu tomber bien pire. Tu aurais pu te retrouver attachée à un lieu, plutôt qu'à un être vivant. Quand ça arrive, c'est pour l'éternité, à moins que ne passe par là un médium particulièrement doué et plein de bonne volonté. La plupart des fantômes restent chez eux, ou dans leur maison d'enfance, ou au cimetière où reposent leurs restes, ou là où ils ont été assassinés...

— En somme, j'ai eu de la chance de ne pas me retrouver prisonnière d'une station de métro pour l'éternité. Et aussi d'être liée à un démon plutôt qu'à un humain, puisque à moins qu'on te tue, tu es immortel, ce qui me donne plus de temps pour régler mes affaires. Pas vrai ? » Il ne répond pas, ce qui m'inquiète. J'insiste : « Angelo ?

— Il est tard, dit-il en éludant ma question. Allons-y. »

Il enfile sa veste et sangle son épée dans son dos. Je suis distraite de mes préoccupations, car je m'aperçois que cette arme a quelque chose de bizarre. J'ai la sensation étrange qu'elle n'est pas au bon endroit. Je l'examine de plus près. Mais... c'est la mienne !

« Tu m'as de nouveau volé mon épée ?

— Elle est mieux avec moi qu'avec les policiers, non ? »

Il sort de l'appartement et referme la porte derrière lui. Je traverse le battant comme s'il n'existait pas.

« Non. C'est une épée angélique. Elle ne devrait pas être dans les mains d'un démon.

— Oh, allez ! Les épées changent constamment de propriétaire, Cat. Tu ne le savais pas ? »

Je réfléchis, surprise. Depuis la création des épées angéliques, personne n'a été capable d'en forger de nouvelles. Autrement dit, toutes les épées qui existent aujourd'hui existaient déjà il y a cent mille ans. Quand un ange ou un démon meurt au combat, il est possible que le vainqueur s'empare de son arme. Cela signifie-t-il que ce qui compte, c'est la nature de celui qui la manipule ?

« Les épées modifient leur essence en fonction de leur propriétaire, me confirme Angelo. Si un ange mettait la main sur la mienne et l'utilisait souvent, ça deviendrait une épée angélique. Et vice versa. Ce phénomène est appelé "inversion". »

La lame d'un ennemi constitue donc un bon trophée. Je me rends compte que j'ai eu beaucoup de chance de retrouver celle de mon père à côté de lui. D'après ce qu'insinue Angelo, voler des armes est une habitude plus fréquente qu'il n'y paraît.

« Avant, poursuit-il, quand les anges étaient à leur apogée, les épées angéliques étaient un bien précieux. Il y en avait une seule par ange ; posséder plusieurs épées angéliques signifiait donc non seulement prouver sa valeur et se constituer un bon arsenal de réserve, mais aussi contribuer à désarmer l'ennemi. Mais aujourd'hui, elles ont perdu une grande partie de leur valeur. Depuis qu'ils sont décimés par la Plaie, il y a bien plus d'épées que d'anges. Les anges eux-mêmes ont trop d'armes – et pas assez de guerriers.

— Dans ce cas, pourquoi m'as-tu volé la mienne ?

— Parce qu'on ne sait jamais. Et parce qu'il y a encore des démons qui les collectionnent.

— Quoi ? Tu as pris l'épée de mon père sur mon cadavre encore chaud juste pour pouvoir la vendre au marché noir ? Tu te prends pour qui ?

— Pour ton ancre. Je te signale que tu dépends de moi, et que tu as intérêt à te montrer un peu plus aimable. D'ailleurs, tu ne t'attends tout de même pas que je t'aide pour rien, hein ?

— Tu n'es qu'un charognard.

— Je suis un démon, me corrige-t-il.

— C'est pareil. Et on peut savoir pourquoi tu n'as pas pris ta propre épée et pourquoi tu as choisi de parader avec la mienne ?

— Parce que, en ce moment même, la mienne est utilisée pour venger ta mort et tuer ton assassin », m'explique-t-il froidement.

Voilà autre chose. Quelqu'un va tuer Johann avec l'épée d'Angelo ? Qui ? Et pourquoi cette personne n'utilise-t-elle pas n'importe quelle autre épée ?

« C'est une espèce de justice poétique ? je hasarde.

— Non. » Ses yeux lancent des étincelles. « Pour moi, c'est un sale coup. Ça veut dire que je vais être plongé jusqu'au cou dans cette histoire, que je le veuille ou non. Tout ça parce que tu as eu la merveilleuse idée de te laisser tuer. »

Je ne comprends rien, mais je vois qu'il est très en colère, et je décide d'arrêter de le questionner. Angelo avait été chargé de me protéger. Or, je suis morte. Va-t-il être puni pour avoir failli à sa mission ?

Oh, et puis zut. Bien fait pour lui !

Nous arrivons dans un café plein de monde. Juste avant d'entrer, Angelo se tourne vers moi et m'ordonne à voix basse :

« Reste près de la porte et ne t'approche pas de moi. On pourrait te reconnaître.

— Comment pourrait-on me reconnaître puisque personne ne... » Je m'interromps en devinant qu'il a probablement rendez-vous avec un autre démon, et que celui-ci pourrait me voir, lui. « Ah. Je comprends.

— Je te raconterai tout après, mais pour le moment, il vaut mieux que personne ne sache que tu es encore là. Tant qu'on pensera que tu es de l'autre côté du tunnel de lumière, ça pourra représenter un certain avantage pour nous. »

J'acquiesce. Angelo entre et s'assoit au comptoir à côté d'un homme grand, aux cheveux gris. Non, ce n'est pas un homme. C'est un démon, je le vois d'ici. Ses ailes descendent presque jusqu'au sol. Quand il se tourne vers Angelo, ses yeux luisants rougeoient comme des braises. Il commence à converser avec Angelo.

Il y a deux autres fantômes dans le café. Ils ne s'approchent pas des démons, et ceux-ci ne leur prêtent aucune attention. Mais j'imagine que si je flottais autour d'Angelo et que j'écoutais leur conversation, l'autre se poserait des questions. Mon allié – si je puis dire – a raison : il vaut mieux que je me comporte comme un fantôme ordinaire.

Soudain, je remarque une autre personne devant le comptoir, quelqu'un qui attire mon regard comme un aimant. Est-ce possible ? Je dois vérifier. Je dois aller voir de plus près...

J'entre dans le bar et j'avance le long du mur, en restant dans l'ombre. J'essaie de paraître aussi perdue que les deux autres fantômes. Je m'approche lentement de la fille et je la contemple avec ravissement. Je n'ai jamais rien vu de tel. Elle est nimbée d'un halo lumineux, magnifique, et de son dos pointent deux superbes ailes faites de lumière blanche.

C'est un ange.

Voilà donc le véritable aspect d'un ange transsubstantié. Les humains qui l'entourent ne voient là qu'une jeune fille d'une vingtaine d'années vêtue d'une robe verte et d'un gilet démodé. Ses cheveux noirs retombent sur ses épaules. Ses yeux semblent tristes, las. Elle tient à la main une cigarette à demi consumée ; sa bouche est tartinée de rouge à lèvres rose vif, ce qui lui va très mal. Malgré tout cela, la lumière qu'elle émet en fait un être unique, céleste, parfait.

Je m'approche d'elle.

« Bonjour », fais-je timidement.

Elle me jette un coup d'œil. Je distingue dans son regard une étincelle de panique. Elle plonge aussitôt le nez dans sa tasse et avale une gorgée avant de braquer les yeux sur le mur qui lui fait face, comme si je n'étais pas là.

« Bonjour, je répète, perplexe. Tout va bien ? »

Elle serre convulsivement les lèvres et continue à m'ignorer.

« Hello ! j'insiste. Je m'appelle Cat. Je sais que tu peux m'entendre.

— Tu n'existes pas, murmure-t-elle avec force.

— Pardon ?

— Tu n'es pas là », répète-t-elle. On dirait qu'elle se parle à elle-même. « Tu n'es qu'un produit de mon imagination.

— Quoi ? Mais non ! Je suis un fantôme. On m'a tuée hier dans le métro. Mais je ne suis pas venue me plaindre, ne t'en fais pas ! Je voulais juste te dire bonjour. Je... »

Elle se prend la tête dans les mains et la secoue violemment, comme si elle essayait de sortir d'un cauchemar.

« Tu n'es pas là, répète-t-elle comme une litanie. Mon psychiatre dit que tu n'es qu'un produit de mon imagination. Les fantômes n'existent pas. Les démons non plus. Il n'y a que des gens normaux. Je suis quelqu'un de normal. Le reste n'est pas réel, pas réel, pasréelpasréelpasréel... »

Je comprends brusquement.

« Tu as tout oublié ? Tu ne te rappelles pas que tu es un ange ? »

Elle sursaute violemment et fouille dans son hideux sac à main marron. Les mains tremblantes, elle en sort une boîte de médicaments. Consternée, je la vois avaler deux pilules.

« Je suis quelqu'un de normal, dit-elle à nouveau sans me regarder, en se cachant le visage dans les mains. Il n'y a que des gens normaux. Je ne vois rien d'anormal. Ce n'est qu'un produit de mon imagination. Ce n'est pas réel, pasréelpasréelpasréelpasréel...

— Mais si, ça l'est ! je persiste. Je suis un fantôme, et toi tu es un ange, ce qui explique pourquoi...

— VA-T'EN ! crie-t-elle soudain. Tu n'es PAS RÉELLE ! »

Elle se lève brusquement, attrape son sac et part en courant, s'ouvrant un passage entre les consommateurs jusqu'à la porte. Tout le monde la regarde ; pour éviter d'être repérée, je tourne le dos aux démons et je lévite un peu plus haut, dissimulée dans la fumée qui flotte sous le plafond.

J'entends la voix de l'interlocuteur d'Angelo. Il parle en langue démoniaque, mais je comprends tout ce qu'il dit :

« Encore un ange amnésique. Il y en a de plus en plus, ces derniers temps.

— Il vaut mieux mourir que terminer ainsi », commente Angelo.

Aucun des deux n'a fait mine d'attaquer l'ange ou de le suivre dans la rue. Tous trois ont partagé le comptoir comme si les deux espèces n'étaient pas en guerre depuis des temps immémoriaux. À aucun moment ils n'ont considéré la fille à la robe verte comme une ennemie ou comme une menace. Mieux encore : il m'a semblé détecter une note de pitié dans leur voix quand ils ont parlé d'elle. Se voient-ils reflétés dans la tragédie des anges ? S'identifient-ils à eux ? Ou bien estiment-ils simplement superflu d'enfoncer le clou ?

Lorsqu'ils sont à nouveau plongés dans leur conversation, je flotte lentement jusqu'à la sortie. J'inspecte les alentours, mais l'ange a disparu.

La pauvre. Ce doit être horrible d'oublier sa propre identité. Avoir l'intuition qu'on est différent, mais sans savoir pourquoi. Voir des choses étranges, des fantômes, des démons, d'autres anges... que personne ne voit. Combien d'anges ont été amenés à consulter un psychiatre ? Combien sont devenus réellement fous ?

Il fait nuit noire lorsque Angelo sort du café. Il porte désormais deux épées : la sienne et la mienne. Nous nous mettons en marche sans rien dire.

« Johann est mort », m'annonce-t-il au bout de quelques pas.

Cela ne me procure aucune joie. Est-ce normal ? Devrais-je être satisfaite d'apprendre que ce démon hypocrite est désormais mort, comme moi ? Pourquoi ? Ça ne me rendra pas la vie.

« Il a été tué avec mon épée, ajoute Angelo. Si ses chefs mènent l'enquête au sujet de sa mort, ils arriveront donc tout droit à moi.

— Ainsi tu es l'auteur officiel du crime ? »

Il hoche la tête.

« Le démon qui m'a pris à son service manigance quelque chose. Je ne sais pas quoi, et franchement, je m'en fiche. Mais il y a quelqu'un d'autre qui le sait, et qui essaie de lui mettre des bâtons dans les roues. C'est pour ça qu'on t'a tuée.

— Je ne vois pas le rapport.

— Moi non plus. Mais il y en a un. »

Il n'ouvre plus la bouche avant d'arriver chez lui. Je meurs d'envie de l'interroger, mais pour une fois, je fais preuve de patience. Il s'assoit sur le canapé et se décide enfin à m'expliquer ce qu'il a appris.

« Ils ont trouvé Johann et l'ont interrogé, mais ce chien s'est débrouillé pour saisir l'épée avec laquelle on le menaçait – la mienne – et pour se la passer à travers le corps, probablement pour échapper à la torture. »

J'essaie d'écarter de mes pensées l'image de Johann, ce garçon agréable et souriant qui semblait avoir tout au plus treize ans. Concentre-toi, Cat. Rappelle-toi que ce n'était qu'une façade, et que c'est lui qui t'a poussée sous le métro.

« Et alors, il a parlé, ou pas ?

— Il n'a pas prononcé le nom du seigneur démoniaque qui a commandité ta mort. Il a préféré se suicider plutôt que le trahir, ce qui signifie qu'il avait terriblement peur de lui. Il ne mentait donc pas quand il m'a dit que son maître était quelqu'un de très important. Or, il n'y a pas beaucoup de démons qui peuvent se vanter d'appartenir au cercle fermé des princes des enfers, ce qui réduit considérablement les hypothèses. La mauvaise nouvelle, c'est que nous ne savons toujours pas qui c'est.

— C'est tout ce qu'il a dit ?

— Non. Entre lui et son maître, il y avait plusieurs chaînons, dont un qui s'est chargé de transmettre à Johann l'ordre de te tuer. Avant de mourir, Johann a révélé son identité à ses tortionnaires.

— Donc à défaut de connaître le chef suprême, nous connaissons au moins le nom d'un autre sbire qui pourrait nous conduire jusqu'à lui. Qui est-ce ?

— Un démon mineur, à peu près de la même classe que Johann, je dirais. Heureusement, il nous a révélé son nom antique. C'est un vrai coup de pot : aujourd'hui, la plupart d'entre nous n'utilisent plus que leurs noms humains, soit pour cacher leurs noms antiques, soit parce qu'ils l'ont oublié...

— C'est ton cas, j'imagine. Angelo n'est pas ton vrai nom, hein ? »

Il me fusille du regard.

« Si, c'est mon vrai nom. Mais ce n'est pas mon nom antique. Parfois, le vrai nom et le nom antique coïncident, parfois non. J'imagine que tu ne peux pas saisir la différence.

— Tu me prends pour une idiote ? J'ai parfaitement compris. Angelo est ton vrai nom parce que c'est celui que tu as choisi toi-même. »

Il me regarde, légèrement surpris. Visiblement, j'ai vu juste, et il ne s'y attendait pas.

« Bref, je reprends, satisfaite de mon petit triomphe, quel est le nom antique du démon que nous cherchons ?

— Alauwanis. C'est un démon assez peu connu. Si mes souvenirs sont bons, les Hittites disaient qu'il provoquait des maladies.

— Et c'était vrai ?

— Possible. Les humains ne connaissent de nous que notre aspect et nos actions, et comme, dans le temps, nous changions d'aspect constamment, il est plus fiable de s'en remettre aux actes. Ce n'est pas grand-chose, mais c'est au moins un point de départ.

— J'imagine que les sicaires de ton chef vont se mettre à la recherche de cet Alauwanis, l'interroger, le tuer...

— Non. On m'en laisse le soin. Mon "chef", comme tu dis, ne veut pas attirer l'attention sur lui. C'est donc moi qui dois découvrir aux ordres de qui est Alauwanis et pourquoi son maître lui a ordonné d'envoyer Johann te tuer. Et ce sera aussi moi qui aurai des ennuis si les supérieurs de ton assassin veulent venger sa mort ou simplement me punir d'avoir fourré le nez dans leurs affaires. C'était bien la peine de prendre des précautions, conclut-il avec un soupir.

— Et comment vas-tu trouver Alauwanis alors que tu ne sais pas qui c'est ? »

Il hausse les épaules.

« En interrogeant des gens qui pourraient le savoir. »

Il passe le reste de la nuit au téléphone. Depuis que je suis un fantôme, je comprends le langage démoniaque : il appelle tous ses amis un par un pour leur demander s'ils connaissent ce dénommé Alauwanis ou en ont entendu parler. Il est environ trois heures du matin quand il tombe sur quelqu'un qui se rappelle l'avoir rencontré en Babylonie il y a quatre mille ans.

« À cette époque, il se faisait appeler Ahazu, me raconte Angelo. Ça me dit quelque chose, c'est donc probablement un démon plus important que je ne le croyais. »

Il reprend sa ronde de coups de fil. L'aube pointe lorsqu'il raccroche enfin, très grave.

« Alors ?

— J'ai trouvé quelqu'un qui l'a fréquenté il y a une quarantaine d'années. À l'époque, il travaillait pour Nébiros. »

Nébiros.

Je connais ce nom. C'est un démon important, peut-être pas autant que Baal, Astaroth, Asmodée ou Belzébuth, mais assez pour que les démonologues le citent dans leurs essais.

Angelo développe :

« Nébiros est l'un des favoris de Lucifer. Rares sont les démons qui ont fait autant de mal aux humains, et de manière aussi cruelle. Tu as entendu parler de la Peste noire, l'épidémie qui s'est répandue en Europe au XIVe siècle ? Plus de vingt millions de personnes sont mortes en six ans. »

Je suis abasourdie.

« Tu plaisantes ?

— Non. C'est Nébiros qui est à l'origine des principales pandémies dont a souffert l'humanité. Sa dernière invention est le virus Ebola. »

Je suis muette d'horreur. Bien sûr, j'ai toujours su que les démons étaient à l'origine d'une bonne partie de la misère humaine : le chaos, la violence, la guerre. Mais je croyais qu'ils se contentaient de pousser certaines personnes à faire du mal à d'autres. Je n'avais jamais imaginé qu'ils pouvaient s'amuser à créer des maladies mortelles. Je n'ignore pas que les démons sont mauvais par nature, mais je ne pensais pas que c'était à ce point. Visiblement, Angelo lui-même est sous le choc.

« Ne te méprends pas ! me corrige-t-il comme s'il avait lu dans mes pensées. Tous les démons admirent Nébiros pour son incroyable pouvoir de destruction, moi compris. Ce qui m'inquiète, c'est que si Johann a dit la vérité, il va falloir que j'affronte l'un des démons les plus cruels et les plus puissants qui soient.

— Mais ton nouveau chef n'est-il pas ultra puissant, lui aussi ?

— Si, mais il ne bougera pas le petit doigt pour moi. Si son ennemi est réellement Nébiros, il ne voudra pas le mettre sur ses gardes. Nous sommes seuls sur ce coup-là, Cat.

— Génial, je marmonne.

— Pourtant, il va bien falloir qu'on continue à enquêter dans cette direction. C'est notre seule piste. Si Nébiros est là-dessous, il doit vraiment mijoter quelque chose d'important. Johann m'a laissé entendre que son maître pourrait bientôt défier Lucifer lui-même. Or, Nébiros est puissant, mais pas autant que les autres seigneurs des enfers, et surtout pas autant que Lucifer. Il doit donc avoir quelque chose en réserve.

— À mon avis, ton chef ne prépare rien de bon, lui non plus. Même si n'importe quelle idée sortie de la cervelle d'un démon créateur d'épidémies est certainement... Attends un moment ! » je m'exclame. Une idée terrifiante vient de me traverser l'esprit. « La Plaie !

— Quoi, la Plaie ? demande Angelo, avec une vivacité d'esprit pour une fois inférieure à la mienne.

— La Plaie qui extermine les anges et dont personne ne sait d'où elle vient ! Ce pourrait être une invention de Nébiros. Et peut-être... peut-être que mon père ne voyageait pas juste pour chercher Dieu, mais pour trouver un remède, une solution... peut-être qu'il a découvert quelque chose d'important, quelque chose qui pourrait sauver les anges, et que c'est pour ça qu'on l'a tué...

— Eh, du calme ! Tu vas un peu vite, là, non ?

— Mais tout se tient ! Pas un seul démon n'est mort de la Plaie à ce jour. Les anges, eux, tombent comme des mouches. Tu ne trouves pas ça suspect ? Comment n'y ai-je pas pensé plus tôt ? je m'écrie, de plus en plus indignée. Il est évident que la Plaie n'a rien de naturel, et que seuls les démons ont intérêt à exterminer les anges, surtout de manière aussi... vile, aussi sordide ! »

Il ne dit rien, mais pas parce qu'il est vexé. Il réfléchit. Il semble prendre ma théorie au sérieux !

« C'est une possibilité, admet-il enfin. S'il y en a un qui est capable de créer une maladie qui n'affecte que les anges, c'est bien lui... »

Je détecte une note d'admiration dans sa voix. Il est évident que cette idée lui plaît.

« Il n'y a pas de quoi être fier ! Même si ce sont vos ennemis, ils ne méritent pas de... de disparaître, comme ça, sans pouvoir résister ou se battre ! C'est un coup bas, c'est infâme, c'est lâche, c'est écœurant !

— À la guerre comme à la guerre, ce n'est pas ce que disent les humains ? » raille-t-il. Il se lève du canapé, s'étire et va se planter devant la fenêtre pour regarder le soleil pointer derrière les toits de Berlin. « Mais quelque chose ne tient pas debout dans ta théorie. Si Nébiros s'emploie à quelque chose d'aussi important que l'extermination de toute la race angélique, pourquoi se soucierait-il de te faire tuer ? Et mon nouveau maître ? Pourquoi le fait que tu sois vivante ou morte l'intéresserait-il le moins du monde ?

— Qu'est-ce que j'en sais ? je réponds avec humeur. Vous êtes tous tellement tordus que vous êtes fichus de vous gêner les uns les autres juste pour le fun !

— Avant d'avancer des hypothèses, je pense que nous devrions nous assurer qu'Alauwanis est réellement le supérieur direct de Johann et qu'il travaille pour Nébiros. Tout ceci pourrait être une simple manœuvre de diversion pour nous empêcher d'atteindre notre but.

— Et comment vas-tu vérifier ça ?

— Je vais demander à Nergal. »

Je fais la grimace en repensant au terrible démon dont j'ai fait la connaissance au Sony Center.

« Il t'a dit qu'il ne connaissait pas la personne qui l'avait embauché pour me tuer.

— Non, mais cette fois-ci nous pouvons lui demander des informations sur quelqu'un en particulier.

Nous avons un nom antique, et ça devrait lui suffire. »

Nous sortons de l'appartement d'Angelo en fin d'après-midi. Il a pris rendez-vous avec Nergal à huit heures du soir, à nouveau au Sony Center. C'est assez loin, mais Angelo préfère y aller à pied. Moi, ça m'est égal, puisque je ne me fatigue pas. Je flotte derrière lui, un peu anxieuse. J'ai beau savoir que Nergal ne peut plus me faire de mal, l'idée de le revoir ne m'enthousiasme pas plus que ça.

« Pourquoi n'essayons-nous pas de localiser ce fameux Alauwanis tout seuls ?

— Parce que nous ne disposons pas des mêmes moyens que Nergal. Et si Nébiros est réellement derrière tout ça, nous n'avons pas intérêt à ce qu'il découvre que nous sommes sur ses traces. D'ailleurs... »

Il se tait brusquement et s'immobilise au milieu de la ruelle sombre où nous nous trouvons. Il a porté la main au pommeau de son épée.

« Éloigne-toi », chuchote-t-il sans desserrer les dents.

J'obéis et flotte jusqu'à un renfoncement avant de regarder autour de moi. Personne. Aussi, quelle est cette manie d'emprunter toujours des ruelles obscures au lieu des grandes artères ? Parce que s'il y a quelqu'un ici, et si Angelo l'a détecté avant moi, c'est que ce n'est pas un être humain. Un ange ? Un autre démon ?

C'est alors qu'une voix s'élève :

« Angelo. J'ai entendu dire que tu me cherchais. »

Je me tourne dans la direction d'où provient le son et j'aperçois une double lueur rouge dans l'ombre.

« Alauwanis, je présume, fait Angelo. Les nouvelles vont vite. »

L'autre pénètre dans le cercle de lumière formé par un lampadaire. C'est un démon blond, élégant, au teint remarquablement frais pour quelqu'un qui circulait déjà en Babylonie il y a quatre mille ans.

« C'est ainsi qu'on m'appelait, effectivement... il y a longtemps. Si longtemps que je suis très surpris de voir un jeune démon comme toi fouiller ainsi dans mon passé.

— C'est ton présent qui m'intéresse, pas ton passé. Mais connaître ton histoire était le seul moyen d'arriver jusqu'à toi.

— Ça, et avoir la chance de trouver un diablotin qui devient étonnamment loquace quand on le torture, pas vrai ? »

Angelo ne répond pas, mais il recule d'un pas. Le sourire d'Alauwanis glacerait de terreur le plus pervers des tortionnaires.

« Comme tu le dis, les nouvelles vont vite, reprend le démon. Je sais déjà que tu as tué mon subalterne, et tu te doutes que je ne peux pas laisser passer une chose pareille. Mais avant de mourir, dis-moi... Pourquoi as-tu pris ce risque ? Ou plutôt... pour qui ? »

D'un mouvement agile, Alauwanis dégaine son épée. Angelo en fait autant. Je remarque que l'arme qu'il empoigne n'est pas la sienne, mais celle de mon père. Il faut que je lui dise qu'il arrête de l'utiliser comme si elle lui appartenait, mais ça attendra que nous nous soyons sortis de cette situation... si nous nous en sortons.

« Ne sois pas ridicule, dit Angelo. Tu ne bougerais pas le petit doigt pour venger la mort de Johann s'il n'avait pas révélé ton nom. Tu crois que je ne suis qu'un pion, mais c'est toi qui es sous la coupe d'un autre. Que dira ton maître s'il apprend qu'il existe un moyen de remonter jusqu'à lui ? Que fera-t-il de toi si tu laisses le premier venu découvrir ce qu'il manigance ? Si tu étais aussi puissant que le prétendent les légendes qui circulent à ton sujet, tu ne te serais pas abaissé à venir à ma rencontre. Tu n'aurais pas peur de ce que je peux apprendre, et la présence ou l'absence d'un Johann sur la liste de tes serviteurs ne te soucierait absolument pas. Tu as certainement de bien meilleurs sbires qu'un gamin de maximum cinq mille ans. »

Alauwanis se met en garde, menaçant.

« Qui, Angelo ? insiste-t-il. Qui t'a envoyé ? Et qui a-t-il envoyé d'autre ? »

Johann avait également essayé de connaître le nom de mon « protecteur » avant de me tuer. Je me demandais pourquoi ce prince des enfers tenait tant à garder son identité secrète, mais vu l'acharnement que mettent ses ennemis à la découvrir, ce n'était peut-être pas une précaution inutile.

Angelo sourit.

« Allons bon. J'élimine un diablotin de rien du tout pour lui apprendre à tuer une humaine qui m'appartenait, et voilà que quelqu'un de soi-disant puissant s'imagine aussitôt que derrière cette querelle se cache un autre grand seigneur démoniaque ! Je suis désolé de te décevoir, mais j'agis librement... contrairement à toi. Les humains qui te vénéraient autrefois seraient très déçus en voyant ce que tu es devenu, tu sais !

— Tu n'espères tout de même pas que je vais croire qu'il s'agit d'une simple question de propriété ? Je veux bien admettre que la fille était assez exceptionnelle pour une humaine, mais tu dois savoir qu'il y avait trop d'intérêts en jeu autour de son existence. Tu étais forcément au courant ! insiste-t-il en voyant l'air perplexe d'Angelo. Sinon, pourquoi aurais-tu décidé de l'aider ? Tu devais savoir que de puissants seigneurs voulaient, les uns la tuer, les autres la garder en vie ! »

Je suis trop ahurie pour que ces histoires de « propriété » me fassent réagir. De puissants seigneurs... Je continue à ne pas connaître le nom du démon qui tenait à me protéger, mais si Alauwanis dit la vérité, son maître à lui n'est pas n'importe qui, lui non plus. Est-ce la confirmation de nos soupçons ? Nébiros, le cruel démon qui s'amuse à répandre maladies et épidémies, est-il derrière tout cela ? Et moi, qu'est-ce que je viens faire dans cette histoire ?

« Il me coûte de l'admettre, mais je sais moins de choses que tu n'as l'air de le croire, répond Angelo. Et puisque je ne peux pas t'avouer ce que j'ignore et que tu ne vas certainement pas me raconter ce que je veux savoir, je te propose de cesser de discutailler et de faire ce que tu es venu faire... ou du moins d'essayer. J'ai un rendez-vous important, et je ne veux pas passer la soirée ici.

— Oh, l'arrogance classique des jeunes démons... Très bien. Voyons si tu retrouveras la mémoire en sentant la mort approcher ! »

Avant même d'avoir terminé sa phrase, il se rue sur Angelo. Un centième de seconde plus tard, tous deux sont en train de se battre avec une rapidité et une élégance incroyables. Il est difficile de les distinguer l'un de l'autre ; quant aux épées, elles semblent s'être transformées en deux éclairs illuminant la pénombre, formant un tourbillon de lumière qu'un œil humain serait incapable de suivre.

Je ne peux m'empêcher de songer à ce qui se passera si Alauwanis sort vainqueur et tue Angelo. Si ce que m'a dit mon allié est vrai, je serai prisonnière de cet horrible état fantomatique pour l'éternité, sans aucun espoir de trouver ce fichu tunnel de lumière, comme les pauvres spectres qui flottent au-dessus de la ville. Comme ce fantôme perdu qui appelait Marie à grands cris, qui ne comprenait rien de ce qu'on lui disait et qui ne pouvait pas prononcer une phrase entière. Je frémis d'horreur.

Il ne faut pas qu'Angelo meure !

La lutte ne progresse cependant pas en sa faveur. Ai-je dit qu'un œil humain ne pouvait pas suivre le mouvement des deux démons ? C'est vrai, mais rappelez-vous que ma perception ne dépend plus de mes sens imparfaits... Je suis consciente qu'ils bougent comme l'éclair, mais je suis capable d'analyser leurs mouvements. Je me rends donc très vite compte qu'Angelo est en mauvaise posture. Alauwanis est plus rapide, plus précis... et plus désespéré. Je crois que mon compagnon a vu juste, et qu'effectivement son maître – qu'il s'agisse de Nébiros ou de quelqu'un d'autre – ne serait pas précisément ravi s'il existait une manière de remonter jusqu'à lui.

Angelo fait de son mieux : il recule, il esquive, il se défend, mais d'un moment à l'autre, il va commettre une erreur, et alors...

Il faut que je fasse quelque chose. Il faut que je l'aide. Mais comment ? Nom d'un chien, que c'est frustrant d'être un fantôme ! Je ne peux pas tenir une épée, je ne peux pas me battre, et je ne représente de danger pour personne – la preuve, Alauwanis ne remarque même pas que je flotte autour de lui.

Tiens, j'y pense... Effectivement, Alauwanis n'a pas conscience de ma présence. Pour lui, je fais partie du décor, comme une poubelle ou une voiture garée dans un coin. Il ne m'a même pas regardée, ce qui veut dire qu'il ignore que je suis la fille dont il parlait, et qu'il ne s'attend pas que j'intervienne. D'après ce que j'ai pu constater, d'habitude, les fantômes prennent soin de rester à bonne distance des démons. Ça pourrait jouer en ma faveur. Si jamais...

Je m'avance vers les combattants sans attirer l'attention : je demeure à l'écart des lampadaires et j'attends qu'ils s'approchent de moi.

Angelo esquive un coup. La lame est passée à un millimètre de sa peau. Il ne tiendra plus très long-temps. Ça m'apprendra à choisir comme ancre un démon mineur, qui a besoin de l'aide d'un fantôme dès qu'il doit se battre avec quelqu'un d'un tant soit peu expérimenté ! Si tout se termine bien grâce à moi, je vais lui en parler tous les jours jusqu'à ce que je disparaisse pour de bon, vous pouvez me croire.

Enfin, la situation devient favorable : les deux démons sont tout près de moi. Angelo me tourne le dos. Parfait.

Juste à ce moment-là, Alauwanis porte un coup qui fait perdre l'équilibre à son adversaire. À peine un centième de seconde, mais assez pour en tirer parti. Il faut que j'intervienne immédiatement ou ce sera trop tard. Je me lance en avant et j'entoure Angelo de mes bras intangibles, ma tête pointant au-dessus de la sienne ; en même temps, je hurle de toutes mes forces, en priant pour qu'Alauwanis soit aussi sensible à ma voix qu'Angelo.

« Va-t'en ! »

Alauwanis sursaute et fait un pas en arrière, éberlué. Il lui faut moins d'une seconde pour se ressaisir, mais il est déjà trop tard : mon compagnon a su profiter de l'avantage que je lui ai octroyé, et son épée traverse le corps de son ennemi.

Le démon tombe aux pieds d'Angelo. Je l'entends encore murmurer quelques mots :

« Vous ne pourrez pas l'empêcher... La prophétie... »

Et il meurt.

Dit comme ça, ça semble assez prosaïque, pas vrai ? Eh bien, ça ne l'est pas. Mais j'ai du mal à trouver les mots justes pour décrire la mort d'un démon ou d'un ange. Nous sommes toujours secoués, choqués, effrayés par la mort, même quand il ne s'agit que d'un humain. Imaginez donc ce que peut représenter la mort d'un être qui existe depuis des centaines de milliers d'années. D'un être que nos ancêtres redoutaient au point de le transformer en héros de légende. D'un être qui a été adoré comme un dieu.

Peut-être que le fait d'être morte moi-même me rend plus sensible à la disparition d'autrui. Autrefois, je n'aurais jamais regretté la mort d'un démon, surtout si c'était mon ennemi. Mais à présent, une partie de moi la déplore. Malgré moi, je suis également saisie d'une curiosité malsaine. Les démons se changent-ils en fantômes ? Franchissent-ils le tunnel de lumière ? Vais-je voir Alauwanis se diriger vers là où j'aurais dû aller moi-même ?

Mais j'ai beau regarder, je ne vois rien. Ni fantôme, ni tunnel. Alauwanis semble avoir disparu, tout simplement.

Quand un démon meurt au combat, un autre doit naître, dit la première Loi de la Compensation. Les démons se réincarnent-ils ? Et les humains ? Et les anges ? Cela signifie-t-il que si je traverse le tunnel de lumière, je ne trouverai pas mon père en train de m'attendre de l'autre côté ? Je suis horrifiée par cette idée.

Angelo interrompt mes pensées.

« Cat ! »

Il est en train d'examiner le cadavre, très grave. Si je ne le connaissais pas, je dirais qu'il tremble. Pourquoi pas, après tout ? Il a failli être transpercé par l'épée d'Alauwanis. Et même un démon plurimillénaire comme lui doit éprouver un certain respect face à la mort, non ?

Je le rejoins, convaincue qu'il va me remercier de lui avoir sauvé la vie.

« Oui ?

— Tu as entendu ce qu'il a dit ?

— Bien sûr. Il a dit que tu étais un jeune démon arrogant et moi une fille exceptionnelle. »

Ben quoi ? Il a vraiment dit ça, après tout !

« Je ne parle pas de ça ! répond-il, piqué. Il a mentionné une prophétie.

— Oui, j'ai entendu. Je ne savais pas que les démons croyaient à ce genre de chose.

— Nous y croyons parce que nous avons réellement les moyens de connaître le futur.

— Ah, c'est vrai. Les traités de démonologie attribuent des pouvoirs de divination à certains démons. À Nébiros, par exemple.

— Ça, c'est une supercherie, dit-il en nettoyant l'épée de mon père. De nombreux démons se sont fait passer pour des devins au cours de l'histoire, mais en réalité, il n'y en a qu'un seul qui puisse prédire l'avenir.

— Vraiment ? Donc toutes les prophéties formulées par les démons... ?

— ... proviennent de la même source. Tous les démons qui ont prédit quelque chose un jour ou l'autre n'ont fait que répéter les paroles d'une seule personne. Quelqu'un qui a porté beaucoup de noms successifs, mais que les démonologues occidentaux identifient sous le nom d'Orias, l'identité qu'il utilise ces derniers temps.

— Orias... c'est donc une espèce d'oracle ?

— Quelque chose comme ça. Mais ne t'imagine pas un pauvre type torturé par ses visions. Il les contrôle très bien, et les vend cher. Tout le monde ne peut pas se permettre une consultation.

— Ah. » Effectivement, je m'étais imaginé un démon secoué de convulsions, toujours en transe, balbutiant des phrases absurdes. Mais je suppose que

ce genre de choses ne peut arriver qu'à des humains.
« Tu l'as déjà rencontré ?

— Il y a longtemps. » Il regarde dans le vague, comme le font les anges et les démons quand ils essaient de rassembler leurs souvenirs. « Je ne sais plus quand. Mais c'était en Afrique, peut-être l'équivalent actuel du Congo, ou du Nigeria. À l'époque, il ne s'appelait pas Orias. Les indigènes le nommaient Orumbila... »

Je le ramène à la réalité :

« C'est très intéressant, tout ça, mais on ne pourrait pas aller bavarder ailleurs ? Je te signale que tu as une épée dans la main et un cadavre à tes pieds. Si quelqu'un vient...

— Aucun risque, m'interrompt Angelo en rengainant l'épée de mon père et en s'emparant de celle d'Alauwanis. L'instinct de survie des humains a beau être considérablement atrophié, vous avez tout de même l'intuition qu'il vaut mieux ne pas s'enfoncer dans une ruelle obscure occupée par deux démons en train de se battre. Personne ne passera par ici avant que je sois parti.

— Si tu le dis... »

Pas complètement convaincue, je suis soulagée lorsque Angelo se remet en route, abandonnant le corps d'Alauwanis derrière lui. Je sais déjà qu'il est inutile de militer pour qu'il montre un peu de respect envers ceux qu'il tue, donc j'en reviens à ce dont nous sommes en train de parler :

« Tu veux dire que le chef d'Alauwanis est allé voir Orias pour obtenir une prophétie, et qu'Orias lui a dit que son plan, quel qu'il soit, va fonctionner ?

— "Vous ne pourrez pas l'empêcher... la prophétie..." répète Angelo. Seul Orias peut prophétiser
quelque chose, c'est donc le seul à pouvoir nous dire
si Nébiros est celui que nous cherchons.

— Qui veux-tu que ce soit ? Alauwanis travaille
pour lui, non ?

— Il travaillait pour lui il y a quarante ans. C'est
peu pour un démon, je sais, mais je préfère en avoir
le cœur net avant d'aller tout raconter à Hanbi.

— Hanbi ? Ah oui, le type du bar. D'accord. En tout
cas, maintenant que nous sommes sûrs que Johann
travaille pour Alauwanis, nous n'avons plus besoin de
voir Nergal, n'est-ce pas ? »

Angelo ouvre des yeux grands comme des soucou-
pes et profère une succession de jurons que je me
refuse à répéter ici. Il semble qu'il ait totalement
oublié le rendez-vous au Sony Center. Il part aussitôt
en courant, me plantant là.

« Eh ! » je m'écrie, inquiète à l'idée de le perdre de
vue.

Dire qu'il va vite est un euphémisme. Je n'ai jamais
vu quelqu'un se déplacer aussi rapidement. Je ne vais
jamais réussir à le rattraper ! Mais tout à coup, quelque chose me tire avec violence, et je me retrouve en
train de voler à toute allure dans les rues de Berlin. Je
distingue bientôt l'ombre d'Angelo : il circule comme
l'éclair sur les trottoirs, contourne des obstacles, sla-
lome entre les piétons, si vite que personne ne le voit
passer. C'est lui qui me tire. Ou plutôt, c'est mon lien
avec lui qui m'empêche de rester à distance. Quelle
humiliation ! Non seulement j'ai perdu la vie, mais en
plus je peux dire adieu à mon indépendance chérie !

Nous arrivons au Sony Center quelques dizaines de secondes plus tard. Angelo rattrape Nergal juste au moment où celui-ci se lève pour partir.

« Tu es en retard, dit-il sur un ton qui ne présage rien de bon.

— Je... je suis désolé », balbutie Angelo. Cette fois-ci, ça ne fait aucun doute : il a peur. Toute cette attitude de *je-suis-un-puissant-démon-et-tu-n'es-qu'une-pauvre-humaine* ne vaut plus grand-chose quand quelqu'un comme Nergal le regarde de travers ! « On m'a attaqué sur le chemin. »

Le regard de Nergal se pose sur les deux épées qu'Angelo porte dans le dos.

« Je vois, dit-il simplement.

— J'ai rencontré le démon au sujet duquel je voulais t'interroger.

— Je vois, répète Nergal. Tu n'as plus besoin de moi, donc.

— À moins que ne saches pour qui il travaillait ? » Angelo semble récupérer son aplomb petit à petit. « Il s'appelait Alauwanis, et il venait de la part de quelqu'un qui voulait absolument que Cat meure. Une affaire trop personnelle pour que ce soit un de tes subalternes, n'est-ce pas ?

— Alauwanis ne travaillait pas pour moi, confirme Nergal. Je ne savais même pas qu'il était à Berlin.

— Je sais que tu ne peux pas me dire qui vous a engagés pour localiser et tuer Cat, mais il me suffirait de savoir qui était le supérieur d'Alauwanis ces derniers temps. Aux dernières nouvelles, il était aux ordres de Nébiros...

— Je ne vois pas pourquoi tu continues à te mêler de cette affaire. Visiblement, quelqu'un m'a devancé et a tué la fille à la place de mes serviteurs », laisse tomber Nergal en me jetant un coup d'œil significatif.

Je recule brusquement, effrayée. Sans faire attention, je me suis trop approchée, et le démon m'a vue et reconnue. Nergal se met à rire.

« Ça m'apprendra à donner à quelqu'un deux jours de trêve ! Je ne serai pas payé... Il faut croire que je me ramollis avec l'âge, conclut-il sur un ton bonhomme.

— Si ça t'intéresse, le démon qui a tué Cat obéissait aux ordres d'Alauwanis... et tous les deux sont morts. »

Je suis surprise par le ton belliqueux d'Angelo. Nergal hausse un sourcil.

« Ah, je comprends ! Une question de propriété, c'est ça ?

— Quelque chose de ce genre. »

J'ai bien envie d'intervenir pour affirmer que je n'ai jamais appartenu à personne, mais je me rappelle encore ce qui m'est arrivé la dernière fois que j'ai osé répliquer à Nergal. Je me tais donc... pour le moment. Mais j'ai l'intention d'avoir une conversation sérieuse à ce sujet avec Angelo. Très bientôt.

« Tu es fou de venir me voir après tout ce qui s'est passé, reprend Nergal. On m'a chargé de trouver ta petite amie et de la tuer. Qu'est-ce qui te fait croire qu'on ne m'a pas également ordonné de t'éliminer, toi aussi ?

— C'est justement pour ça que je suis là. Pour prendre les devants. Il est trop tôt pour qu'on sache quoi que ce soit à mon sujet si tu ne me dénonces pas... Et je voulais te demander de ne pas le faire.

— En échange de quoi ?

— D'informations. Je suis sur une bonne piste, et vu les précautions que prennent les uns et les autres pour garder leurs petits secrets, je pense que tu donnerais cher pour les connaître... »

Les yeux rouges de Nergal reluisent de cupidité.

« Tu es sûr de pouvoir me donner des informations ?

— Pas tout de suite, mais quand j'en saurai davantage, oui. Pour l'instant, tout ce que je peux te dire, c'est que ceux qui ont fait tuer Cat sont très puissants, et qu'ils doivent avoir de bonnes raisons de s'intéresser à ce point à une humaine.

— C'est vrai. Tu as raison, j'aimerais beaucoup connaître le fin mot de l'affaire. Alors c'est d'accord : je n'enverrai personne à tes trousses, quel que soit le prix que l'on m'offre. Mais si je n'ai pas de tes nouvelles dans un délai raisonnable, ou si l'information que tu me rapportes n'est pas aussi intéressante que tu me l'as promis... Je m'occuperai de toi moi-même. C'est clair ?

— Comme du cristal », confirme Angelo avec un sourire confiant.

Sur le chemin du retour, je l'interroge :

« Tu as vraiment l'intention de trahir ton chef en racontant ce que tu découvres à ce mercenaire ? »

Il hausse les épaules.

« Si ce n'est pas moi qui le lui raconte, un autre le fera. Et je ne risque pas d'être utile à quiconque s'il me tue avant que je puisse découvrir quelque chose.

— Ils sont fous, ces démons... je soupire. Mais ça ne devrait plus m'étonner. Bon, alors, qu'est-ce qu'on fait maintenant ?

— On va voir Orias, bien sûr.

— Tu as de quoi lui payer une prophétie ?

— Peut-être », murmure Angelo. Il ne donne pas d'autres explications, mais je le vois caresser le pommeau de l'épée d'Alauwanis.

« Très bien, allons rendre visite à cet Orias, dis-je, résignée. Il vit loin d'ici ?

— Un peu », répond Angelo, et il sourit.

9

Je n'en reviens pas. Nous sommes à Shanghai !

Je suis d'humeur maussade, mais Angelo s'en fiche. Je l'ai vu préparer ses bagages, réserver une place (une seule : je n'en ai pas besoin) dans un vol pour Shanghai via Paris, prendre le taxi jusqu'à l'aéroport et franchir tranquillement tous les contrôles de sécurité avec trois épées sous le bras. Pour échapper à mes récriminations, il a allumé son écran et fait des réussites... pendant les dix ou douze heures du vol, comme si je n'existais pas ! Vaincue par l'ennui, j'ai fini par le laisser tranquille.

Je n'avais aucune envie d'aller à Shanghai. Je n'ai rien à faire en Chine. Mais il faut bien avouer que :

1) Je suis contrainte de suivre Angelo partout où il va, que ça me plaise ou non ;

2) Je n'ai rien de mieux à faire, et en tant que fantôme, j'ai beaucoup de temps devant moi ;

3) Ce n'est pas la même chose de parcourir le monde à pied et de le faire dans la classe affaires d'un avion.

Avec mon père, j'étais arrivée jusqu'au Tibet, pas plus loin, et il nous avait fallu des mois. Or, Shanghai est complètement à l'est de la Chine, à côté de la mer. C'est là que vit Orias, le démon qui connaît le futur. Angelo n'a pas eu besoin de le chercher : il savait parfaitement où le trouver, ce qui signifie que contrairement aux autres, ce démon préfère rester accessible.

« Je n'arrive pas à croire que tu m'aies traînée jusqu'ici, je marmonne encore une fois en sortant de l'aéroport.

— Tout arrive ! » répond-il, fataliste, en cherchant un taxi.

En voici un qui arrive. Le chauffeur accourt à sa rencontre, plein d'attentions, et se charge de sa valise, une petite mallette qu'Angelo a pu garder avec lui en bagage à main. Angelo s'installe à l'arrière. Je l'imite.

Le sourire du chauffeur se dissipe lorsque Angelo s'adresse à lui en parfait mandarin. Il vient de comprendre que cet Européen n'est pas un touriste quelconque, et qu'il sait probablement combien coûte une course en taxi. Impossible de l'arnaquer !

Par la fenêtre, j'admire les immenses immeubles de Shanghai, ces tours de verre et d'acier qui caressent le ciel gris. Tout me semble démesuré. Je n'ai jamais vu de ville même lointainement semblable à celle-ci. J'ai l'impression d'avoir été projetée vingt ans dans le futur. Mais j'ai aussi la sensation troublante que la ville est à l'agonie, noyée dans son propre béton. Je ne sais si cela vient du fait que ces dernières années, mon père et moi avons parcouru des espaces naturels et évité les grandes villes, mais Shanghai m'intimide. Cet endroit doit être un nid de démons : ils adorent ce genre d'atmosphère.

Le taxi nous dépose devant un hôtel cinq étoiles. Angelo aime être à son aise, on dirait.

« Tu n'as pas d'appartement à Shanghai ?

— Non. Je suis désolé, il va falloir séjourner ici.

— Oh, ça ne me dérange pas. En fait, je n'ai même pas besoin de loger quelque part. Je suis morte, tu te rappelles ?

— Difficile de l'oublier alors que tu me le répètes vingt fois par jour ! »

Nous ne restons pas longtemps dans la chambre. Nous avons rendez-vous avec Orias le soir même. Je dois reconnaître que pour un démon mineur, Angelo est assez efficace. Quelques minutes plus tard, nous voici donc en train de nous promener dans la ville. Le ciel attire mon attention : il est gris, sale, bizarre. Je n'ai jamais rien vu d'une telle couleur.

« On dirait qu'il va pleuvoir... fais-je pour meubler le silence.

— Non. C'est la pollution.

— La... la pollution ? » Je suis suffoquée. « Mais on distingue à peine le soleil !

— C'est pourtant ça, assène-t-il rageusement. Réjouis-toi de ne pas devoir respirer. »

Pourquoi est-il en colère ? Ce sont les démons qui ont inventé la pollution, non ? Ce sont eux qui font tout leur possible pour que les gens se détruisent entre eux, en détruisant la planète par la même occasion.

« Tu n'aimes pas ça ? »

Angelo regarde autour de lui, pensif. Des voitures, du bruit, de la fumée... et des gens. Beaucoup de gens.

« C'était notre objectif, reconnaît-il. Que rien ne reste intact. Que règnent le chaos et la destruction. Mais les anges étaient là pour nous en empêcher. Maintenant que plus rien ne nous arrête, quel est l'intérêt ? Que ferons-nous quand il ne restera plus un seul arbre debout, plus un seul cours d'eau non souillé, quand le dernier être vivant aura disparu de la surface de la Terre ? Que nous restera-t-il à détruire ? »

Je n'avais jamais pensé à ça. Et surtout, je n'aurais jamais imaginé que de telles réflexions puissent sortir de la bouche d'un démon.

« Et... vous êtes nombreux à voir les choses ainsi ? »

Il revient à la réalité, se tourne vers moi et sourit.

« Si c'était le cas, je ne te le dirais pas ! »

Il n'ajoute rien de plus.

Lorsque nous arrivons sur le Bund, l'élégante promenade qui jouxte le Huangpu, relique du colonialisme, il fait déjà nuit. De l'autre côté du fleuve se dressent les bâtiments futuristes de la Shanghai postmoderne : la gigantesque tour de télévision qu'on surnomme la Perle de l'Orient et les gratte-ciel qui l'entourent, bombardant le ciel sans étoiles de lumières, de couleurs, d'images publicitaires.

Nous nous frayons un passage à travers une véritable marée humaine. Il y a des gens partout. Des gens qui se promènent, des gens qui rient, des gens qui s'arrêtent devant les stands les plus divers... D'où sortent-ils, tous ?

Un vendeur ambulant surgit devant nous et offre à Angelo un magnifique serre-tête orné de deux cornes de démon qui brillent dans le noir. J'ai vu des dizaines de personnes couronnées ainsi, mais Angelo ne remarque ce joujou que lorsque le vendeur le lui met sous le nez. Il lance un regard incendiaire au pauvre homme. Je me tords de rire.

« Pourquoi ne pas en acheter un ? je raille. Ça doit être frustrant de ne pas pouvoir dire à tout le monde que tu es un démon ! »

Tandis que le vendeur détale comme un lapin, Angelo me dit d'une voix égale :

« Regarde les gens autour de toi. Tu ne vois rien de spécial ? »

Intriguée, je m'élève au-dessus de la foule pour mieux l'examiner. Elle est ponctuée d'innombrables lueurs rouges. D'inoffensifs serre-tête clignotants, mais aussi des yeux incandescents.

C'est affolant. Il y a beaucoup plus de démons que je ne le croyais. Bien entendu, aucun ne porte les ridicules cornes lumineuses. Les humains qui s'en coiffent sont gais, de bonne humeur ; pas une seconde ils ne s'imaginent que ceux qu'ils essaient d'imiter ne sont que trop réels et les côtoient sous l'apparence de gens normaux.

Et plus loin, à côté de la rambarde le long du fleuve, je distingue la blancheur des ailes fanées et comme éteintes d'un ange solitaire.

Je réprime l'impulsion de courir le voir. Je repense à la fille du bar, à Berlin. Des dizaines de démons, et un ange vulnérable. *Voilà notre monde*, me dis-je amèrement en redescendant lentement jusqu'à Angelo.

« Je n'ai vu aucun démon avec des cornes », je remarque avec frivolité. Je n'ai pas envie de lui communiquer la triste impression que m'a laissée mon observation. « Quelle déception. Encore un mythe qui s'effondre. »

Il rit.

« Ce n'est pas un mythe, en fait. Nous adoptions souvent des formes effrayantes, autrefois. Des cornes, des sabots, ce genre de choses. Ça impressionnait les humains. Ils étaient plus influençables.

— Et à quoi est dû ce changement de tactique ?

— Au scepticisme des humains, qui sont devenus de plus en plus incrédules, et surtout à leur méfiance.

— Leur méfiance ?

— Vous refusez d'écouter ceux qui sont différents de vous, qu'il s'agisse d'humains ou non. Pour conserver notre influence, il nous a donc fallu vous ressembler autant que possible.

— Je vois. Avant, vous préfériez nous épouvanter, mais maintenant, vous vous contentez de gagner notre confiance pour mieux nous poignarder dans le dos. Charmant. Mais pourquoi est-ce que ça m'étonne ? Vous n'avez jamais débordé de respect envers les humains...

— Et alors ? Les anges faisaient pareil, je te signale !

— Quoi donc ? Apparaître sous forme de monstre, avec des ailes en membrane et des pattes de chèvre ?

— Les ailes font partie de notre essence ! se défend Angelo. Le plus naturel, pour les anges comme pour les démons, c'était de nous incarner dans un corps ailé. D'ailleurs, sur ce point, ce sont les anges qui en ont toujours fait des tonnes. Certains d'entre eux s'amusaient à apparaître avec trois paires d'ailes, rien que ça ! On distinguait à peine leur visage au milieu de toutes ces plumes !

— Tu parles des séraphins ? C'est vrai que c'est comme ça qu'on les représente traditionnellement. Mais je ne vois pas ce que ça a de monstrueux.

— Ah, bien sûr, les anges ne se montraient pas horribles et menaçants… juste insupportablement beaux et parfaits. Du coup, les humains leur vouaient un culte, leur bâtissaient des temples, les prenaient pour des dieux tout-puissants…

— Les anges ne sont pas des dieux, et n'ont jamais prétendu l'être ! Il n'y a que les démons pour faire des choses pareilles.

— Tu crois ça ? Étudie un peu la mythologie de n'importe quelle civilisation, à n'importe quelle époque. Tu trouveras presque toujours des histoires de guerres, de disputes ou de batailles entre des dieux bienveillants et des dieux chaotiques. » Il secoue la tête. « Sous des noms différents, sous des aspects différents… c'était toujours nous. Les anges et les démons, empêtrés dans une guerre que les humains n'ont jamais comprise. Mais avec le temps, certains anges ont pris conscience qu'on les adorait comme les dieux d'un monde que, après tout, ils n'avaient pas créés. Et ils ont commencé à parler aux humains de quelque chose qui se trouvait au-dessus d'eux, d'un

Dieu universel, responsable de ce monde pour lequel ils luttaient depuis toujours. Au bout d'un moment, les humains ont cessé de vénérer leurs dieux antiques, et les anges ont fini par croire à leur propre mensonge.

— Et le fait que les démons soient mauvais et essaient de détruire tout ce qui existe, c'est encore une invention des anges, peut-être ? »

Il m'adresse un sourire charmeur.

« Non, cette partie de l'histoire est incontestable. Mais au fond... personne n'a jamais vu Dieu. Ni les démons, qu'il est censé avoir punis, ni les anges, qui se prétendent ses messagers. Personne.

— Ce n'est pas vrai ! Vous l'avez oublié, c'est tout.

— Tu crois ? » Sa voix moqueuse a cédé la place à un ton pensif, presque grave. « Comment aurions-nous pu... *tous* les membres des deux races... comment aurions-nous pu oublier quelque chose de si important ? Si Dieu existe et qu'il est aussi puissant et grand que l'affirment les anges, comment avons-nous pu nous trouver un jour en sa présence et ne pas le garder en mémoire ?

— Peut-être que les différentes religions du monde contiennent des fragments des réminiscences que les anges ont conservées de Dieu ? »

Il secoue la tête comme si j'avais dit une absurdité.

« Ce dont les anges croient se souvenir ne signifie rien. C'est une race désespérée, en voie de disparition, qui se sent abandonnée à son sort, trahie par un destin cruel. Ils ont besoin de se raccrocher à une foi, à quelque chose qui donne un sens à leurs souffrances. Et si Dieu existait, nous nous en souviendrions mieux qu'eux.

— Pourquoi donc ?

— Parce que, selon eux, Dieu nous a punis de nous être rebellés contre lui. La première guerre du paradis, si elle a réellement eu lieu, a opposé deux factions d'anges. D'après cette version, nous avons été vaincus, et c'est ainsi que nous sommes devenus ce que nous sommes. Tu ne crois pas que c'est quelque chose de trop important pour qu'on l'oublie ? Tu crois que Lucifer lui-même aurait pu oublier sa défaite ? Tu crois qu'il ne se rappellerait pas avoir été un ange, autrefois ? Comment pourrait-on oublier une chose pareille ? »

Je n'ai pas de réponse à sa question, donc je me tais.

Mon père avait la sensation d'avoir perdu quelque chose de fondamental, et il a consacré beaucoup de temps et d'efforts à chercher Dieu. Il croyait à l'importance de cette quête, sincèrement, fermement. C'était trop crucial pour qu'il puisse s'agir d'une chimère ou d'une invention.

Mais je ne peux pas expliquer ça à Angelo. Il ne comprendrait pas, et je ne veux pas partager mes souvenirs les plus précieux avec un démon. Quelqu'un qui oublie son passé aussi facilement ne peut pas comprendre la valeur que j'attribue au mien.

Nous traversons la rue, tournons le dos au fleuve, et arrivons devant un hôtel. De grandes lettres surmontent l'entrée : « Peace Hotel ». Un nom plus approprié à un lieu de rencontre pour des anges que pour des démons, mais vous savez désormais comme moi que ces derniers ont un sens de l'humour particulier.

C'est un endroit très élégant. Chic, ancien, et probablement hors de prix. Angelo se dirige vers le bar, sobre et peu illuminé, où quelques personnes assises autour de petites tables octogonales papotent, boivent, ou écoutent le concert donné par un petit groupe de jazz qui joue bien entendu à merveille.

Deux paires d'yeux rouges attirent mon attention. Je ne vois aucun autre démon dans la salle ; en revanche, il y a là plus de fantômes que d'habitude. Ce doit venir du fait que le bâtiment est vieux, peut-être centenaire.

Angelo s'assoit devant un couple de démons. L'homme doit être Orias, et je suis étonnée de constater qu'il est asiatique ; je m'attendais qu'il soit de type européen – ou noir, puisque Angelo prétend l'avoir connu au Nigeria. D'un autre côté, son nom était différent à l'époque, tout comme, probablement, son apparence. Depuis combien de temps réside-t-il à Shanghai et présente-t-il ce visage d'une quarantaine d'années, froid et dur, aux pommettes saillantes et aux sourcils légèrement arqués ?

Sa compagne est également chinoise. C'est une belle femme aux cheveux longs, lisses, et aux traits aristocratiques. Angelo la dévisage. Je flotte au-dessus d'eux en m'efforçant de ne pas attirer l'attention.

« Angelo ? »

Mon allié hoche la tête sans quitter la démone de vue. Il ignorait visiblement qu'elle assisterait au rendez-vous.

« Tu dois être Orias, répond-il. Tu ne t'en souviens probablement pas, mais nous nous sommes rencontrés en Afrique, il y a très longtemps. Tu avais un autre nom et un autre aspect. »

Orias hausse les épaules avec indifférence.

« Comme tout le monde. Mais je continue à utiliser mon nom le plus connu, c'est plus pratique. Je te présente Jade », ajoute-t-il en désignant sa compagne.

Celle-ci incline la tête et sourit sans mot dire. Angelo ne lui rend pas son sourire.

« Je suis venu chercher des informations au sujet de l'avenir.

— Comme tout le monde », répète Orias. Ses longs doigts tambourinent sur la table en un rythme hypnotique. « Ça coûte cher, tu le sais ?

— J'ai une épée. »

Orias claque la langue avec mépris.

« Les épées angéliques ne valent plus grand-chose.

— Je ne parle pas de l'épée d'un ange, mais de celle d'un démon. »

Orias paraît intéressé.

« Un démon puissant ?

— Juges-en toi-même », dit-il en lui tendant l'épée d'Alauwanis, bien protégée dans son fourreau.

Orias pose la main sur le pommeau pendant quelques secondes.

« Ahazu », dit-il. L'autre nom d'Alauwanis. Il hausse les sourcils. « Assassiné par une épée angélique ?

— Je suis un démon plein de ressources... »

Jade intervient, d'une voix douce et profonde :

« Tu ne pourras pas utiliser cette épée indéfiniment. Son essence va bientôt s'inverser si tu t'en sers trop.

— Je sais », dit Angelo. Il se tourne à nouveau vers Orias. « Alors ?

— Ça ira », fait le démon. Il prend l'épée et l'accroche à sa chaise. « Tu veux une vision ou une prophétie ? »

Angelo secoue la tête.

« C'est un peu plus compliqué que ça. Je suis ici à cause d'une conspiration, de projets secrets, et d'une prédiction concernant un avenir qui doit ou ne doit pas s'accomplir. »

L'intérêt d'Orias augmente de minute en minute, mais il regarde Angelo avec plus de suspicion que jamais.

« Je suis tout ouïe.

— Voici ma théorie, commence Angelo. Quelqu'un, probablement un prince des enfers, est en train de préparer un gros coup. Son plan est tellement risqué qu'il n'oserait jamais le mettre en pratique s'il n'était pas absolument convaincu que tout se passera bien. Il a donc décidé de s'assurer que son idée était bonne en jetant un coup d'œil dans le futur. Et ce qu'il a vu a dû le satisfaire, parce que ses laquais justifient leurs actions en invoquant une prophétie. Or, tu es le seul à avoir pu formuler cette prédiction.

— Naturellement. Et qu'est-ce que tu veux exactement ? Que je te révèle le nom de cet hypothétique seigneur démoniaque qui, hypothétiquement, serait venu me consulter pour avoir un aperçu d'un futur hypothétique ? Tu devrais savoir que je ne dénonce

jamais mes clients, surtout s'ils sont puissants...
hypothétiquement parlant, bien sûr. Si tu as besoin
de mouchards et de fouineurs, adresse-toi donc aux
acolytes d'Agaliarept. »

Angelo sourit. Nul doute qu'il repense à ses entre-
vues avec Nergal.

« Déjà fait. De toute manière, j'ai aussi une théorie
à ce sujet, et je pense qu'elle ne tardera pas à être
confirmée, avec ou sans ton témoignage. Ce que je
veux en échange de cette épée, c'est une vision.

— Ah ! On va peut-être pouvoir s'entendre, grogne
Orias.

— Mais pas n'importe quelle vision, précise
Angelo. Je veux voir le même avenir que celui que tu
as montré à ce démon qui est venu te parler. »

Jade laisse échapper un petit rire. Orias fronce les
sourcils.

« Les avenirs ne sont pas interchangeables,
Angelo. Je ne peux pas te montrer un destin qui n'est
pas le tien.

— Si ce que prépare notre hypothétique ami est
aussi important que je le crois, ses actions auront des
répercussions sur nous tous. Je ne crois pas qu'il voulait voir son propre avenir. Il désirait probablement
savoir ce qu'il adviendrait de notre race. Ou de notre
monde. Si tu as pu le lui montrer, à lui, tu peux en
faire autant avec moi. »

Orias et Jade échangent un regard. Enfin, l'oracle
hausse les épaules.

« Pourquoi pas ? C'est toi qui paies, c'est toi qui
décides. Tu es sûr que c'est ce que tu veux voir ?

— Ce futur hypothétique ? repartit Angelo en souriant. Bien sûr que oui. »

Orias le regarde sévèrement.

« Non, le contredit-il. Je crains fort que ça n'ait rien d'hypothétique. »

Il lève les mains et les pose sur les tempes d'Angelo. Les deux démons se regardent fixement pendant un long moment, sans cligner les yeux. Je plane anxieusement au-dessus d'eux.

Soudain, la vision commence dans l'esprit d'Angelo, mais aussi dans le mien, puisqu'ils sont connectés. Tout ce qui se trouve autour de moi disparaît : le bar, les lampes, l'orchestre de jazz... tout semble se dissoudre comme une aquarelle sous la pluie. La lumière diminue lentement... le toit et les murs s'évaporent... j'ai mal au cœur... j'essaie de crier, mais je n'ai pas de voix...

... et me voici en train de voler très haut au-dessus de la ville, secouée par le vent, transportée ici et là comme une feuille en automne. Il me faut quelque temps pour retrouver mon équilibre ; ce n'est qu'alors que je peux regarder ce qui se trouve à mes pieds.

Shanghai. C'est toujours Shanghai, mais étrangement sombre et vide. Les néons se sont éteints, les voitures ne circulent pas, aucune barque ne sillonne le fleuve... Et il n'y a personne dans les rues. Personne.

Toute la ville est recouverte d'une étrange brume grise, dense, impénétrable. Je la traverse, et j'ai l'impression horrible qu'elle susurre des bribes de mots perdus. Ce ne peut être qu'une illusion, un mirage produit par le choc que j'ai ressenti en voyant la fourmillante Shanghai déserte.

Que s'est-il passé ici ?

Je descends encore un peu et je parcours les rues, planant au-dessus des trottoirs vides, entre les immeubles qui commencent déjà à montrer des signes de solitude et d'abandon. Des vitres brisées, des voitures garées n'importe comment, des magasins fermés...

La ville est morte.

Complètement morte.

Et ce n'est pas une métaphore, comme je le découvre bientôt.

Ici et là, sur les places et dans les coins de rue, sont accumulés des centaines de cadavres. Certaines de ces piles macabres ont été brûlées ; dans d'autres cas, les corps ont simplement été entassés et abandonnés. Il me semble qu'ils ont servi de nourriture à des animaux affamés, mais je préfère ne pas aller vérifier. Je détourne le regard.

Je cherche d'éventuels survivants à la catastrophe, mais je ne trouve que quelques meutes de chiens bagarreurs, des rats qui sortent de leurs trous, des oiseaux qui se promènent sur la chaussée sans crainte des voitures. La nature est en train de reconquérir la ville, et personne n'est là pour la chasser.

Je découvre également des cadavres isolés, loin de ceux qui sont empilés sur les places. Ces gens semblent avoir expiré seuls, sans que personne se soucie de les mettre dans une position décente ou même de les couvrir. Ils ne sont pas nombreux, mais il y en a.

La plupart d'entre eux se sont effondrés près d'une valise ou d'un balluchon. La mort les a surpris alors qu'ils tentaient de fuir la ville. Les derniers survivants, las de faire des tas de cadavres, ont été saisis de panique. Se sont-ils crus immunisés contre ce qui a exterminé les autres ? Ont-ils rêvé de s'établir ailleurs et de recommencer à zéro ? Ont-ils espéré qu'il n'était pas trop tard ?

Ils se trompaient.

Je détecte un mouvement furtif entre les maisons. Des ombres aux yeux rouges et aux ailes noires circulent entre les cadavres, impassibles. Les chiens s'écartent sur leur passage ; les rats s'enfuient avec de petits cris hystériques.

Ils ignorent les animaux. Leurs ennemis naturels ne sont plus là pour leur faire face, et les êtres humains, qui les ont à la fois détestés, redoutés et vénérés, n'existent plus.

Shanghai appartient désormais aux démons. Ils enjambent les morts, ils pénètrent dans leurs maisons, ils occupent leurs vies. Ils font cela sans joie, comme si le monde que les humains leur laissaient en héritage n'avait aucun intérêt. Pourtant, leurs yeux brillent avec plus de force que jamais, alimentés par le feu du triomphe : pour la première fois dans l'Histoire, ils sont les maîtres absolus de la Création.

Je m'élève pour échapper à leurs regards. Je m'enfonce encore une fois dans la brume épaisse qui couvre la ville. Et cette fois, je comprends de quoi il s'agit.

Ce n'était pas une illusion. Le brouillard parle, susurre, car ce n'est pas du brouillard, ni de la pollution, ni un nuage. Ce sont des fantômes. Là se trouvent tous les morts de Shanghai qui ne sont pas partis par le tunnel de lumière, peut-être parce qu'ils se sont éteints au milieu de l'horreur la plus absolue. Ce sont des spectres, condamnés à errer pour toujours entre les gratte-ciel de Shanghai, cette ville fantôme, autrefois si orgueilleuse, où règnent désormais la mort et le silence.

J'essaie de m'échapper, épouvantée, et je fuis entre les hautes tours qui ne sont plus que des cadavres de béton. Sans le sang qui la parcourait et lui insufflait une vie frénétique et turbulente, le cœur de Shanghai a cessé de battre.

Pour toujours.

Je reviens au présent avec une terrible sensation de vertige. J'ai tout d'abord du mal à m'ajuster à la réalité. Je regarde autour de moi, sonnée, cherchant des yeux la ville éteinte que je viens de contempler ; mais je me retrouve dans le bar du Peace Hotel comme si rien ne s'était passé. L'orchestre de jazz joue toujours, les consommateurs discutent tranquillement, le serveur distribue des boissons...

Je me tourne vers les trois démons. Orias et Jade sont impassibles, mais Angelo a eu la décence de pâlir. Je suis abasourdie, épouvantée, atterrée. Je me plante face à Orias :

« Qu'est-ce que ça signifie ? Que s'est-il passé à Shanghai ? Pourquoi tous ces gens sont-ils morts ? »

Orias et Jade me regardent avec surprise, puis la démone se tourne vers Angelo.

« Qui est ce fantôme ? Pourquoi t'accompagne-t-il ? »

Angelo ne répond pas tout de suite. Il est encore sous le choc. La demande de Jade le fait revenir à lui.

« Impressionnant, murmure-t-il. Comment... comment peut-on tuer tant de gens d'un seul coup ? Ça n'arrivera qu'à Shanghai... ou ce sera pareil dans le monde entier ?

— Dans le monde entier, répond Orias. Ce qui se prépare, c'est l'extermination de toute la race humaine.

— Ce n'est pas possible ! Vous plaisantez ! je m'écrie, horrifiée, ce qui provoque des grognements irrités chez les démons.

— Tais-toi, Cat ! » Angelo regarde toujours Orias, fasciné. « Mais... c'est réalisable ? On peut tuer tous les humains d'un coup ? »

Je n'apprécie pas qu'il me dise de me taire, et j'apprécie encore moins l'enthousiasme avec lequel il semble envisager cette catastrophe.

« Ça a toujours été faisable, mais à quel prix ! Or, cette fois-ci, il semble qu'on ait trouvé le moyen d'exterminer les humains sans détruire le reste.

— Il ne peut s'agir que d'une maladie, conjecture Angelo. Une maladie extrêmement meurtrière et contagieuse. Mais, que je sache, aucun virus actuel ne peut éliminer l'humanité tout entière. Je croyais même que c'était techniquement impossible.

— Ah oui, la théorie du 1 % ! » Orias hoche la tête. « Je la connais.

— C'est quoi, cette histoire de 1 % ? j'interviens. Quelle est la maladie qui va exterminer la race humaine ? Quand ? Pourquoi ?

— Cat, ça suffit ! » Angelo me décoche un regard furieux avant d'adresser un sourire d'excuse à Orias et à Jade. « C'est un fantôme dont je suis l'ancre. Je suis désolé, elle est passablement casse-pieds.

— Toi aussi, tu serais casse-pieds si tu savais que ton espèce va mourir, sans-cœur ! je m'exclame, furibonde. C'est normal que j'exige des réponses !

— Non, ce n'est pas normal. Tu es déjà morte, donc qu'est-ce que ça peut te faire que les autres meurent aussi ?

— Ces fantômes sont parfois tellement têtus ! commente Jade avec agacement. J'en ai connu un particulièrement désagréable, dans une maison qui m'appartenait. Il était convaincu d'être chez lui, et il essayait même de se glisser dans mon lit. Mais je n'avais jamais entendu parler d'un fantôme lié à un démon. Normalement, ils s'attachent à des lieux et non à des gens ; à moins que ce soient des gens de leur famille ou quelqu'un qu'ils chérissent.

— Eh bien, là, ce n'est pas le cas ! je grogne. Je suis Angelo parce que c'est le seul à pouvoir m'aider à résoudre le mystère de la mort de mon père, c'est tout. Et maintenant, quelqu'un peut-il me donner des explications au sujet de l'extinction de l'humanité, s'il vous plaît ?

— Son père a été tué par un démon, explique Angelo devant les regards interrogateurs d'Orias et de Jade. Il lui fallait quelqu'un qui règle cette affaire, et c'est sur moi que c'est tombé ! »

Jade ébauche un sourire. Je suis furieuse de voir que ça les amuse, mais il y a plus important.

« L'extinction de l'humanité, s'il vous plaît ! »

Orias cligne les yeux, un peu perplexe. Il regarde Angelo, mais celui-ci semble s'être résigné à ce que je me mêle à la conversation, et il attend tranquillement son explication.

« Théoriquement, l'humanité ne peut pas disparaître, dit enfin le devin en haussant les épaules. Oh, il y a plein de moyens de se débarrasser des humains, bien sûr, mais seulement en détruisant la planète entière, ou du moins une bonne partie.

— Et alors ? Vous feriez d'une pierre deux coups, non ? » je lance, narquoise.

Jade me regarde comme si j'étais stupide.

« Puisque les démons ont désormais besoin d'un corps matériel pour exister, nous ne pouvons pas nous permettre de détruire complètement le monde dans lequel nous vivons. Même si ça va contre nos principes, nous nous efforçons de le conserver dans un état plus ou moins correct. »

Angelo reprend le fil de la conversation :

« La seule manière d'exterminer les humains sans démolir le reste de la planète est donc de créer quelque chose de dommageable uniquement pour eux. Propager une maladie qui ne soit mortelle que pour eux a toujours été notre meilleure option.

— Cependant, poursuit Orias, dans chaque épidémie, même la plus meurtrière, il y a toujours des individus qui survivent. Soit parce qu'ils sont plus résistants, soit parce qu'ils génèrent des anticorps naturels qui les immunisent contre la maladie. Selon une théorie, aucun virus ne pourra jamais exterminer toute la race humaine. Il y aura toujours 1 % de personnes qui survivront, pour une raison ou pour une autre.

— Les humains sont désormais sept milliards, ajoute Angelo. 1 % de survivants à une hypothétique pandémie représente donc soixante-dix millions de personnes. Assez pour empêcher que l'espèce humaine s'éteigne, et même pour qu'elle revienne à son point de départ en quelques milliers d'années à peine.

— Largement suffisant, sachant que les humains se reproduisent comme des lapins ! renchérit Jade.

— Par ailleurs, reprend Angelo, un virus créé en laboratoire peut difficilement survivre à l'air libre. Il lui faudrait une capacité d'adaptation extraordinaire, ce qui est très difficile à obtenir.

— Il faudrait aussi qu'il se propage dans l'air, ajoute Jade. C'est bien plus rapide et plus efficace que lorsque des échanges de fluides sont nécessaires.

— Je vois que vous êtes bien informés ! je grogne.

— D'après la manière dont ces gens meurent dans la vision, il semblerait que le virus se propage dans l'air, acquiesce Angelo. Mais ce genre de virus est plus exposé aux variations de l'environnement. Je suppose que Nébiros – si c'est bien de lui qu'il s'agit – a pris ça en compte.

— Vous voulez donc dire qu'il est impossible de créer un virus qui élimine l'humanité tout entière, et que ce que nous avons vu n'est qu'une illusion ? je demande, un peu déroutée.

— Non, répond Orias. Ce que nous voulons dire, c'est que quelqu'un, dans un futur pas très lointain, réussira à franchir tous ces écueils et à découvrir un virus qui ne laissera pas un seul humain sur pied.

— Et... on ne peut rien faire pour empêcher ça ? »

Tous les trois me regardent comme si j'avais dit une absurdité.

« Pourquoi voudrions-nous l'empêcher ? demande Jade, étonnée. C'est la meilleure nouvelle depuis l'apparition de la Plaie !

— Heu... je ne suis pas complètement d'accord, intervient Angelo. Je me suis habitué à la civilisation humaine, si lamentable soit-elle. Avouez que nous y vivons comme des rois ! Et puis les anges ont toujours dit que les humains étaient notre meilleur outil de destruction. On s'ennuierait s'ils disparaissaient tous d'un coup.

— Ce serait un défi ! s'exclame Jade. Et ça nous ferait du bien. Tu es trop jeune pour avoir connu autre chose, Angelo, mais les démons n'ont pas toujours vécu avec les humains. Sans aller chercher loin, l'époque des dinosaures a duré bien plus longtemps. Et celle des bactéries, je ne t'en parle même pas. Même si je dois convenir que c'était assez assommant », ajoute-t-elle après un instant de réflexion.

Angelo sourit.

« Je serais d'accord avec toi... si tu pouvais te rappeler tout ça ! »

Jade fait la moue comme une gamine boudeuse.

« De toute manière, conclut-elle, je regretterai davantage la disparition des anges que celle des humains. »

Je m'apprête à intervenir à nouveau, scandalisée, quand je les vois tourner la tête vers la porte d'entrée.

« Je retire ce que j'ai dit ! » maugrée Jade entre ses dents.

Dans le bar vient d'apparaître un ange.

C'est une jeune Chinoise, au visage rond et enfantin. Elle porte une longue robe blanche laissant à découvert ses épaules pâles et délicates, et cherche quelqu'un des yeux. Je vois d'ici que son visage est marqué par la souffrance. Malgré cela, ses yeux brillent, comme ceux de tous les anges, et des ailes lumineuses battent doucement dans son dos. La salle entière est éclairée par sa simple présence. Ou bien suis-je la seule à remarquer ça ? Personne ne s'est retourné sur son passage.

C'est alors que l'ange nous regarde. Plus exactement, elle regarde Jade. Son expression se durcit.

« Excusez-moi, soupire la démone en se levant. Je vais essayer de l'arrêter avant qu'elle ne fasse une bêtise.

— Pardon ? » je demande, déconcertée. Mais personne ne fait attention à moi.

L'ange avance entre les tables, droit vers Jade. Elle s'immobilise à quelques mètres d'elle et, brusquement, dégaine son épée.

« Chun-Ti ! l'interpelle-t-elle. Pourquoi te caches-tu parmi les humains ? Viens te battre ! »

Elle a parlé en mandarin, et beaucoup de consommateurs la dévisagent avec surprise. Jade dresse ses ailes noires, et une chape d'obscurité éclipse la splendeur de l'ange.

« Chang'E, la Toujours Sublime, dit-elle en langue démoniaque d'une voix douce et apaisante. Tu es encore venue me chercher ? Tu sais bien que nous ne viderons jamais notre querelle. Pourquoi ne pas l'enterrer ? »

Les yeux de l'ange étincellent de colère.

« L'enterrer ? » C'est davantage un cri qu'une question. « Après tout le mal que tu as causé, suppôt de Satan ? Après tout ce que tu as fait à ces gens ?

— Chang'E... » tente encore Jade, ou Chun-Ti, comme vous préférez.

Mais l'ange refuse d'entendre raison. Avec un cri de colère, elle lève son épée au-dessus de sa tête et se jette sur la démone, qui a dégainé à son tour d'un geste incroyablement rapide.

Je ressens jusqu'au plus profond de mon essence le choc entre les deux armes. Une seconde plus tard, l'ange et le démon sont engagés dans une lutte mortelle. Au cours de leurs premières passes, les deux combattantes ont renversé deux ou trois tables, et des exclamations alarmées se sont élevées parmi les consommateurs. Mais bien vite, le duel prend des allures de bal, parfait, élégant, d'une beauté mortifère. Toutes deux circulent entre les tables et les colonnes sans rien toucher d'autre que l'épée de leur adversaire. On dirait que leurs pieds ne reposent pas par terre, qu'elles glissent sur le sol sans même l'effleurer. N'étant plus limitée par mes sens, je peux apprécier la précision de chacun de leurs mouvements, la grâce surnaturelle avec laquelle elles essaient de s'entretuer. Les autres humains les observent également, bouche bée. L'orchestre de jazz a cessé de jouer, et les vigiles sont immobiles devant la porte, indécis. Ils voient forcément les épées : il est tellement évident qu'elles sont en train de combattre qu'on ne peut pas les ignorer. Mais leur instinct doit leur souffler que ce qui se passe sous leurs yeux est quelque chose d'aussi important, antique et irrévocable que la succession des jours et des nuits, et que nul être humain n'a le droit d'intervenir.

Les deux démons, eux, commentent le duel aussi tranquillement qu'une partie de tennis.

« Ah, la pauvre Chang'E, soupire Orias. Les anciens la vénéraient comme la déesse de la Lune et le symbole de l'immortalité. Elle avait une sœur, Xihe, adorée comme le Soleil, et elles étaient très liées à Nüwa, un ange bienveillant auquel les légendes chinoises attribuaient la création de l'humanité. Mais les deux autres sont morts, et Chang'E est restée seule. Elle est désormais à moitié folle.

— C'est pour ça qu'elle attaque Jade devant les humains ?

— C'est devenu une obsession, chez elle. Autrefois, Jade fut Chun-Ti, une déesse de la guerre sanguinaire. Des milliers de guerriers ont porté son étendard sur le champ de bataille. Des centaines de luttes fratricides se sont déroulées en son nom. Nüwa s'est mis en tête d'arrêter Chun-Ti à n'importe quel prix. Mais c'est elle qui l'a emporté : elle l'a tuée au cours d'un duel, et Xihe et Chang'E, qui admiraient énormément Nüwa, se sont juré de venger sa mort. » Il secoue tristement la tête. « Chang'E me fait pitié. C'était autrefois un ange puissant, mais aujourd'hui... Regarde-la. Elle se bat parce qu'il ne lui reste plus rien d'autre à faire. Elle persécute Jade partout où elle va, déterminée à l'éliminer, comme l'avait résolu Nüwa.

— Elle préfère peut-être être tuée au combat que succomber à la Plaie », hasarde Angelo.

Orias hoche la tête, pensif.

« Peut-être. Quant à savoir si elle va y arriver...
Regarde. »

Jade a gagné. Je ne sais pas comment elle a fait,
mais Chang'E est désormais coincée entre une
colonne et la pointe de l'épée de son ennemie. Les
clients occidentaux applaudissent à tout rompre : ils
croient probablement qu'il s'agit d'un spectacle orga-
nisé par l'hôtel pour distraire les touristes. S'ils
savaient qu'ils sont en train d'acclamer un démon, et
que la femme qui vient d'être vaincue est un malheureux ange solitaire...

Les Chinois, eux, contemplent la scène sans sourire, très pâles. Ont-ils l'intuition de ce qu'elle signifie
réellement ? Reconnaissent-ils les déesses vénérées
par leurs ancêtres ? Sont-ils conscients que la lumière
de Chang'E, la Toujours Sublime, est sur le point de
s'éteindre à jamais ? Je suis horrifiée. Jade va-t-elle
la tuer devant tout ce monde ?

Mais Jade remet son épée au fourreau.

« Va-t'en », dit-elle simplement.

Chang'E la regarde fixement, avec incompréhen-
sion tout d'abord, puis avec rage.

« Chun-Ti ! crie-t-elle. Attends ! Nous devons nous
battre ! Tu... tu dois mourir ! »

Jade regarde autour d'elle. Les spectateurs sont
inquiets. Les hommes de la sécurité ne savent pas
quoi faire. Les Occidentaux eux-mêmes commencent
à soupçonner qu'il ne s'agit pas d'une représentation.

« D'accord, accepte-t-elle. Mais pas ici. Va-t'en,
Chang'E, et prépare-toi pour la prochaine bataille. »

Elle s'avance vers son ennemie. Ses très longs cheveux noirs retombent comme un rideau de velours,

dissimulant les visages de l'ange et du démon qui se mettent d'accord sur un lieu, une date.

« Ce ne sera pas leur dernier duel, nous confie Orias. Jade a déjà eu l'occasion de la tuer plusieurs fois. Chang'E n'est plus ce qu'elle était.

— Pourquoi lui laisse-t-elle la vie sauve ? demande Angelo.

— Elles sont ennemies depuis très longtemps. Si étrange que ça puisse paraître, une relation de ce genre peut créer des liens encore plus forts que l'amitié. Ou peut-être agit-elle ainsi en mémoire de Nüwa. Va savoir. »

Pensif, Angelo regarde l'ange partir en chancelant vers la porte, traînant l'épée derrière elle. Tout le monde se détend quand elle sort. Jade revient s'asseoir.

« Affaire réglée, dit-elle en souriant. Excusez-moi pour cette interruption.

— De toute façon, je crois que le moment est venu de prendre congé, déclare Angelo. Quelqu'un attend avec impatience la précieuse information que vous venez de nous donner. »

Orias le regarde avec une surprise feinte.

« Comment ? Tu comptes vraiment transmettre cette information comme ça, incomplète ?

— Comment ça, incomplète ?

— Il vous manque l'autre version, voyons ! »

Angelo fronce les sourcils.

« Il peut y avoir deux versions du futur ? Je croyais que la destinée était immuable ?

— L'avenir est comme un fleuve, si large et si fort qu'on ne peut ni le changer, ni infléchir sa route. Mais il est formé d'une multitude de petits affluents qui, eux, peuvent être détournés. Ton futur peut changer, parce que la plupart de tes actions ne dépendent que de toi. Mais tu ne peux pas modifier le destin de toute l'humanité. Pour ça, il faudrait une action grandiose. Extraordinaire. Une action dont les conséquences représenteraient réellement un tournant dans l'histoire du monde. Ces actions ne sont pas à la portée de n'importe qui, et lorsque quelqu'un a l'occasion de décider s'il doit, oui ou non, accomplir un tel geste, il en est rarement conscient. Mais dans certaines occasions, très rares, il est possible de faire – ou de ne pas faire – quelque chose qui change le destin du monde.

— Et ça génère alors deux versions de l'avenir, devine Angelo. Deux cours alternatifs que le fleuve peut emprunter. Intéressant !

— Passionnant, même. Quoique je doive avouer que c'est toujours un peu déroutant pour moi...

— Et as-tu montré à notre hypothétique démon ces deux versions ?

— Non. Si tu la vois, toi, tu auras donc l'avantage.

— Pourquoi n'en a-t-il vu qu'une seule ?

— Parce que, à l'époque, il n'y en avait qu'une. Ensuite... quelqu'un est venu, et m'a demandé de lui montrer la même chose qu'à mon client précédent, exactement comme toi. Mais dans cette seconde vision, les choses avaient changé.

— Ce qui veut dire qu'entre les deux visions il s'est passé quelque chose qui a créé une seconde possibilité pour l'avenir ! je déduis brillamment.

— Exact.

— Tu peux nous montrer cette seconde vision ? demande Angelo.

— Ça dépend de ce que tu m'offres en échange.

— Non mais je rêve ! je m'exclame, indignée. Vous nous montrez un futur apocalyptique, vous nous dites qu'il existe une autre possibilité, et vous voulez nous faire payer une deuxième fois ? Vous êtes un... un usurier, un profiteur, et un manipulateur !

— Et pire encore, admet Orias avec bonhomie. Alors ?

— Je n'ai rien d'autre à t'offrir, dit Angelo. À moins que tu ne sois intéressé par une épée angélique ?

— Ah, non ! Pas l'épée de mon père ! »

Angelo porte ses mains à ses tempes et se tourne vers moi. Ses yeux lancent des flammes, et une grimace de fureur déforme ses traits, ce qui le rend presque monstrueux.

— Assez crié ! » m'intime-t-il d'une voix terrible, profonde, surnaturelle.

La panique m'envahit. Juste à ce moment-là, je reçois une secousse incroyable, comme si un ouragan se déchaînait autour de moi. Je suis projetée au-dessus des têtes, au-delà du plafond, au-delà du toit du bâtiment...

Quand je reviens à moi, je suis dehors, sous le ciel nocturne mais sans étoiles de Shanghai. Que... que s'est-il passé ? Il me faut un moment avant de comprendre qu'Angelo s'est lassé de moi et m'a « renvoyée ». Je suis encore assommée, terrorisée. Je ne l'avais jamais vu aussi furieux, aussi redoutable, aussi... démoniaque. Habituée que j'étais à le traiter comme un garçon prétentieux et indolent, j'en avais oublié son véritable visage, celui d'une créature antique et terrible appartenant à l'espèce la plus dangereuse qui soit. Je n'ai qu'une envie : m'éloigner de lui et ne plus jamais le revoir.

D'ailleurs... et s'il avait rompu le lien qui nous unissait ? Et si j'étais devenue un fantôme errant ? Après un instant d'affolement, je découvre que le fil invisible est toujours là ; étiré au maximum, mais intact. J'ai cependant besoin d'un long moment avant d'avoir le cran de redescendre. J'ai encore peur, et la voix cauchemardesque continue à résonner dans mon esprit. Mais il faut que j'y aille. Il faut que je sache ce qui se passe – et que j'empêche Angelo de se séparer de l'épée de mon père.

Je compte jusqu'à trois, je prends mon courage à deux mains et je replonge dans le Peace Hotel. Quand j'arrive au bar, je découvre avec soulagement que les démons sont encore là, et que l'épée est toujours dans son fourreau sanglé sur le dos d'Angelo. Orias nous avait bien dit que les épées angéliques ne l'intéressaient pas. Ont-ils conclu un accord malgré tout ? Je m'approche tout doucement, mais Angelo perçoit ma présence et me lance un regard d'avertissement. Je m'arrête, inquiète, mais il ne m'expulse plus. Je crois comprendre que je peux de nouveau prendre part à la conversation à condition de me comporter correctement. Bon, bon, d'accord, je serai sage ! Je me place silencieusement à ses côtés. Orias est en train de parler.

« ... crains dans ce cas de ne pas pouvoir te donner plus d'informations.

— Tant pis. De toute façon, si l'une des visions montre un avenir où l'humanité a disparu, on peut raisonnablement supposer que l'autre nous révèle que l'humanité n'a pas disparu.

— C'est logique, confirme Orias. Mais les choses ne sont pas si simples. En tout cas, c'est ce que semblait penser l'ange qui a vu cette vision.

— L'ange ? répète Angelo, stupéfait.

— Absolument. J'ai quelques clients parmi les Lumineux. Ils se croient détenteurs de la vérité absolue et font étalage de leur générosité et de leur altruisme, mais en fin de compte, eux aussi aiment jeter occasionnellement un coup d'œil dans le futur. »

Un ange ! Le fait que les anges consultent un démon ne me plaît pas beaucoup, mais je trouve très rassurant de savoir qu'ils sont au courant des plans de Nébiros – lui seul peut être derrière cette machination. Les anges vont intervenir, c'est certain. Ils réussiront à arrêter Nébiros et à sauver l'humanité. Ils s'y emploient peut-être en ce moment même, ce qui expliquerait la présence de ce futur alternatif.

« Et je suppose que tu ne peux pas nous dire qui c'était...

— Je regrette, secret professionnel. Tu n'aimerais pas que je raconte au premier venu qu'Angelo fourre son nez dans les affaires des autres, n'est-ce pas ?

— Non, pas du tout ! Mettons que je n'ai rien dit. Je me débrouillerai pour l'apprendre autrement.

— Dans ce cas, je crois que notre entretien est terminé.

— Oui, il est tard, et nous avons un voyage à préparer, appuie Jade.

— Un voyage ? répète Orias.

— Tu m'avais promis que nous irions passer le week-end à Pékin !

— Ah, oui, c'est vrai. Ne t'inquiète pas, je n'avais pas oublié ! Mais... et ton rendez-vous avec Chang'E ? »

Jade hausse les épaules.

« Je n'ai pas l'intention d'y aller.

— Jade, Jade, ce n'est pas bien. Il faut respecter ses adversaires ; Lucifer lui-même insiste là-dessus. Même quand l'ennemi est à terre. Tu ne fais que poser des lapins à cette pauvre Toujours Sublime !

— Elle est si collante ! Sans compter qu'un de ces jours je risque de la tuer sans le faire exprès ! »

Pauvre Chang'E. Pauvre Toujours Sublime. Qu'y a-t-il de pire pour un ange ? Être tué par son pire ennemi, ou être méprisé par lui ? C'est peut-être pour ça que Chang'E insiste pour se battre. Non parce qu'elle est folle ou qu'elle redoute la Plaie, mais parce qu'elle brûle d'envie de retrouver des bribes de sa dignité perdue.

« Jonas travaillait pour Alauwanis, lui-même aux ordres de Nébiros, résume Angelo. Nébiros – ou l'un de ses serviteurs – est allé demander une vision à Orias, et a découvert que l'humanité allait succomber à un virus invincible. J'en déduis donc que Nébiros est en train de préparer une maladie assez puissante pour exterminer tous les humains, et eux seulement. Nous ne savons pas quand il a l'intention de la déclencher, mais ce sera rapide, fulgurant. Et on ne pourra rien faire pour l'arrêter. »

C'est bien ça. C'est tout simple, au fond. Et absolument terrifiant.

Nous sommes de retour à Berlin, au bar dans lequel nous avons appris la mort de Johann. Angelo est à nouveau avec son contact, dont je sais désormais qu'il s'appelle Hanbi. Cette fois-ci, je suis entrée, mais je me fais toute petite. Non seulement pour que Hanbi ne sache pas que je suis encore vivante, mais aussi parce que je ne veux pas qu'Angelo se fâche contre moi comme il l'a fait à Shanghai.

Nous n'en avons pas reparlé, et il me traite plus ou moins comme avant, mais je n'ai pas oublié son visage et sa voix quand il m'a expulsée de l'hôtel. Je préfère ne pas en repasser par là. Je flotte donc discrètement près du plafond, à un endroit où je peux tout entendre sans me faire repérer.

Nous n'avons pas eu confirmation par Orias du nom de « l'hypothétique démon » qui est allé le voir, mais à part Nébiros, créateur de la Peste noire et du virus Ebola, qui donc pourrait être concerné, surtout quand on sait qu'Alauwanis travaillait pour lui ? Ce n'était pas dur à deviner. En revanche, il y a un point sur lequel je me suis trompée sur toute la ligne : Nébiros ne veut pas exterminer les anges, mais les humains. Qui l'eût cru ? Il est possible qu'il n'ait rien à voir avec la Plaie, après tout.

« Je ne sais pas encore quel est le rapport avec la mort de Cat, reprend Angelo. Je ne vois pas en quoi la fille d'un ange pourrait intéresser quelqu'un qui prépare l'extermination de toute l'espèce humaine. À moins que son père n'ait découvert ce plan, et que Nébiros ne soupçonne qu'il l'ait raconté à Cat... Mais même dans ce cas, comment aurait-elle pu le gêner ? Décidément, ça n'a aucun sens. »

Moi non plus, je ne comprends pas. La menace qui pèse sur l'humanité m'a fait oublier ma propre mort, c'est dire ! Effectivement, c'est aussi à Nébiros que je dois mon assassinat. Maudit démon. J'aimerais pouvoir dire qu'il va me le payer, mais je ne vois pas comment...

Avec un peu de chance, le chef de Hanbi me vengera, lui. Non que j'apprécie que mes projets de revanche dépendent d'un prince des enfers, mais au bout du compte, avec Angelo, c'est le seul qui s'est préoccupé de mener l'enquête au sujet de ma mort. Je regarde Hanbi, pleine d'espoir.

« Inutile de te poser autant de questions, Angelo. Cette information est plus que suffisante. Non seulement tu as découvert l'identité du démon qui a commandité la mort de cette fille, mais tu as aussi appris quel était son plan. Tu as réussi au-delà de nos espérances. Je suis certain que mon seigneur sera pleinement satisfait. »

Hein ? Il a l'intention d'en rester là ?

Angelo fronce les sourcils.

« Pourtant, il y a un rapport, pas vrai ? Je suis sûr que tu sais pourquoi ils ont tué Cat, et probablement aussi pourquoi ils ont tué son père. »

Hanbi hausse les épaules.

« Nous avons une idée assez précise à ce sujet, en effet. C'est désormais plus qu'une idée, c'est une certitude.

— Et si tu partageais cette certitude avec moi ? »

Hanbi lui répond par un éclat de rire.

« Décidément, Angelo, je commence à croire que l'histoire de propriété n'était pas juste un prétexte. Qu'est-ce que ça peut te faire ? Elle est morte, non ? »

Je ne tiens plus en place. La prudence n'a jamais été mon fort, et j'ai beau craindre la réaction d'Angelo, mon indignation l'emporte sur tout le reste. Je descends droit sur Hanbi.

« Elle est morte, c'est vrai, mais elle a encore des sentiments, figurez-vous !

— Cat ! me réprimande Angelo. On avait décidé que tu resterais à l'écart !

— Non, non : *tu* avais décidé que je resterais à l'écart, très cher. Tu n'as pas songé une seconde à me demander mon avis, pour changer ! »

Angelo serre les mâchoires. Je recule un peu, regrettant déjà ma sortie, mais il lâche froidement :

« Comme tu voudras. Mais ne viens pas te plaindre si ton indiscrétion nous attire des ennuis ! »

Hanbi est demeuré bouche bée. Les démons ont beau être habitués à voir des fantômes, ils le sont nettement moins à être pris à partie par ces derniers.

« Cat ? répète-t-il. Mais... que fais-tu ici ?

— J'aimerais bien le savoir ! grogne Angelo.

— Tu es restée torturer ce pauvre démon pour le punir de ne pas t'avoir protégée correctement, c'est ça ? » raille Hanbi.

Angelo n'est pas responsable de ma mort, mais je n'ai absolument pas l'intention de le reconnaître devant d'autres, et encore moins devant lui.

« Je suis restée pour venger la mort de mon père.

— Je vois. Eh bien, je ne peux pas t'aider. Tu devrais laisser tomber et partir. Ce qui se passe entre nous ne te regarde pas.

— Ça ne me regarde pas ? J'en suis morte !

— Tu n'aurais pas dû te mêler de nos affaires. Et maintenant, si vous permettez... »

Il fait mine de se lever, mais Angelo le retient :

« Attends. J'ai appris autre chose que tu aimerais sans doute savoir... et ton maître aussi, bien sûr. »

Hanbi se rassoit, intéressé.

« J'écoute. »

Angelo sourit.

« On n'a rien sans rien, Seigneur des Tempêtes, sourit-il. Si tu veux cette information supplémentaire, tu dois nous en dire davantage au sujet de la mort de Cat, ou de celle de son père. »

Hanbi se met à rire. Il ne semble pas vexé qu'Angelo lui impose des conditions ; on dirait même qu'il apprécie son sens de la négociation.

« Ça faisait longtemps qu'on ne m'avait pas appelé comme ça..., soupire-t-il avec nostalgie. Allez, parle. Je te raconterai peut-être d'autres choses après.

— Peut-être ? je proteste, mais Angelo me fait signe de me taire.

— Nous ne sommes pas les seuls à connaître les projets de Nébiros. Les anges aussi sont au courant.

— Les anges ?

— L'un d'eux est allé voir Orias pour lui demander de lui montrer la même vision qu'à Nébiros. Et devine quoi...

— La vision avait changé, conclut Hanbi à ma grande surprise.

— Quelle perspicacité !

— Cet ange, tu sais qui c'est ?

— Non. Orias n'a pas voulu nous donner son nom. »

Hanbi se caresse pensivement le menton.

« Hum... Oui, bien sûr. Cette information nous sera également très utile. Et nous saurons découvrir... si les anges le savent... et si Nébiros a l'intention de... bien sûr, il est logique qu'il veuille... » Il se tait et réfléchit.

« Alors ? je demande, impatiente. Vous connaissez toute l'histoire, maintenant. Vous allez respecter votre part du marché, ou pas ?

— Officiellement, notre conversation se termine ici, d'accord ?

— D'accord. Et officiellement, tu n'as pas vu le fantôme de Cat.

— Pourquoi veux-tu garder le secret à ce sujet ?

— Parce que si tout le monde la croit morte et disparue, personne ne devinera qu'elle continue à enquêter au sujet de sa mort et de celle de son père. En revanche, si quelqu'un sait qu'elle est encore ici, ceux qui l'ont fait tuer pourraient avoir l'idée de terminer le travail... en éliminant son ancre, par exemple. »

Je n'y avais jamais songé. Il y a tant de choses que je ne saisis pas encore ! En revanche, j'ai appris quelque chose qui a balayé un certain nombre des préjugés que j'avais au sujet des démons : j'ai toujours cru qu'ils adoraient l'action, alors que visiblement, leur passion, ce sont les petits complots. Ce sont de véritables pipelettes qui passent leur temps à échanger des ragots et à préparer des plans tordus dont je me demande s'ils les mènent si souvent que ça à bout.

« Et aussi, termine Angelo, parce qu'elle est prodigieusement envahissante et qu'il vaut mieux la laisser de côté.

— Non mais dis donc !

— Je comprends, répond Hanbi. Peut-être que mon maître aimerait savoir qu'elle est toujours dans les parages... mais pour l'instant, je garderai le secret.

— Merci. Et de ton côté, pourquoi ce que tu peux nous raconter au sujet de la mort de Cat doit-il être officieux ?

— Parce que sa mort est étroitement liée à un petit projet secret de mon maître... mais je suppose que vous vous en doutiez.

— C'est vrai. Et j'imagine que vous ne voulez pas que je fourre mon nez partout et que je découvre des choses qui... disons... ne devraient pas sortir de sa sphère privée, c'est ça ?

— Brave garçon. Bon... écoute attentivement, parce que je ne le répéterai pas.

— D'accord. Vas-y. »

Hanbi sourit légèrement, et prononce une seule phrase :

« *La terre entière a été dévastée par les œuvres apprises d'Azazel : impute-lui tous les péchés.* »

Silence. La surprise nous a coupé la parole.

Je ne suis pas certaine qu'Angelo ait compris de quoi parlait Hanbi, mais moi, je le sais parfaitement. Cette citation provient d'un livre que j'ai lu des dizaines de fois.

Le Livre d'Hénoch.

nous sommes de retour chez Angelo, à Berlin.
Il est en train de trafiquer sur son ordinateur.

« On peut savoir ce que tu cherches ? »

Il ne me répond pas. Il ouvre un document, et l'écran se remplit de mots étranges, écrits dans un alphabet latin, mais ne ressemblant à rien de connu. Angelo lit attentivement, puis ferme le fichier et recommence à faire défiler le contenu du disque dur. Il parcourt d'autres documents, tous rédigés dans la même langue.

« Tu comprends ce qui est écrit ? je demande, même si la réponse est évidente.

— C'est en langue démoniaque.

— Ah ? Je croyais que vous aviez votre propre alphabet ?

— Oui. Mais on ne trouve nulle part dans le commerce des claviers en caractères démoniaques, figure-toi !

— C'est toi qui as écrit tout ça ? »

Il hoche la tête. On dirait qu'il vient de mettre la main – ou plutôt la souris – sur le document qu'il cherchait ; mais celui-ci fait plus de sept cents pages, il va donc lui falloir un bon moment avant de retrouver le passage qui l'intéresse.

« Et c'est quoi ?

— Mes Mémoires. »

Je ne m'attendais pas à cette réponse. Tout un tas de questions me viennent à l'esprit, mais je décide de le laisser travailler et d'en profiter pour méditer sur cette découverte.

Angelo tient un journal intime. Comment n'y ai-je pas songé plus tôt ? Au fur et à mesure qu'ils vieillissent, anges et démons oublient petit à petit leurs expériences, leurs connaissances, tout ce qu'ils ont appris et qui pourrait leur être utile. Il est donc logique qu'ils notent les informations dont ils désirent garder une trace. Mais tous les démons en font-ils autant ? Et les anges ? Comment se fait-il que personne n'ait jamais retrouvé un manuscrit rédigé dans leur langue ? Combien de mystères contiendrait un tel document, combien de secrets et de révélations concernant le monde entier ?

« Ça fait longtemps que tu écris ? »

Il est en train de compulser une quantité de texte phénoménale ; il doit avoir à sa disposition des milliers de pages, peut-être des dizaines de milliers.

« Moins longtemps que je ne le souhaiterais, malheureusement. Nous n'avons jamais aimé consigner nos connaissances sur le papier : il y a trop de risques qu'elles tombent dans de mauvaises mains. Mais ça... » Il désigne le disque dur externe posé sur la table. « ... Ça change tout. L'informatique nous permet de transporter une grande quantité de données sans qu'il soit nécessaire de les conserver dans une bibliothèque. Nous sommes nombreux à avoir commencé à rédiger nos Mémoires sur un support numérique.

— Les pirates ne vous inquiètent pas ? »

Il sourit.

« La toile nous appartient », dit-il simplement. Ce qui signifie sans doute que les meilleurs pirates sont des démons, ou qu'ils sont au service de ces derniers. « De toute façon, cet ordinateur n'est pas connecté à Internet.

— Et on peut savoir ce que tu cherches ? »

Angelo laisse passer quelques secondes, puis récite à mi-voix :

« *La terre entière a été dévastée par les œuvres apprises d'Azazel : impute-lui tous les péchés.* »

C'est la seule chose que nous ayons pu soutirer à Hanbi lors de la partie « officieuse » de notre conversation. Pouvons-nous considérer cette piste comme sérieuse ?

Je réfléchis. D'après le Livre d'Hénoch, Azazel est l'un des anges déchus les plus importants. Non content de procréer avec des humaines, il a appris à ses enfants des choses que seuls les anges connaissaient jusque-là. Il leur a enseigné à forger le métal – et donc des armes – et à extraire des pierres précieuses du sol ; ce délicieux démon nous a donc apporté à la fois la guerre et la cupidité.

Mais quel est le rapport entre Azazel et ma mort ? M'a-t-on tuée parce que j'étais métisse ? Impossible. Les démons n'ont aucune objection contre les relations avec les humains. Ils pratiquent cela depuis que notre espèce existe.

Il est presque certain que c'est Nébiros qui a ordonné ma mort. Que pouvait-il avoir contre moi, s'il n'est pas question de racisme ? Et en quoi son plan d'exterminer tous les humains me concerne-t-il ? L'absence de réponses à toutes ces questions me frustre beaucoup.

« Pourquoi crois-tu que Hanbi ait mentionné Azazel ?

— Aucune idée. Mais ça m'intrigue. Si mes souvenirs sont bons, le mythe d'Hénoch désigne Samyaza en tant que chef des anges ayant forniqué avec des humains et ayant engendré une race de géants violents.

— C'est bien ça. As-tu connu l'un ou l'autre ?

— Non, et je ne suis même pas sûr qu'ils aient vraiment existé. Personne ne se rappelle ce qui s'est passé à cette époque.

— Toi non plus ?

— Je n'étais même pas né ! Mais je me souviens qu'un jour quelqu'un m'a parlé d'Azazel avec beaucoup de passion. Il soutenait que celui-ci avait été injustement puni, il y a très longtemps. C'était probablement un fou, mais peut-être avait-il réellement connu Azazel. En tout cas, ça signifie qu'il existe un groupe de démons qui croient au mythe d'Hénoch ; ils sont peut-être derrière tout ça. »

Le fait qu'il ne cesse d'utiliser le mot « mythe » ne m'a pas échappé.

« Toi, tu ne crois pas à cette histoire ? »

Il secoue la tête comme si je venais de dire une absurdité.

« Bien sûr que non. Mais de nos jours, avec tout ce qui arrive aux anges, et vu le peu de choses que nous savons sur nos origines... Rien d'étonnant à ce qu'il y ait des gens prêts à avaler n'importe quoi. Ah, c'est là ! » s'exclame-t-il soudain.

En deux clics, il surligne quelques paragraphes.

« J'ai trouvé ! C'était il y a environ trois cents ans. Il venait d'Orient et se faisait appeler Râvana, même si ça faisait longtemps qu'il vivait en Italie. Nous avons fait connaissance lors d'un banquet, à Venise. Je ne sais pas pourquoi j'ai parlé de cette scène... Ah, je vois ! » Il esquisse un sourire sardonique. « Quelle époque... Bref ! Râvana parlait du mythe d'Hénoch avec beaucoup d'indignation, et il a mentionné Azazel plusieurs fois. Il faudrait que je le retrouve et que je l'interroge...

— Et comment espères-tu retrouver Râvana au bout de trois cents ans ?

— Avec un peu de chance, il est toujours en Italie. Dans ce cas, nous n'aurons pas besoin d'aller bien loin. »

Je soupire.

« Je n'aime pas beaucoup passer comme ça d'un démon à l'autre... Je n'ai pas confiance en vous. Je préférerais mille fois me mettre en contact avec les anges. Peut-être qu'ils savent quelque chose, eux aussi ?

— Je comprends ton dilemme, Cat, mais c'est toi qui as choisi un démon comme ancre ! Tu ne voudrais pas que j'aille présenter mes respects à l'archange Michel, tout de même ?

— Eh bien, peut-être pas à Michel, mais...

— Tu veux savoir qui a tué ton père, oui ou non ?

— Oui, mais...

— Alors crois-moi, c'est le meilleur moyen. »

Je soupire, résignée.

« Si tu le dis... »

Angelo s'appuie contre le dossier de la chaise, s'étire de tout son long, bâille bruyamment et se frotte les yeux.

« Ne me dis pas que tu as sommeil ! je raille.

— Non... mais je suis un peu fatigué.

— Qu'est-ce que tu racontes ? Tu es un démon. Tu ne peux pas être fatigué.

— Hum... »

Sa voix est pleine d'incertitude, voire d'inquiétude. Je l'observe d'un œil critique.

« Dis, sérieusement, ça va ? » je demande, préoccupée.

Il se lève.

« Ça m'arrive de temps en temps. Ne t'en fais pas, ce n'est rien de grave, et de toute façon, je ne suis pas le seul à... »

Il se tait brusquement, mais il en a déjà trop dit. Et soudain, je comprends tout.

La perte de mémoire... les difficultés pour retourner à l'état spirituel... l'impossibilité de changer d'aspect... la fatigue...

Aucun démon n'est jamais mort de la Plaie...

... pour l'instant.

Mais ils commencent à éprouver les mêmes symptômes que les anges il y a quelques siècles. Les premiers signes d'une maladie qui a désormais conduit ces derniers au seuil de l'extinction.

« Mais... comment se fait-il que ça vous arrive, à vous aussi ? »

Brusquement, Angelo est pris de rage.

« Il ne nous arrive rien du tout, c'est compris ? Rien ! Nous passons juste trop de temps à l'état matériel, mais c'est tout, d'accord ? Et ne t'avise pas d'insinuer le contraire ! »

Je ne l'avais jamais vu comme ça. Ce n'est pas comme lorsqu'il s'est fâché à Shanghai. Sa colère n'est pas dirigée contre moi, et je ne suis même pas sûre que ce soit réellement de la colère. Ses yeux lancent des éclairs, et ses ailes battent avec frénésie...

De l'angoisse ?

Il peut nier autant qu'il veut. Je connais désormais la vérité.

Les démons commencent à être malades. Et il n'est pas impossible que la Plaie finisse par les exterminer à leur tour.

Oh, ça n'aura pas lieu dans les cent années à venir, ni même au cours des deux ou trois prochains siècles... mais ça viendra. Et le pire, c'est que si les anges ont été pris par surprise, les démons, eux, savent déjà ce qui les attend. Le présent des anges est leur avenir.

En fin de compte, peut-être n'est-ce pas seulement la compassion qui les pousse à la clémence envers leurs ennemis épuisés, mais aussi la crainte.

« Tu as peur ? »

Il me tourne le dos avec brusquerie. Ses ailes forment une cape d'obscurité impénétrable qui m'empêche de voir son visage.

« Angelo... », je commence, mais je m'arrête aussitôt.

D'accord, il est effrayé, mais j'éprouve moi-même quelque chose qui ne me plaît pas du tout.

De la compassion ?

Envers un démon ?

Ah non. Ça suffit. De toute façon, c'est un thème délicat pour tous les deux, donc autant passer à autre chose.

« Bon, alors, comment comptes-tu retrouver Râvana ? Et s'il existe réellement une... une secte hénochienne ou quelque chose du genre... comment vas-tu le convaincre de te l'avouer ? »

Angelo relève la tête. J'ai l'impression qu'il m'est reconnaissant d'avoir changé de sujet.

« Bonne question, admet-il.

— Tu es arrivé au bout de ton stock d'épées, non ?

— Oui. Même dans l'hypothèse où je pourrais utiliser l'épée de ton père sans que tu criailles à m'en donner une migraine pour le reste de mon existence, je ne crois pas que je trouverais beaucoup de preneurs.

— Pourquoi les épées sont-elles aussi importantes ? Je comprends que les démons collectionnent les trophées arrachés à leurs ennemis, mais... et les épées démoniaques ? »

Cela fait un certain temps que ça m'intrigue.

« Tu te rappelles la Loi de la Compensation ? La première, je veux dire.

— Oui : quand un ange ou un démon meurt au combat, un autre doit naître.

— Exact. Il en est ainsi depuis le début des temps. Quand l'un de nous tombait transpercé par la lame d'un ange, quelque part, un couple de démons ressentait le besoin impérieux de passer à l'état matériel et d'engendrer une nouvelle vie... Tous les démons sont donc des êtres de chair et d'os jusqu'à ce qu'ils soient assez grands pour passer à l'état immatériel. »

Je m'imagine fugitivement un bébé aux yeux rouges. Ce n'est pas une vision agréable.

« Et alors ?

— Tu ne saisis pas ? Nous ne naissons pas avec une épée sous le bras. »

Ah. J'ai compris. Il hoche la tête.

« C'est ça. Quand un jeune démon atteint l'âge de se battre, il a besoin d'une épée, et le démon qui lui en fournit une crée un lien de loyauté entre eux. Autrement dit, plus on accumule d'épées démoniaques, plus on peut avoir de jeunes démons sous ses ordres, et donc plus on est puissant.

— Et ça ne vaut pas pour les épées angéliques ?

— Non, parce que comme je te l'ai dit, si un démon utilise souvent l'épée d'un ange, celle-ci se transforme en épée démoniaque. Et une épée qui vient de s'inverser n'est pas une bonne arme. Elle est instable. Il vaut donc mieux ne pas l'offrir à un jeune démon. Le démon qui l'empoigne doit d'abord la dompter, et nous sommes généralement trop habitués à notre propre épée pour avoir envie de recommencer avec une autre. Voilà pourquoi les épées angéliques ne sont plus utilisées comme monnaie d'échange.

— Pourtant, tu t'es servi plusieurs fois de l'épée de mon père.

— Oui, parce que je combats des individus de ma propre race, et que je ne crois pas à la Seconde Loi de la Compensation. Si je dois tuer un démon, je préfère qu'il en naisse un autre à sa place. Et puis c'est un bon moyen de ne pas laisser de trace. Sans compter que l'épée d'un démon tombé sous le coup d'une lame angélique est bien plus puissante que celle d'un démon assassiné par une arme démoniaque. C'est ce choc entre la lumière et l'obscurité, entre les essences contraires, qui génère du pouvoir...

— ... et la vie, je complète.

— Oui. C'est l'un des grands mystères de notre monde », fait Angelo en souriant, sa colère évanouie.

Je médite sur ce qu'il vient de me dire. C'est à la fois compliqué et très simple. Encore une fois, tout part du principe fondamental de la lutte entre des forces opposées par nature.

« Je n'aimerais pas que l'épée de mon père s'inverse. Je préférerais qu'elle reste une épée angélique.

— Je te comprends, mais ma sécurité personnelle est placée loin devant la mémoire de ton père sur la liste de mes priorités. Je continuerai donc à l'utiliser si c'est nécessaire. Et je te signale que si je meurs, tu peux dire adieu pour toujours au tunnel de lumière. Un fantôme sans ancre est à peu près l'équivalent d'un zéro à gauche d'un nombre. C'est clair ?

— Parfaitement clair », je grogne. Je n'ai pas oublié le désespoir des esprits errants, et je n'ai aucune intention de leur ressembler un jour. « Il est également clair que tu n'as plus de monnaie d'échange, et sans épée à vendre, toi aussi tu es à peu près l'équivalent d'un zéro à gauche d'un nombre ! Je ne vois pas ce que tu peux faire maintenant...

— Tu te trompes ! déclare-t-il, triomphant. J'ai encore quelque chose pour négocier : des informations. Et je connais quelqu'un qui n'en a jamais assez...

— Ah bon ? » Je comprends soudain à qui il fait allusion. « Oh non ! Pas lui ! »

Angelo sourit. Je sens que nous allons faire une nouvelle visite au Sony Center...

Heureusement, comme je suis morte, je peux supporter l'idée de revoir Nergal. Je préfère néanmoins flotter un peu à l'écart et le laisser discuter tranquillement avec Angelo.

« Alors ? » j'interroge ce dernier, curieuse, quand il me rejoint enfin. Nergal s'est déjà perdu dans la foule.

Angelo soupire.

« Râvana est mort. Abdiel l'a abattu il y a plus de cent cinquante ans.

— Franchement, vous devriez vous recenser régulièrement. Ce doit être casse-pieds de découvrir que quelqu'un qu'on avait envie de revoir est mort depuis plusieurs siècles... et ce n'est sûrement pas très bon pour votre vie sociale !

— Les anges tiennent un registre, ou quelque chose du genre, même s'ils ne l'utilisent désormais plus que pour rayer les noms année après année. Mais pas nous.

— Trop de surveillance à votre goût, c'est ça ? Mais si quelqu'un avait une liste de tous les démons, tu n'aurais pas besoin de te casser la tête pour savoir si Azazel a existé ou pas !

— Inutile de me casser la tête, réplique Angelo avec un sourire victorieux. J'avais raison : il existe une secte autour du mythe d'Hénoch, en Italie. Non pas à Venise, où j'ai rencontré Râvana, mais à Florence. D'après ce que j'ai compris, ses membres croient qu'Azazel et ses amis ont été punis pour ce qu'ils ont fait autrefois, et il y a un culte autour de ces démons tombés en disgrâce.

— C'est Nergal qui t'a raconté tout ça ? En échange de quoi ?

— De l'information que j'ai rapportée de Shanghai. Nébiros, le virus, tout ça.

— Hein ? Tu es allé tout raconter à cet espion minable ?

— Pourquoi pas ? Qu'est-ce que ça change, qu'il le sache ou pas ? Ce que fait Nergal avec les renseignements qu'il récolte, c'est son affaire. Moi, mon affaire, c'est de trouver qui a tué ton père et me débarrasser de toi une bonne fois pour toutes. Pas de sauver le monde. J'ai promis à Hanbi de lui répéter tout ce que j'apprendrai pour payer ma dette envers son chef, mais je n'ai jamais promis de ne le répéter à personne d'autre.

— Tu n'as aucun principe.

— Je n'ai aucun principe, mais j'ai une piste. C'est beaucoup plus que ce que nous aurions obtenu avec tes méthodes.

— OK, OK, un point pour toi... » Au bout d'un moment de silence, j'ajoute : « Florence, donc ? »

Florence... Au moins, c'est plus près que Shanghai !

Comparé au voyage en Chine, celui-ci a été extrêmement court. Moins d'une heure entre les manœuvres de décollage et d'atterrissage. Vol direct. Merci Air Berlin.

Le reste a été tout aussi rapide. Taxi, arrivée à l'hôtel, dépôt des bagages, promenade dans les rues. Ni Angelo ni moi n'avons réellement besoin d'une chambre, mais j'ai remarqué qu'il est plus à l'aise s'il y a un lieu qu'il peut considérer comme sa base d'opération.

Il a vécu quelque temps à Florence, mais il n'a pas conservé de logement ici. Malgré ça, les rues semblent lui être familières, et il s'oriente sans hésitation. Je ne sais pas combien la ville a pu changer depuis qu'il est venu pour la dernière fois, mais il reste un grand nombre de vieux monuments, d'églises, de couvents, de *palazzi*, de tours, sans même parler de la cathédrale avec l'immense coupole qu'on voit de partout, ou presque. Nous avons beau être en plein XXIᵉ siècle, certains quartiers de Florence conservent un parfum vaguement médiéval. Toujours est-il qu'Angelo a visiblement de nombreux points de référence, même si quelque chose me dit qu'il n'est pas passé ici depuis de longs siècles.

Mes soupçons se confirment quand il s'arrête, décontenancé, devant un *palazzo* qui a tout l'air d'être abandonné depuis plusieurs décennies.

C'est une maison de trois étages qui fait l'angle. Elle est située dans un quartier privilégié, près du centre historique et du fleuve, mais à l'écart de la zone touristique. Un panneau devant la façade m'informe qu'il s'agit d'une demeure du XIVᵉ siècle. La plupart des édifices de ce genre sont restaurés ou très bien conservés, parfois même habités, à moins qu'ils ne servent de musée ou n'abritent des commerces ; mais ce *palazzo* est complètement abandonné. Personne ne se préoccupe de faire effacer les graffitis sur les murs, et les fenêtres grillagées n'ont pas été ouvertes depuis des années.

« Hum... qu'est-ce qu'on fait ici ? » je demande quand j'en ai assez d'attendre.

Angelo secoue la tête.

« J'aurais juré que c'était ça... murmure-t-il. C'est là que vit... enfin, que vivait Madonna Costanza, une démone qui était au courant de tout ce qui se passait en ville. Personne ne pouvait faire un pas sans qu'elle le sache. Personne n'aurait entrepris un projet important sans lui demander la permission.

— Ah. Et c'était il y a combien de temps, exactement ?

— Pas si longtemps que ça, se défend-il. Enfin... peut-être cinq cents ans... »

Je lève les yeux au ciel.

« Tu as un concept bizarre du temps. En un demi-millénaire, il peut se passer plein de choses, et une démone peut parfaitement avoir déménagé ou même avoir été expédiée *ad patres* par un ange.

— Cinq cents ans, ce n'est rien en comparaison de ce que j'ai vécu !

— Par contre, en comparaison de ce que j'ai vécu, moi... Bon, tu te décides ? Avant la fin du monde, si possible ! »

Il hausse les épaules et frappe à la porte. Les heurtoirs représentent des petits diables qui enserrent les anneaux de leur mâchoire. Une manière subtile d'avertir les visiteurs quant aux habitants de la demeure ?

Je serais étonnée que quelqu'un réponde ; effectivement, au bout de quelques minutes, la porte ne s'est toujours pas ouverte.

« Je vais jeter un coup d'œil », j'annonce.

Je traverse le battant – il faut bien que mon état de fantôme ait des avantages ! – et je me glisse à l'intérieur. Je me retrouve à l'entrée d'un couloir obscur, au plafond voûté, débouchant dans une cour intérieure. Les murs sont nus et couverts de taches d'humidité ; les colonnes, fissurées ; les fenêtres, totalement scellées. Je parcours les pièces, mais toutes dégagent la même impression d'abandon. Aucun meuble, aucun tableau, rien. Ça fait longtemps que plus personne n'habite ici.

Je retourne auprès d'Angelo et lui décris ce que j'ai vu.

« Et maintenant, qu'est-ce qu'on fait ?

— On va se promener. Peut-être qu'on rencontrera quelqu'un qui peut nous aider. »

Je m'imagine qu'il va se diriger vers les quartiers les plus mal famés de la ville, mais à ma grande surprise, il préfère déambuler dans le centre historique comme un touriste ordinaire. Il détaille tout ce qui l'entoure, le paysage encore plus que les gens ; il ne semble pas avoir spécialement hâte de trouver « quelqu'un qui peut nous aider ». Pas de doute, les démons ont réellement une conception du temps qui n'a rien à voir avec la nôtre.

« Comment était Florence quand tu vivais ici ? je demande, curieuse.

— Différente. Très animée, très active, comme la plupart des villes italiennes. À l'époque, les lieux de ce genre nous attiraient comme des mouches, en particulier Venise et Florence. Il se passait plus de choses à Venise, mais Florence avait plus de charme.

— Pourquoi ?

— Eh bien, si Venise était un nid de démons, Florence était également pleine d'anges. Ils venaient à cause des artistes.

— Comment ça, à cause des artistes ?

— Les anges adorent l'art. Ils sont fascinés par la capacité qu'ont les êtres humains à créer de belles choses. Certains pensent que ce talent est presque divin. À l'époque, à Florence, l'art filtrait par tous les pores. Il y avait des centaines de peintres, de musiciens, de sculpteurs, d'architectes, et même d'inventeurs. Plus de créativité au mètre carré qu'à n'importe quel autre endroit dans le monde. Les anges fréquentaient les ateliers des artistes, les côtoyaient, les contemplaient, les admiraient. Et les artistes, eux, avaient un instinct incroyable pour détecter les anges. Ils les prenaient pour modèles.

— Vraiment ?

— Oh, pas consciemment, bien sûr. Ils n'avaient aucun moyen de savoir que c'étaient des anges. Mais si un artiste devait peindre une Annonciation et avait le choix entre deux modèles, il prenait invariablement la fille humaine pour représenter la Vierge, et l'ange pour qu'il prête son visage à Gabriel. Ça ne ratait jamais. »

Je fais une moue dubitative. Angelo me regarde de travers.

« Tu ne me crois pas ? Je vais te le prouver. »

Je ne sais pas ce que nous faisons ici. Nous devrions être à la recherche des membres de la secte d'Hénoch, des adorateurs d'Azazel, ou au moins de Madonna Costanza, mais Angelo continue à avancer à travers une succession de salles qui semble infinie.

« Celui-ci, et celui-là aussi. Et l'autre, là, dans le coin. Pas ce dernier. »

Nous sommes dans un musée. La *Galleria degli Uffizi*. Nous admirons des tableaux qui datent de la Renaissance, et Angelo a raison : ils sont bourrés d'anges. Des anges annonciateurs, des anges musiciens, des anges guerriers, des anges farceurs, des anges souriants et des anges tristes. Une multitude de créatures ailées nous contemple du haut de leurs toiles, dans des scènes religieuses mais aussi païennes. Il y en a des dizaines, peut-être des centaines. Angelo me signale ceux qui, à son avis, sont de véritables anges – soit la plupart d'entre eux.

« Ils aimaient poser, hein ? »

Je ne l'aurais jamais cru. Je n'arrive pas à imaginer mon père devant Giotto, Fra Angelico, Raphaël ou même Léonard de Vinci, mais après tout, mon père a vécu si longtemps ! Si je l'aperçois soudain dans un de ces tableaux, un luth à la main et des ailes dans le dos, je vais avoir le choc de ma vie, ou plutôt de ma mort...

« Tiens ! s'exclame soudain Angelo. Je jurerais que... »

Il se penche devant une toile pour l'examiner avec attention. Je descends un peu pour lire l'étiquette, intriguée : *Apparition de la Vierge à saint Bernard*, Fra Bartolomeo (1507-1509). Mais Angelo ne se concentre ni sur la Vierge, ni sur le saint. Il regarde le groupe d'anges représenté au fond.

« Regarde celui-là », me dit-il en désignant l'un d'eux, vêtu de rouge, un peu en retrait. Pendant un instant, on dirait que les yeux de l'ange de peinture et ceux du démon en chair et en os se croisent. « Je l'ai rencontré, ici, à Florence, sur un pont. Ou si ce n'est pas lui, il lui ressemble beaucoup.

— Et que s'est-il passé ?

— Rien, nous nous sommes battus, dit-il comme si ça n'avait aucune importance. Nous nous sommes trouvés face à face. Il venait d'un côté du pont et moi de l'autre, nous nous sommes aperçus...

— Et... ?

— Et je l'ai tué, bien sûr.

— Comment ça, bien sûr ? je m'exclame en contemplant le malheureux ange avec des yeux neufs.

— Sinon, je ne serais pas là !

— Mais il fallait vraiment en arriver là juste parce que vous vous êtes rencontrés ? Comme ça, sans motif ? Vous vous détestez tant que ça ? »

Angelo soupire.

« Il n'est pas question de haine. C'est... voyons, comment pourrais-je te l'expliquer ? Imagine que tu possèdes un jardin. Et tu ressens le désir irrépressible de soigner ce jardin, de le rendre aussi beau que possible, de faire en sorte que les plantes croissent saines et vigoureuses, qu'elles fleurissent, et que tout soit verdoyant. »

Je hoche la tête. Je comprends de quoi il parle. Mon père ressentait quelque chose de similaire, et il a essayé de me le transmettre, mais je crains de ne jamais avoir vu la vie de cette façon.

« Maintenant, imagine que j'arrive, que je voie ton jardin, et que je ressente le désir irrépressible de le détruire, d'arracher toutes les plantes jusqu'à ce qu'il n'en reste aucune.

— Arrête !

— C'est comme ça. J'ai besoin de détruire ton jardin, et même si, *a priori*, je n'ai rien contre toi, si tu m'en empêches, je me battrai contre toi. Peut-être que la première fois, par commodité, je choisirai de tromper ta vigilance et d'attaquer ton jardin au moment où tu es occupée à autre chose. Peut-être que toi, la première fois, tu estimeras qu'il est plus urgent de remettre le jardin en état que de te venger de moi. Mais quand la même scène se sera répétée, encore et toujours, au cours des siècles et des millénaires... chaque fois que tu me verras, tu m'attaqueras sans parlementer. Pour défendre ton jardin. Et moi, chaque fois que je te verrai, j'essaierai de te tuer. Pour que tu ne m'empêches pas de le détruire. »

Je garde le silence.

« Tu as compris ?

— Trop bien. Les démons aiment détruire des choses. Ils sont nés pour ça. C'est leur vocation. »

Il rit.

« Ne me dis pas que c'est une découverte !

— C'est pour ça que vous êtes venus à Florence ?
Pour détruire le jardin des anges ?

— Pas exactement. Comme je te l'ai dit, eux étaient
attirés par l'art. Nous, c'était l'argent et le pouvoir qui
nous intéressaient. Et avec les Médicis, il y a eu abon-
dance de tout ça, crois-moi. »

Je ne suis pas très calée en histoire, mais j'ai déjà
entendu parler des Médicis, cette puissante lignée qui
a dominé Florence pendant longtemps.

« Les Médicis étaient une famille de banquiers,
précise Angelo. De bons négociants, des gens respec-
tables, du moins au début. Mais ils sont devenus de
plus en plus puissants... C'était une occasion trop
belle pour la laisser filer. De nombreux démons ont
accouru ici, attirés par la richesse de Florence. Ils ont
trouvé la ville pleine d'anges. Les duels étaient inévi-
tables. Quant à moi, je suis arrivé trop tard. Les
familles les plus importantes étaient déjà sous
influence démoniaque ou angélique. Lors de l'affaire
avec les Pazzi, j'ai dû me contenter de compter les
coups. » Il secoue tristement la tête. « Dommage.
C'était passionnant.

— Les Pazzi ? »

Il penche la tête sur le côté et son regard se perd
dans le vague, comme chaque fois qu'il rassemble ses
souvenirs.

« C'était à l'époque de Laurent de Médicis, dit
"Laurent le Magnifique". Un type avec trop de pouvoir pour savoir qu'en faire, et moitié moins d'intel-
ligence que son grand-père, à qui il devait sa fortune.
D'après ce que j'ai compris, les Médicis avaient été
neutres jusque-là, mais Laurent fréquentait en secret

Madonna Costanza et les anges redoutaient qu'il ne succombe à son influence démoniaque. Du coup, quand les chefs des Pazzi, une famille rivale, ont ourdi un complot pour assassiner Laurent, les anges ne sont pas intervenus... Ou alors uniquement pour empêcher que ça parvienne aux oreilles de Madonna Costanza. Certains pensent qu'en fait elle était au courant, mais qu'elle n'a rien fait parce qu'elle s'était lassée de Laurent... Je ne sais pas. En tout cas, les Pazzi ont attaqué traîtreusement Laurent et son frère, un matin, alors qu'ils sortaient de la cathédrale.

— Et que s'est-il passé ?

— Les anges n'aiment pas rester les bras croisés. L'un d'eux a désobéi aux ordres de ses supérieurs, est intervenu dans la bagarre, et a sauvé la vie de Laurent. Il doit encore s'en mordre les doigts...

— Pourquoi ?

— Parce qu'il a sauvé la vie de Laurent, mais n'a pas pu empêcher les Pazzi de tuer son frère, Julien. Terrassé par le chagrin, Laurent est devenu une proie facile pour Madonna Costanza. Elle l'a persuadé de venger la mort de son frère. Résultat : un bain de sang. » Il fait une pause. « Si cet ange n'avait pas sauvé Laurent, beaucoup de choses auraient été différentes. Ou s'ils avaient empêché la conspiration, les Pazzi se seraient épargné la vengeance de Laurent et la disgrâce qui s'est abattue sur eux. Le plus drôle, c'est que beaucoup de gens croient que Madonna Costanza avait tout prévu et que c'est elle qui est à la fois à l'origine du complot et de la vengeance des Médicis. Les livres d'histoire ne la mentionnent pas, mais elle a toujours été ici, dans l'ombre, et on dit qu'il n'y a aucun crime ou aucune guerre à Florence où elle n'ait pas tiré les ficelles.

— Quelle sorcière !

— Oh, elle ne s'est pas montrée aussi cruelle envers les humains que bien d'autres démons. Après tout, Florence a beaucoup prospéré sous son empire. On chuchotait même qu'elle était trop bienveillante avec vous. Son attitude envers les anges était également étrange. Elle tolérait les anges mineurs, mais vouait une haine féroce aux archanges. Je me rappelle l'avoir vue détruire un tableau de Botticelli simplement parce qu'il représentait Michel. Il n'était même pas ressemblant, en plus. On disait aussi qu'elle détestait Lucifer et qu'elle avait l'intention de se rebeller contre lui. Que je sache, ce n'est jamais arrivé.

— Un sacré caractère, quoi. Si ce qu'on dit d'elle est vrai, bien sûr. »

Angelo hausse les épaules.

« *Se non è vero, è ben trovato*[1] ! »

Je commence à regretter que le *palazzo* ait été vide, et à me demander où peut bien se trouver Madonna Costanza à présent.

« Tiens, à propos de Botticelli... », reprend Angelo.

Nous venons d'entrer dans la salle où sont exposées ses œuvres les plus célèbres, *Le printemps* et *La naissance de Vénus*, devant lesquelles s'agglutine une masse de touristes. Angelo, lui, s'est approché d'une autre toile, moins populaire, mais tout aussi belle. Une annonciation.

« C'est aussi de Botticelli ? »

---

1. « Si cela n'est pas vrai, c'est bien trouvé » (proverbe italien). (*N.d.T.*)

Angelo hoche la tête. Il regarde la peinture avec un sourire énigmatique, sans m'expliquer ce qu'elle a de spécial. Je l'examine avec attention.

Comme d'habitude, je ne m'intéresse pas à la Vierge mais à l'ange, Gabriel, qui s'incline devant Marie. Ce Gabriel est curieusement androgyne. Je jurerais qu'il a une pomme d'Adam, mais il porte des vêtements plutôt féminins, et son visage est doux, serein, délicat comme celui d'une femme. Ses cheveux châtains sont ondulés et retombent sur ses épaules, dissimulant la naissance de ses ailes de plumes blanches et bleues. Il tient une fleur à la main, comme dans presque toutes les Annonciations. Un jour, mon père m'a expliqué ce qu'était cette fleur et ce qu'elle signifiait, mais malheureusement, j'ai tout oublié. Et franchement, ce n'est pas ce qui m'importe à présent.

Je ne peux détacher mon regard de Gabriel. Son expression est sérieuse, grave, ce qui est logique, vu l'importance du message qu'il apporte. Mais ce message – la future naissance du fils de Dieu – devrait être une nouvelle joyeuse, un événement heureux. Pourquoi ai-je l'impression que ses yeux sont pleins de tristesse ou de mélancolie ?

« Tu voulais me montrer quelque chose en particulier ? » je demande.

Angelo ne répond pas, et quand je me tourne vers lui, je comprends pourquoi. Il observe fixement quelqu'un qui lui rend son regard avec défi.

Un regard débordant de lumière angélique.

« Angelo... » je l'appelle, mais il ne m'écoute pas.

Il vient de croiser un ange venu contempler lui aussi le Gabriel de Botticelli. Cet amateur d'art n'a pas l'air amnésique ou faible. Il a l'apparence d'un jeune homme, grand et fort, aux cheveux noirs. Ses ailes lumineuses sont dressées, et sa main est posée sur le pommeau de son épée.

Un ange guerrier.

Angelo aussi a les ailes à demi déployées. On dirait des flots d'obscurité qui pulsent, qui vibrent, comme la queue d'un scorpion sur le point d'attaquer. Se battre ici, maintenant, est de la folie pure, mais je prends conscience avec consternation que cette lutte se répète depuis le début des temps et qu'ils ne peuvent même pas concevoir d'agir différemment.

Contre toute attente, l'ange baisse pourtant lentement la main.

« Pas ici », dit-il en italien.

Angelo fait un bref signe affirmatif.

Soudain, tous deux disparaissent. Ils ne sont plus là, tout simplement. Je n'ai pas le temps de m'étonner : quelque chose me tire avec force, et me voilà en train de voler à travers les salles du musée à une allure telle que les touristes ne sont plus que des taches floues. Angelo court à la vitesse des démons, et le lien qui m'unit à lui me remorque sans pitié.

Même dans une telle situation, mes pensées ne peuvent s'empêcher de vagabonder. L'ange que nous venons de croiser peut se déplacer à la vitesse de la lumière, lui aussi, ce qui signifie que ce n'est pas une prérogative des démons. Mon père pouvait-il en faire autant ? Si c'est le cas, il a perdu vraiment beaucoup de temps en me traînant derrière lui en Europe et en Asie. J'ai toujours été consciente de le retarder dans ses voyages, mais je n'imaginais pas à quel point.

Je sors du musée et je parcours les rues à une allure folle derrière Angelo et l'ange. Enfin, je freine brusquement, toujours sans intervention de ma volonté.

Ils sont debout face à face, épée à la main, sur une petite place ombragée et déserte. Ils vont se battre. Pour de vrai. Alors qu'ils ne se connaissent même pas et ont à peine échangé deux mots.

Je flotte jusqu'à Angelo.

« Dis, laisse tomber, d'accord ? Nous avons des choses plus importantes à faire. »

Pour toute réponse, il agite la main pour m'écarter comme un vulgaire moucheron. C'est le moment que choisit l'ange pour lui sauter dessus, rapide comme l'éclair. Angelo contre-attaque. Je me tiens à bonne distance, inquiète. Lumière et obscurité, ordre et chaos... Ils sont totalement antagoniques, et pourtant, en les voyant lutter, j'éprouve l'étrange sensation qu'ils ne forment qu'un seul être.

Impossible d'intervenir : je risquerais de les déconcentrer et de causer un malheur. Mais quel serait le véritable malheur ? Qui aimerais-je voir gagner ? Mon cœur prie pour l'ange, mais je ne veux pas qu'Angelo meure, entre autres parce que je n'ai aucune envie de perdre ma seule ancre avec le monde des vivants. Néanmoins, contrairement à la dernière fois, lors du duel contre Alauwanis, je n'ai pas le courage de passer à l'acte. Puis-je aider un démon à tuer un ange ? Comment oserais-je ensuite regarder mon père en face, s'il m'attend de l'autre côté du tunnel de lumière ?

N'ayant aucune conscience de mes doutes et de mon angoisse, ils continuent à lutter avec ferveur et se décochent un coup après l'autre. Chacun fait de son mieux pour atteindre l'ennemi, pour le tuer. Impossible de deviner qui va gagner : ils sont d'un niveau égal.

Soudain surgit un troisième intervenant. Il court si rapidement qu'on peut à peine le distinguer, et il se mêle à la bagarre avec le plus grand naturel. Mais... dans quel camp ?

Je ne tarde pas à avoir la réponse à cette question. Vaincu par la supériorité numérique de ses adversaires, l'ange s'effondre, transpercé par l'épée d'Angelo. Ce dernier sourit, satisfait. Je le regarde avec un mélange de fureur, de dégoût, d'impuissance.

À côté de lui se dresse une fille aux longs cheveux noirs et aux yeux d'un vert intense sous leur lueur rouge. Elle porte un jean moulant et une tunique à fleurs. Si je ne l'avais pas vue manipuler une épée démoniaque avec une habileté funeste, et si je ne voyais pas les ailes d'un noir profond qui ornent son dos, je croirais qu'il s'agit d'une jeune femme inoffensive, voire fragile. Elle est certainement capable d'arborer le sourire le plus candide du monde, même si, en cet instant précis, son expression est malveillante, presque sardonique.

Les deux démons échangent un regard complice, et la nouvelle venue rengaine son épée avec une lenteur délibérée.

« Merci, dit Angelo.

— De rien. J'avais justement envie d'un peu d'action.

— Ce n'était pas un combat loyal ! je fulmine, mais personne ne me prête la moindre attention.

« — Tu n'es pas d'ici, pas vrai ? demande la démone.

— J'ai vécu à Florence il y a longtemps. Trop longtemps, je crois. La ville a beaucoup changé. »

Elle rejette ses cheveux noirs par-dessus son épaule d'un mouvement affecté.

« C'est vrai, mais seulement en surface. Certaines choses sont toujours les mêmes. Je m'appelle Lisabetta, au fait.

— Angelo. Tu tombes bien : je cherchais quelqu'un qui puisse m'orienter. »

Lisabetta hausse un sourcil, amusée.

« Je t'ai déjà aidé avec l'ange. Que veux-tu de plus ? Tu ne crois tout de même pas que je vais t'aider pour rien ?

— Tu n'as qu'à garder son arme, propose Angelo. Je sais que les épées angéliques ne sont plus à la mode...

— Hum... C'est vrai, mais Madonna Costanza les collectionne encore. D'accord, je la prends. » Elle se penche avec désinvolture sur l'ange pour le dépouiller impunément. « Que puis-je faire pour toi ?

— Je cherchais justement Madonna Costanza. Je suis allé à son *palazzo*, mais il est désert. »

Lisabetta rit, dévoilant des dents blanches qui contrastent avec sa peau brune.

« Effectivement, elle n'habite plus là, mais elle n'est pas allée très loin. Je peux te conduire auprès d'elle, mais je dois d'abord lui demander la permission. Que faut-il que je lui dise ?

— J'ai le même nom et le même aspect qu'autrefois ; cependant, je doute qu'elle se souvienne de moi. Je veux simplement lui présenter mes respects et la consulter au sujet d'une certaine affaire. Je suis venu seul, je ne représente donc aucun danger pour elle », conclut-il en souriant.

Je me sens ignorée. Non seulement Angelo a le toupet d'assassiner un ange en ma présence sans même me lancer un regard d'excuse, mais voilà qu'il annonce qu'il est venu seul ! Et je ne vous parle pas du fait qu'il est en train de draguer outrageusement la nouvelle venue. Si vous voyiez les petits coups d'œil qu'ils échangent !

Mais non, ça ne me pose aucun problème ; qu'allez-vous penser là ? Simplement, il y a deux choses qui m'agacent :

1) Sous prétexte que je suis morte, les gens agissent comme si je n'existais pas.

2) Ces deux-là flirtent au-dessus du cadavre encore chaud de l'ange. Ils n'ont donc aucun respect pour les morts ? Non, bien sûr.

« Je lui parlerai », promet Lisabetta. Elle le regarde sous ses longs cils. « Dans quelques heures : elle ne reçoit jamais personne avant la tombée de la nuit. En attendant... je connais une ou deux manières d'occuper le temps... »

Angelo la regarde de bas en haut avec un air approbateur. Si j'avais encore un estomac, j'aurais envie de vomir.

« D'accord, accepte-t-il. Je n'ai rien de mieux à faire. Mon hôtel n'est pas loin...

— Eh, oh ! Temps mort, s'il vous plaît ! j'interviens, rageuse. Vous vous croyez où ? »

Angelo lève les yeux au ciel.

« Et toi, tu te crois où ? Tu vas finir par comprendre que tu es morte, oui ou non ? Assume, et ferme-la !

— Je suis peut-être morte, mais je ne suis ni aveugle ni sourde, je te signale ! Et ma conception de la vie après la mort n'inclut pas de te voir t'envoyer en l'air avec ta petite copine. Or, je suis obligée de rester près de toi, malheureusement ! »

Il claque la langue, furieux.

« Le fait que tu n'aies plus de vie n'implique pas que les autres ne puissent pas en avoir non plus. Alors fiche-moi la paix, tu veux ? »

Pendant que nous nous disputons, Lisabetta nous dévisage à tour de rôle. Elle semble consciente de ma présence pour la première fois.

« Ce fantôme est lié à toi ? s'exclame-t-elle, ahurie.

— Oui, mademoiselle *Je-connais-une-ou-deux-manières-d'occuper-le-temps* ! Et pour ton information, Angelo est mon ancre, ce qui veut dire que c'est mon démon, que ça me plaise ou non, et que tant qu'il faudra que je le suive partout, ce genre de divertissements devra attendre, d'accord ? Parce que tu m'en vois désolée, mais l'ami Angelo fait partie d'un lot, et dans le pack, il y a un petit cadeau : moi ! »

Lisabetta éclate de rire.

« Elle est jalouse ! Je n'ai jamais rien vu de plus drôle ! »

Je sens la colère grandir en moi. Ce n'est pas cette rage incontrôlable qui me secouait parfois, quand j'étais encore vivante, et qui était probablement liée à une poussée d'hormones due à l'adolescence. C'est... autre chose. Il s'agit d'un sentiment qui vient de loin, de très loin ; de toute la douleur que je n'ai pas exprimée, que j'ai essayé d'ignorer depuis ma mort, mais qui n'a jamais disparu.

« Je ne suis pas jalouse, et ça n'a rien de drôle ! » j'explose. Les deux démons portent leurs mains à leurs tempes avec une grimace. « En quoi est-ce amusant d'être morte ? Tu crois que j'ai envie de rire quand je vois des gens se promener dans la rue, profiter du soleil, de l'air, du contact humain ? Tu t'imagines que tu peux venir me narguer sous prétexte que tu es vivante, que tu le seras probablement pour l'éternité, que tu peux batifoler, que tu peux séduire le premier venu devant un pauvre fantôme que personne n'a serré dans ses bras depuis sa mort, et même avant ? Eh bien moi, je ne l'admets pas ! Tu n'as aucun droit de te moquer de moi ! Quant à toi... » Je me tourne vers Angelo et soudain, la fureur me quitte. Je ne ressens plus qu'une immense lassitude, une fatigue profonde qui n'a rien à voir avec un quelconque état physique. Comme si, tout à coup, mon âme était en plomb. « Fais ce que tu veux, je conclus platement. Je peux sûrement m'éloigner suffisamment pour que tu n'aies pas besoin d'agir sous mon nez et de me prouver à quel point tu es vivant. De toute façon, tu n'as pas besoin de quelqu'un d'autre pour ça. Tu le fais continuellement, tous les jours. »

Pathétique, je sais. Durant tout ce temps, je me suis efforcée de ne pas pleurnicher, de ne pas m'apitoyer sur mon sort, de ne pas montrer ma faiblesse face à ce maudit démon malencontreusement devenu mon ancre... Et voilà que je me suis humiliée non seulement face à lui mais aussi face à la frivole démone qui compte bien l'attirer dans son lit.

Tant pis. Ou plutôt, tant mieux pour eux. Qu'ils passent du bon temps. Quant à moi, toute dignité perdue, je n'ai plus qu'à me retirer. Je m'élève de plus en plus haut, jusqu'à surplomber les toits de Florence, sans me retourner une seule fois. Je mets un maximum de distance entre nous, tout en sachant que je devrai m'arrêter tôt ou tard. Effectivement, il ne faut pas longtemps avant que je ressente cette sensation familière, cette force qui me tire en arrière. Comme un chien au bout de sa laisse, je n'ai plus qu'à m'arrêter pour ne pas trop m'éloigner de mon maître. Je ne peux plus avancer : une espèce d'angoisse m'oppresse, comme si mon essence allait se désintégrer si je parcourais un mètre de plus.

Découragée, je descends et je rejoins le fleuve de touristes qui traverse le Ponte Vecchio. Je m'assois sur le garde-corps, mes pieds fantomatiques au-dessus de l'eau. Personne ne me remarque. Une touriste américaine prend le paysage en photo à travers moi, comme si je n'étais pas là. Je ne crois pas que la technologie numérique soit capable de détecter un ectoplasme, mais il serait intéressant de voir si, sur ces photos, il y a quelque chose, un nuage, une lumière... n'importe quoi qui dénonce ma présence. Mais non, bien sûr que non. Elles seront splendides et parfaitement nettes, c'est certain. Ni elle, ni son appareil photo ne peuvent me voir. Seuls les anges et les démons le peuvent, et ils m'ignorent. Après tout, je suis morte.

Je ferme les yeux, et je me laisse pour la première fois envahir par la douleur qui me poursuit depuis le soir où j'ai été assassinée.

Il n'est pas si facile d'accepter sa propre mort. On peut faire semblant de ne pas y attacher d'importance, ou même en plaisanter, mais quand on prend le temps d'y songer, la mélancolie surgit, semblable à mille poignards acérés. On voit les gens rire, parler, se toucher... toutes ces choses qu'on ne peut plus faire.

Depuis que je me suis retrouvée en train de flotter dans l'appartement d'Angelo, je meurs d'envie que quelqu'un me prenne dans ses bras. Je rêve qu'on m'embrasse, je rêve de pouvoir verser des larmes amères sur une épaule amie, de pleurer sur mon sort, sur celui de mon père, sur tout ce que j'ai perdu. Mais je ne suis qu'un fantôme, et cela m'est désormais interdit.

Je ne vais pas m'abaisser à demander à un démon de me consoler, mais j'ai mal, si mal... Et je me sens horriblement seule. La seule personne auprès de qui je pourrais m'épancher se moque complètement de mes sentiments.

Pourquoi n'est-ce pas un ange qui m'est échu comme ancre ? Ou quelqu'un d'un peu plus compréhensif, un poil plus empathique ?

C'est comme ça. Et ce lien avec un démon est le plus terrible de tout. Je voudrais pouvoir le couper et flotter librement, mais cela signifierait être perdue pour toujours, comme ces pauvres fantômes égarés dans les lambeaux de leurs souvenirs, en proie à une douleur insoutenable. Je ne veux pas de ce destin.

Tant que je n'aurai pas trouvé la manière de passer par le tunnel de lumière, il me faudra donc rester attachée à une ancre vivante. Mais encore une fois, pourquoi fallait-il absolument que ce soit un démon ?

Je me sens comme un naufragé sauvé par un requin, un jour où il n'y avait aucun dauphin dans les parages. Tant que je demeure accrochée à son aileron, je suis certaine de ne pas me noyer, mais il est susceptible à n'importe quel moment de se retourner et de me mettre en pièces... Et j'ai beau redouter et détester le requin, je ne peux pas l'abandonner.

Tiens, en parlant du requin...

« Tout va bien ? » me demande Angelo.

Je ne me retourne même pas. Il s'accoude au parapet et regarde le paysage.

« Qu'est-ce que ça peut te faire ? je murmure.

— Je ne savais pas que c'était si dur. D'être morte, je veux dire.

— C'est ça. »

Qu'il ne s'avise pas de faire ami-ami avec moi. Quand un requin sourit, on voit toutes ses dents.

« Ce n'est pas ma faute si tu es liée à moi. Je vais essayer de t'aider, mais tu ne peux pas exiger que je ne songe qu'à tes sentiments et tes besoins. »

Qu'est-ce que je vous disais ?

« Laisse tomber, d'accord ? Tu n'es qu'un démon. Je le savais déjà. Exiger que tu fasses preuve de tact serait trop te demander. Au fait, pourquoi n'es-tu pas avec Lisabetta ? Je ne suis plus là pour me mettre en travers de votre route, pourtant.

— Je crains que ton intervention théâtrale nous ait coupé l'envie de nous divertir.

— Tu m'en vois désolée ! j'ironise, sarcastique.

— La bonne nouvelle, c'est que nous n'aurons pas à attendre. Elle a changé d'avis : elle va nous emmener voir Madonna Costanza ce soir même. C'est ce que je suis venu te dire.

— Ça m'étonnait aussi que tu viennes juste voir comment j'allais. »

Il pousse un soupir exaspéré.

« Mais enfin, je suis en train de t'aider, qu'est-ce que tu veux de plus ? Je suis venu en Italie uniquement pour en apprendre davantage au sujet de la mort de ton père, une affaire qui ne me concerne absolument pas. Je fais tout ça pour toi !

— Pour te débarrasser de moi, je corrige.

— Quelle est la différence ? Toi aussi, tu veux partir !

— Il y en a une, même si tu es trop mesquin pour le comprendre. Le motif et l'objectif, ce n'est pas la même chose. Nous avons les mêmes objectifs, mais ton motif n'a rien de généreux. D'un autre côté, à quoi d'autre pouvais-je m'attendre de la part d'un démon ?

— Eh oui, c'est comme ça. La générosité, la bonté, la compassion et tous les trucs de ce style sont tombés exclusivement du côté des anges, le jour de la Création. Que veux-tu que j'y fasse ? »

Je souris malgré moi.

« Peut-être que vous avez été des anges un jour, vous aussi, et que vous l'avez oublié.

— Non. Sinon, de l'union entre deux démons naîtraient des anges. L'essence démoniaque est gravée en nous, et nous la transmettons à notre descendance.

— Le péché originel aussi se transmet de père en fils, selon certaines religions.

— Encore un bobard inventé par les anges pour justifier leur théorie selon laquelle nous étions comme eux autrefois. Personne ne peut être tenu pour responsable de péchés commis par de lointains ancêtres.

— Mais pourquoi voudraient-ils croire que vous êtes des anges déchus ?

— Parce qu'ils ne nous comprennent pas, Cat. Ils ne peuvent pas admettre que nous soyons destructeurs par nature et que nous ayons toujours été comme ça. Ils sont convaincus que nous avons dû commettre quelque terrible erreur à un moment donné : ils trouveraient trop horrible que nous soyons ainsi sans qu'il y aille de notre faute. Pour eux, il est inconcevable que Dieu, s'il existe, ait pu créer quelque chose d'aussi maléfique que nous. Or, si Dieu ne nous a pas créés, d'où venons-nous ? C'est là leur dilemme : si nous faisons partie de la Création de Dieu, il n'est pas pure bonté ; et s'il n'est pas responsable de notre existence, il n'est pas omnipotent. L'histoire de la chute de Lucifer n'est donc qu'une tentative de se rapprocher de nous, de nous comprendre. Au moins, ils font des efforts », conclut-il avec un soupir.

J'ose enfin poser la question qui me brûle les lèvres.

« Mais vous êtes réellement si... mauvais ? »

Il me regarde longuement.

« Oui. Je suis désolé. »

Il ne s'excuse pas pour lui, mais pour moi. Il ne peut pas avoir honte de ce qu'il est ; mais il le regrette, à cause de moi. Je comprends soudain qu'il est parfaitement conscient de ne pas être l'ancre rêvée pour une jeune fille. Il sait qu'il va me faire souffrir, qu'il ne pourra pas s'en empêcher, et il le déplore.

« Peut-être que toute la bonté n'est pas du côté des anges, finalement. Tu es tout de même capable d'éprouver un peu de compassion. Juste un petit peu. »

Il hausse les épaules.

« Quand on vit aussi longtemps aux côtés des humains, on finit par les apprécier. Et je dois reconnaître que tu me plais davantage que la plupart de ceux que j'ai connus. Comme si tu étais plus proche, plus réelle.

— Peut-être parce que je vous connais bien mieux que la plupart des gens.

— Peut-être. »

Je ferme les yeux. Mon requin a décidé de cacher ses dents, aujourd'hui. Mais ne te méprends pas sur son compte, Cat. Il a beau sembler aussi amical qu'un dauphin, ce n'en est pas un.

Ce n'en est pas un.

11

Lisabetta vient nous chercher alors que le soleil s'enfonce déjà derrière les collines. Elle conduit une belle voiture bleue.

« Vous êtes prêts ? » demande-t-elle en arrêtant le véhicule devant nous.

Pour toute réponse, Angelo s'assoit à ses côtés. Je traverse la fenêtre et m'installe sur le siège arrière. Lisabetta me regarde dans le rétroviseur ; ses yeux lancent des étincelles rouges.

« Salut, Cat ! » fait-elle avec un large sourire.

Je ne prends pas la peine de lui répondre. Elle s'est changée : elle porte désormais une petite robe noire qui lui laisse les épaules découvertes. Elle est très élégante, comme si elle s'était apprêtée pour une occasion spéciale. Laquelle ?

« Madonna Costanza vit-elle très loin ? demande Angelo.

— Elle possède une villa dans les collines. Nous y serons en moins d'une demi-heure.

— Je ne comprends pas pourquoi elle a abandonné son *palazzo*. Elle en était très fière.

— Tu n'as pas entendu parler de l'inondation de 66 ? Le fleuve a débordé, et le *palazzo* était trop près. Madonna Costanza a perdu des meubles, des bijoux et des objets précieux d'une valeur inestimable. Elle ne s'en est pas encore remise. »

Angelo semble amusé, mais j'ai le sentiment qu'il n'oserait pas arborer cet air réjoui devant la propriétaire du *palazzo* dévasté. Cette Madonna Costanza doit être une démone redoutable.

« Et qu'est-ce qui vous amène à Florence... précisément maintenant ? » demande Lisabetta.

Je ne comprends pas ce qu'elle veut dire par ce « précisément maintenant ». Angelo non plus : il a l'air intrigué. Mais il répond :

« D'après ce que j'ai compris, il y a ici des démons qui croient à ce que raconte le Livre d'Hénoch et qui vénèrent la mémoire d'Azazel. Nous sommes à leur recherche. »

Lisabetta se met à rire.

« Vraiment ? Je sens que Madonna Costanza va trouver ça passionnant ! »

— Pourquoi ? » demande Angelo, inquiet. Mais Lisabetta ne répond pas et continue à ricaner.

« C'est vous, peut-être ? j'interviens malgré mes bonnes résolutions. Madonna Costanza a-t-elle quelque chose à voir avec le culte de Samyaza et Azazel ?

— Tu es une maligne, toi, hein ? Ce doit être de famille. »

Cette allusion à mon père me fait bondir, à tel point que c'est tout juste si je ne sors pas de la voiture par le toit.

« Que... que sais-tu à mon sujet ? Sais-tu qui a tué mon père ?

— C'est à Madonna Costanza qu'il faudra poser vos questions, fait-elle d'un air faussement innocent. Je ne suis que son humble servante. »

Je commence à me demander si nous ne sommes pas en train de nous jeter dans la gueule du loup. Je lance un coup d'œil à Angelo, mais il a les yeux fixés sur Lisabetta. J'espère qu'il n'est pas sous son charme au point de ne pas pressentir le danger. Allez, Angelo, tu es plus futé que ça ! Ne te laisse pas avoir ! S'il s'agit d'un piège, il va falloir que tu sois sur tes gardes !

« Très bien, prononce-t-il posément. Ça tombe bien, car j'ai une foule de questions à lui poser. »

On dirait qu'il a compris. En fait, on dirait même qu'il a encore plus de soupçons que moi, comme s'il devinait quelque chose qui m'échappe. Mais quoi ?

Enfin, Lisabetta emprunte une petite route bordée de vignes qui débouche sur un grand bâtiment rectangulaire, très imposant. Elle s'arrête devant la grille. Je ne la vois appuyer sur aucune télécommande, et aucun vigile ne garde l'entrée, mais le portail s'ouvre pour nous laisser passer.

Nous sommes attendus.

Lisabetta se gare devant la porte principale, à laquelle on accède par un grand escalier. La demeure est immense, sobre, antique. Une petite tour se dresse à l'une des extrémités. La façade, couverte de lierre, est au minimum centenaire. On distingue derrière la maison un jardin sauvage, laissé à l'abandon.

« Bienvenue à la Villa Diavola ! » fait Lisabetta.

Il ne manquait plus que ça. Un nid de démons !

Un majordome nous ouvre ; c'est un humain, et je passe devant lui sans qu'il me voie. Il nous conduit le long d'un couloir tapissé de rouge. Nous montons un escalier, longeons un autre couloir... Nous croisons plusieurs personnes sur notre passage. Certaines sont humaines, d'autres sont des démons qui nous regardent avec curiosité, mais sans hostilité... pour l'instant.

Nous entrons enfin dans une grande salle aux murs couverts de tapisseries antiques. Les fenêtres donnent vers l'ouest, et la lumière dorée du crépuscule y pénètre à flots. Ici aussi, il y a toute une foule d'humains et de démons. Les humains semblent exercer un emploi de domestiques ; les démons s'amusent, bavardent, plaisantent.

On dirait une cour royale. Effectivement, une personne est assise sur un trône face à nous. Ses vêtements sont passés de mode depuis des siècles, comme si depuis tout ce temps elle n'avait pas pris la peine de mettre le nez hors de sa petite forteresse, ou comme si elle se moquait totalement que le monde ait changé autour d'elle. Pourtant, on a l'impression que sa vie l'ennuie. À en juger par la manière dont elle est affalée sur son siège et la langueur avec laquelle elle saisit occasionnellement un grain de raisin de la grappe que lui tend une fille sur un plateau d'argent, je devine que cette démone est lasse de son existence immortelle. Ses énormes ailes obscures pendent le long du dossier de son trône comme une cape de velours noir.

Madonna Costanza.

Je sais que je devrais concentrer toute mon attention sur elle, mais je viens de remarquer quelque chose. La fille agenouillée devant le trône, celle qui porte le plateau... son visage m'est familier. Je jurerais l'avoir déjà vue quelque part, mais où ?

« Madonna, annonce Lisabetta, je vous présente le jeune Angelo, qui aimerait vous poser quelques questions au sujet d'Azazel. »

Elle dit ça avec un sourire en coin, comme une *private joke*. Ce doit en être une, car les autres démons échangent des regards amusés et complices. Certains examinent Angelo avec l'air de se demander combien de minutes il lui reste à vivre, comme s'il s'agissait d'un agneau venu interroger un loup affamé. Ça ne me plaît pas du tout, mais alors pas du tout du tout.

Madonna Costanza se redresse sur son siège. Angelo s'incline.

« Je vous présente mes respects, Madonna.

— Le jeune Angelo », répète-t-elle. Sa voix est lente, calme, posée ; j'ai pourtant la sensation que cette démone cache une douleur secrète, une angoisse tellement intense qu'elle imprègne la moindre de ses paroles. « Tu cherches Azazel ? » Elle sourit avec amertume. « Azazel... Un démon qui a défié les règles, autrefois. Un démon qui a cherché du plaisir chez des créatures interdites et engendré une race maudite… Et a été durement châtié pour cette faute. »

Un lourd silence règne désormais sur la salle. Plus personne ne sourit. Lisabetta elle-même a baissé les yeux, et il me semble qu'elle tremble.

« Tu cherches Azazel, dis-tu ? Eh bien, tu l'as trouvée. »

Angelo la regarde avec ahurissement. Moi aussi. Azazel existe donc ? C'est le nom antique de Madonna Costanza ? Qu'y a-t-il de vrai dans le Livre d'Hénoch ? Azazel a-t-elle été punie pour avoir entretenu une relation trop étroite avec des humains ? Elle me rend mon regard. Elle me sourit, même. Mon étonnement va croissant : il est inhabituel que les démons me prêtent attention.

« En général, poursuit-elle, je ne tolère pas qu'on me rappelle le passé. Je préférerais l'oublier. Malheureusement, quelqu'un a consigné mon histoire par écrit, et ma disgrâce ne sera jamais effacée. Je me console donc en tuant tous ceux qui osent prononcer mon nom antique en ma présence. »

Angelo se raidit. Je comprends maintenant l'attitude des autres démons. Il est venu retourner le couteau dans la plaie, et ils attendent de voir quelles tortures Madonna Costanza va lui infliger pour lui faire payer son audace.

Je commence à me sentir coupable. Je sais, je sais : c'est un démon, et même si on l'écorche vif, il l'aura certainement mérité. Mais il est ici par ma faute, et je n'avais pas l'intention de le faire tomber dans les mains d'une démone rancunière.

Madonna Costanza reprend la parole :

« Cependant, jeune Angelo, je te suis redevable. Voilà pourquoi je te pardonnerai ton outrecuidance et je répondrai à tes questions.

— Vous m'êtes redevable ? répète Angelo, dérouté, tandis qu'un murmure de déception s'élève parmi les courtisans. De quoi ?

— De me l'avoir ramenée. » Madonna Costanza sourit, se lève et me regarde droit dans les yeux, comme s'il n'y avait personne autour de nous. « Ma petite Caterina... Où étais-tu pendant tout ce temps ? Ça fait quinze ans que je te cherche... Je suis désolée que nos retrouvailles n'aient pas eu lieu avant qu'il ne soit trop tard pour toi. »

C'est impossible. Elle ne peut pas avoir dit ça. Si j'avais encore des poumons, j'aurais le souffle coupé.

Ses yeux... Je n'arrive pas à cesser de les regarder. Des yeux si douloureusement familiers. Derrière l'éclat rougeâtre propre aux démons, je distingue parfaitement leur couleur naturelle.

Vieil or.

« Vous... vous... ne...

— Je ne quoi ? Je ne suis pas ta mère ? Je crains fort que si, Caterina. »

Je me remets juste assez de ma surprise pour balbutier :

« Vous... vous mentez. Ma mère était humaine. Elle... elle est morte. »

Madonna Costanza – Azazel – hausse un sourcil.

« Vraiment ? C'est ce que t'a dit ton père ? Je suis très étonnée que ce cher Iah-Hel t'ait trompée. Il était incapable de proférer un mensonge. »

Je ne supporte pas qu'elle parle de mon père sur ce ton mi-ironique mi-dédaigneux. La colère me redonne des forces :

« C'est bien la preuve que vous ne dites pas la vérité. Il ne m'a jamais...

— Il ne t'a jamais dit que ta mère était humaine, complète-t-elle. Ni qu'elle était morte. C'est toi qui es arrivée toute seule à cette conclusion. Parce que effectivement, ton père ne mentait jamais. Mais il était expert dans l'art de ne pas dire toute la vérité. Oh oui, ça lui réussissait très bien ! » dit-elle avec amertume.

J'ouvre la bouche pour répliquer, mais je la referme aussitôt.

Azazel a raison. Mon père ne m'a jamais parlé de ma mère. Il ne m'a jamais dit qu'elle était humaine. C'est quelque chose que j'ai toujours considéré comme évident. Ce ne pouvait pas être un ange, sinon j'en aurais été un moi-même ; et il était totalement inconcevable que ce puisse être un démon. Par élimination, ce ne pouvait donc être qu'une femme. Et puisque mon père devenait triste quand il était question d'elle et qu'elle n'était pas avec nous, elle était certainement morte. Il ne m'est jamais venu à l'esprit que mon père ait pu la quitter volontairement : il l'aimait tant.

Voilà pourquoi je sais qu'Azazel raconte n'importe quoi. Je fouille désespérément ma mémoire à la recherche de quelque chose qui puisse prouver que ce n'est pas ma mère, qu'elle ne peut pas l'être, d'aucune manière. Comment pourrais-je être la fille d'un démon ? Comment mon père aurait-il pu... Non, ce ne peut pas être vrai.

Azazel pousse un profond soupir.

« Dehors, tout le monde. Ma fille et moi avons à nous parler. Pas toi », ajoute-t-elle. Je me retourne et constate qu'elle s'adresse à Angelo, qui tentait de se retirer discrètement en même temps que les autres. « Crois-tu que j'ignore ce qui se passerait si tu t'éloignais d'ici ? Tant que son âme est parmi nous, je n'ai aucune intention de perdre à nouveau ma petite Caterina.

— Mais... » commence à protester Angelo.

Avant qu'il ait pu ajouter un mot, le voilà cerné d'épées démoniaques. Lentement, il lève les mains, le visage déformé par la rage.

« Tu seras mon invité aussi longtemps que je le désirerai, poursuit Azazel. Lisabetta, conduis Angelo dans la chambre spéciale. »

Lisabetta s'incline devant sa maîtresse avec un sourire presque angélique.

« Bien, Madonna. »

Les yeux d'Angelo se sont plissés jusqu'à se transformer en fentes rouges qui regardent Lisabetta avec haine. Elle hausse les épaules, désinvolte. J'avais raison de ne pas lui faire confiance. Mais cette idée ne me réconforte nullement. Je vois Angelo sortir, toujours menacé par plusieurs épées, et pendant un moment, mon inquiétude à son sujet prend le pas sur ma crise familiale.

« Un instant ! Où l'emmenez-vous ? » Comme personne ne me répond, je me précipite vers lui en criant : « Ne lui faites pas de mal ! »

La voix d'Azazel m'arrête :

« Du calme, Caterina. Personne ne lui fera rien. J'ai tout intérêt à le conserver en vie si je veux te garder à mes côtés. D'ailleurs, comme je l'ai déjà dit, j'ai une dette envers lui. Je veux juste m'assurer qu'il reste ici.

— Et si moi, je n'ai pas envie de rester ?

— Tu n'as pas le choix. Tu ne peux pas t'éloigner de ton ancre. Et si tu ne coopères pas, il est possible que ma reconnaissance envers lui se dissipe... Or, tu peux me croire, je connais de très nombreux moyens de torturer un démon sans le tuer. J'en ai fait personnellement l'expérience pendant soixante-dix-sept mille ans. »

Ces derniers mots ne sont qu'un sifflement, un chuchotement, mais je les ai entendus, et j'en ai la chair de poule. Je n'ai plus qu'à espérer qu'elle dise vrai, et que personne ne s'attaque à Angelo tant que je me montrerai raisonnable. Azazel semble deviner mes doutes, car elle ajoute :

« Ne t'en fais pas. Nous ne lui ferons rien si ce n'est pas strictement nécessaire. On dirait que tu ressens une certaine affection envers lui.

— Affection ? je répète, indignée. Pas du tout ! Simplement, moi aussi je lui dois beaucoup. Il m'a aidée. Mais c'est tout. En fin de compte, c'est un... »

Je ne termine pas ma phrase. Azazel sourit.

« ... démon ? » complète-t-elle.

Je garde le silence.

« Approche. »

Elle se tient debout devant une fenêtre. Les dernières lueurs du crépuscule jouent avec sa silhouette, sa splendide chevelure rousse, ses ailes noires, ses yeux dorés. Nous sommes seules, et la salle énorme et vide est presque sinistre.

« Ma petite fille... tu sais si peu de choses à ton sujet. » Pendant un moment, sa voix me semble pleine de tendresse. « On t'a maintenue dans l'ignorance. On t'a caché ta propre histoire. Si on t'avait dit toute la vérité, si tu étais restée près de moi... tu serais encore vivante. Je n'aurais jamais laissé quiconque t'assassiner. »

Je ferme les yeux, mais ma perception de fantôme continue à la voir, là, devant la fenêtre. Je n'ai pas confiance en elle. Je ne crois pas un mot de ce qu'elle me dit. Mais elle est prête à répondre à mes questions, et j'ai immensément besoin de réponses. Même si ce sont des mensonges. Cela vaut mieux que rien du tout.

Je flotte vers elle et je me tiens à ses côtés. Elle m'examine longuement.

« Voilà donc à quoi tu ressemblais quand tu étais vivante, murmure-t-elle. La dernière fois que je t'ai vue, tu étais un bébé. Tellement petite, tellement fragile. Tellement parfaite.

— Si vous êtes vraiment ma mère et que vous m'aimez, pourquoi nous avoir abandonnés ? »

Elle rit, et ses petites dents brillent comme des perles à la lueur du coucher de soleil.

« Ça non plus, on ne te l'a pas dit ? Je ne vous ai pas abandonnés. C'est ton père qui est parti. Et il t'a emmenée. Il t'a enlevée. » Ses yeux lancent des éclairs. Elle ne sourit plus ; sa voix est sourde, menaçante.

« Vous devez vous tromper, je plaide, désespérée. C'est absurde. Comment puis-je être la fille d'un ange et d'un démon ? »

En proie à une autre de ses brusques sautes d'humeur, Azazel se met à rire comme une possédée.

« Ah, Caterina, tu es si naïve. Tu ne te rappelles donc pas ? Non, bien sûr, comment le pourrais-tu ? Tu n'existais pas à l'époque. Personne ne s'en souvient, sauf moi. Samaël aussi s'en souviendrait... s'il était encore vivant. » Ces derniers mots se terminent par un gémissement. Elle est folle à lier, il n'y a pas d'autre explication. « Comment peux-tu être la fille d'un ange et d'un démon ? Tout simplement parce que vous l'êtes tous, Caterina. Tous. »

Je ne comprends pas ce qu'elle veut dire. Elle a dû rester si longtemps enfermée ici qu'elle a perdu la boule. Est-elle en train d'essayer de me faire croire qu'il y a eu d'autres unions entre des anges et des démons ? C'est déjà difficile d'admettre que ça puisse être arrivé une fois...

« Tu connais le Livre d'Hénoch, n'est-ce pas ?

— Oui », fais-je, soulagée. Nous sommes enfin en terrain connu. « Ce qu'on dit à votre sujet est donc vrai ? C'est vous, l'Azazel dont il est question dans ces pages ?

— Moi-même. Mais tout ce que raconte cet ouvrage n'est pas fidèle à la réalité. Tout le monde a tout oublié... mais pas moi. »

Si le Livre d'Hénoch contient un fond de vérité, je ne suis pas étonnée qu'elle s'en souvienne. D'après le livre, l'ange Azazel a été durement puni pour avoir entretenu des relations avec des humains, et il s'est changé en démon. Est-ce la mère de tous les autres démons ? Est-ce pour cela qu'elle est la seule à se rappeler leurs origines ?

Inutile de faire des conjectures. Autant écouter sa version. Je sens que nous sommes parties pour une longue conversation.

« Que s'est-il passé exactement ? Est-il vrai que vous étiez des anges, que vous avez eu des relations avec des humains, et que vous avez été déchus ? »

Les yeux d'Azazel reluisent dans la pénombre.

« Non. À ce moment-là, les humains n'existaient pas. Le monde était beau et plein de vie. Les anges luttaient pour le conserver, tandis que nous autres nous efforcions de l'abîmer. C'était l'époque de l'apogée de la guerre entre les anges et les démons, de l'invention des épées, de la lutte entre Michel et Lucifer pour la domination du monde.

« Tout commença le jour où je me trouvai engagée dans un duel contre un ange. Comme toujours, nous luttions à mort, et comme toujours, aucun de nous deux ne savait quoi que ce soit au sujet de l'autre. Nous n'étions qu'un ange et un démon, un point c'est tout.

« C'est lui qui remporta la victoire. Mon épée tomba loin de moi, la sienne m'effleura. Je le contemplai avec défi, attendant la mort.

« Mais il fit quelque chose de surprenant. Il regarda autour de lui, examina tristement le bois que j'étais en train d'arracher quand il m'avait rencontrée, et me demanda simplement : "Pourquoi ?" »

Azazel fait une pause. J'écoute passionnément. Je ne me demande déjà plus si c'est vrai ou faux : je veux connaître la fin de l'histoire. Comme dit Angelo, *se non è vero, è ben trovato.*

« Cet ange s'appelait Samaël, poursuit-elle à voix basse. Il ne me tua pas, ni ce jour-là, ni les suivants. Il guérit mes blessures, il prit soin de moi... et pendant tout ce temps, il apprit à me connaître et s'efforça de me comprendre. Il voulait savoir pourquoi les démons détruisent la beauté que les anges voient dans le monde. Je tâchai de lui expliquer que c'était là notre essence, notre nature. Je crois qu'il finit par l'admettre.

« Nous décidâmes qu'il était absurde de continuer à lutter. Nous nous retirâmes dans une région isolée, un très beau coin de ce qui est actuellement l'Afrique, pour vivre, tout simplement. Quand j'invoquais le feu, l'orage, l'ouragan ou un tremblement de terre, Samaël détournait le regard ; quant à moi, je m'interdisais de toucher à ses lieux favoris. À ses côtés, je ressentais quelque chose qu'aucun démon n'avait jamais pu m'apporter : je me sentais complète.

« Bientôt, d'autres anges et démons se joignirent à nous. Eux aussi avaient abandonné la lutte et opté pour la paix, pour la vie ensemble, pour l'acceptation de l'autre. Les anges admettaient que nous étions là pour détruire, et nous admettions qu'ils étaient là pour réparer. Et nous comprenions tous qu'il était important qu'il en soit ainsi.

« Avec le temps, notre petite communauté prospéra. Des enfants naquirent. Ils ne ressemblaient pas aux humains d'aujourd'hui ; ils étaient plus grossiers, plus simiesques. C'est logique : nous n'avions d'autre référence que ce qui existait sur Terre, et au moment de prendre un corps, nous nous étions inspirés de ce qui nous entourait. Prendre l'aspect de primates ne nous gênait pas : nous pouvions adopter n'importe quelle apparence et revenir à l'état spirituel quand nous le désirions.

« Le problème, c'est que nos enfants ne possédaient pas ce don. Ils ne pouvaient ni se transformer, ni passer à l'état spirituel. Ils étaient liés à la matière.

« Nous ne pouvions donc pas les dissimuler indéfiniment. Pendant quelques milliers d'années, nous vécûmes avec eux et leur enseignâmes tout ce que nous savions. Ils étaient lents, mais ils apprirent petit à petit, et nous nous aperçûmes que leur potentiel était immense. Des anges, ils avaient hérité la compassion, la créativité, le respect pour leurs semblables ; des démons, le désir de détruire, de tuer lorsque c'était nécessaire à leur survie, de transformer le monde selon leurs besoins. Avec tout ça, ils pouvaient atteindre des extrêmes totalement hors de portée pour nous. Ils possédaient le meilleur des deux espèces. Ils étaient destinés à nous surpasser, à devenir les maîtres de la Création.

— Attendez un instant ! Vous êtes en train d'insinuer que les humains descendent d'un... croisement entre les anges et les démons ?

— Insinuer ? Je n'insinue rien du tout. J'affirme.

— Mais... c'est absurde !

— Pourquoi ? N'êtes-vous pas capables d'éprouver plus d'amour et de compassion qu'un ange, et plus de méchanceté et de cruauté qu'un démon ?

— Mais... mais... et Dieu, dans tout ça ? »

Azazel sourit.

« J'aimerais pouvoir répondre à ta question, mais ma mémoire ne remonte malheureusement pas si loin, dit-elle simplement.

« Les humains ne nous ont pas totalement oubliés. Presque toutes les cultures véhiculent des mythes où l'on raconte que les humains descendent d'un premier couple formé par deux êtres différents : un représentant de la lumière, du soleil, de l'ordre... et un autre de l'obscurité, de la lune, du chaos. L'histoire d'Adam et Ève y renvoie également. Adam parle avec Dieu, Ève avec le serpent... Adam et Lilith... »

Je secoue la tête, abasourdie.

« C'est une version ridicule des origines de l'humanité. Sans compter que si les choses s'étaient passées comme ça, la guerre entre les anges et les démons aurait pris fin depuis longtemps.

— Ah, Caterina, tu n'as pas encore deviné ? Nous étions une minorité. Et les autres se montrèrent tout sauf ravis quand ils découvrirent d'où provenait la nouvelle espèce.

« Je me rappelle ce jour comme si c'était hier. D'autres moments de ma vie se sont effacés de ma mémoire comme s'ils n'avaient jamais existé, mais ça... ça... je ne l'oublierai jamais. »

Elle fait une pause et inspire profondément. Je me demande combien de fois elle a raconté cette histoire, et si c'est moins douloureux aujourd'hui que la première fois. On dirait que non.

« Quelqu'un nous dénonça. Je ne sais toujours pas qui, ni pourquoi Michel et Lucifer l'apprirent presque en même temps. Mais ils se présentèrent ensemble dans notre petit refuge – et exceptionnellement, ils ne s'étaient pas réunis pour se battre.

« Tous deux considéraient que le péché que nous avions commis en unissant nos deux races était infiniment plus grave que de nous entretuer. Pour une fois, le Prince des Anges et le Seigneur des Démons se mirent d'accord sur quelque chose : nous devions être punis. Et chacun se chargea de sanctionner les siens. »

Nouvelle pause. Je retiens ma respiration – ou du moins, c'est ce que je ferais si je respirais encore.

« Lucifer ne voulut pas nous tuer. Tous les démons qui avaient osé entretenir une relation avec des anges devaient être punis, mais pas mis à mort. Lucifer estima que nous méritions une leçon. Il nous enferma et nous condamna à souffrir de terribles tourments qui durèrent pendant des millénaires. Soixante-dix-sept mille ans, dans mon cas. »

Dans mon esprit résonne soudain le texte du Livre d'Hénoch, aussi clairement que si je venais de le lire pour la première fois. Je récite à mi-voix :

« *Enchaîne Azazel par les pieds et par les mains et précipite-le dans les ténèbres. Ouvre le désert qui est à Dudael et jette-le dedans. Recouvre-le de pierres rugueuses et pointues, enveloppe-le de ténèbres, et qu'il demeure là à perpétuité. Recouvre son visage afin qu'il ne voie pas la lumière. Et le jour du Jugement dernier, jette-le dans les flammes.* »

Elle sourit.

« Dit comme ça, cela semble simple... mais ce fut bien plus terrible. Beaucoup, beaucoup plus, tu peux me croire. »

Je la crois. Je voudrais douter, mais je la crois.

« Et les anges ? Ont-ils été punis aussi durement ? Qu'est-il arrivé à Samaël ?

— Les archanges se montrèrent moins cruels que Lucifer, mais bien plus implacables. Ils châtièrent les traîtres de manière rapide, indolore, et définitive : l'épée de Ragouël les élimina un par un, sans humiliation et sans souffrance, Samaël le premier. Je suis le premier démon qui ait jamais pleuré la mort d'un ange. Peut-être est-ce la raison pour laquelle ma condamnation fut plus longue et plus dure que celle de mes compagnons. Depuis ce jour, je déteste Lucifer, et encore plus les archanges, en particulier Michel. »

Ses yeux étincellent. Je voudrais lui parler, mais je ne trouve rien à dire. Azazel me tourne le dos avec brusquerie et se met en marche. Ses ailes flottent derrière elle comme deux voiles de ténèbres.

« Suis-moi », m'ordonne-t-elle sans me regarder.

J'obéis. Ma supposée mère gravit l'estrade avec élégance, contourne le trône et écarte un pan de tapisserie qui couvre le mur. Une petite porte est dissimulée derrière. Azazel la franchit ; je traverse à mon tour mur et tapisserie.

Nous arrivons dans une grande pièce complètement vide... en dehors de la collection qui orne les cloisons.

Des épées.

Des centaines d'épées angéliques recouvrent le moindre centimètre carré de parois, du sol au plafond. Ce sont des armes imposantes, mais qui dégagent un sentiment d'horreur et de tristesse. À qui appartenaient-elles ? Combien d'anges sont morts de la main d'Azazel ou de ses serviteurs ?

« Il fut un temps où je tuais les anges pour le plaisir. Qu'importaient leur nom ou leur condition. C'était il y a très longtemps. Désormais, la plupart des anges me rappellent Samaël, et je suis incapable de lever mon épée sur eux. En revanche, les archanges... c'est autre chose. »

Elle me désigne deux emplacements vides sur le mur, au-dessus de la cheminée ; une place d'honneur visiblement destinée à deux épées spéciales.

« Ragouël a été emporté par la Plaie avant que je puisse lui régler son compte. Mais je sais qu'un jour je me trouverai face à Lucifer, et que je me vengerai de ce qu'il m'a fait. Un jour futur, j'affronterai aussi Michel pour venger la mort de Samaël... et quand j'accrocherai son épée là-haut... Ce jour-là, je serai enfin en paix. »

Je la regarde avec surprise. Lucifer l'a torturée pendant soixante-dix-sept mille ans, et pourtant, elle semble haïr encore plus Michel, qui a donné l'ordre d'exécuter son amant il y a... combien de temps ?

« Deux millions d'années », murmure-t-elle. Apparemment, mes pensées ont été suffisamment claires pour qu'elle les capte. « Peut-être trois... et alors ? Qu'est-ce que ça change ? »

J'essaie d'imaginer ce que peut représenter être âgé de plusieurs millions d'années et avoir contemplé l'évolution de l'espèce humaine depuis le début. Je n'y parviens pas. Comment est-il possible d'être d'aussi vieux ? Un étrange vertige me saisit. C'est trop. Elle ne peut pas se rappeler aussi clairement cette histoire, surtout si elle a vécu les pires tourments pendant soixante-dix-sept mille ans. Aucun esprit, si surnaturel soit-il, n'en ressortirait intact.

« Vous êtes folle, dis-je platement. Et de toute manière, je ne vois pas le rapport avec ma situation.

— Il y en a pourtant un, Caterina. Mais je n'ai pas terminé mon histoire. Je t'ai raconté ce qui est arrivé aux anges et aux démons qui ont engendré les premiers humains... mais pas ce qui s'est passé ensuite.

— Et que s'est-il passé ?

— Il y eut une grande polémique. Nous avions mis au monde une nouvelle espèce, une race qui n'appartenait pas à la Création originelle. Certains anges, et même certains archanges, militèrent pour l'élimination des humains : ceux-ci n'étaient selon eux qu'une abomination, le fruit d'une union monstrueuse qui n'aurait jamais dû avoir lieu... Mais les anges sont incapables de faire disparaître une espèce entière, comme ça, d'un coup. Leur instinct les porte à conserver, à protéger tout ce qui est vivant. Quant aux démons... les démons trouvèrent les nouveaux venus très distrayants. Ils nous condamnèrent à un châtiment terrible, mais ils furent enchantés par nos enfants, et se mêlèrent rapidement à eux, jusqu'à aujourd'hui.

« Pourtant, notre action ne nous valut que haine et mépris. Actuellement, la plupart des anges et des démons ont oublié ce qui s'est passé. La version la plus proche de la vérité est celle du Livre d'Hénoch, et bien entendu, c'est une version angélique. Notre petite communauté fut totalement oubliée, à tel point qu'aujourd'hui l'union entre un ange et un démon est impensable, d'un côté comme de l'autre. Voilà pourquoi, lorsque les anges relatèrent l'incident, ils le firent à leur manière, et inventèrent cette fable selon laquelle les démons étaient des anges ayant péché avec des humains... Ce que contredit l'histoire biblique, qui prétend que la chute de Lucifer se produisit bien avant la création de l'humanité, puisque le démon était déjà au paradis pour tenter Ève.

« Les démons savent, eux, qu'ils n'ont jamais été des anges, et que la Chute n'a jamais eu lieu. Mais la plupart d'entre eux ont oublié tout ce qui a trait à l'apparition des êtres humains sur la Terre. Je suis l'une des seules à m'en souvenir, parce que je m'efforce de ne pas l'oublier, de ne pas oublier Samaël... »

Elle se tait. Je ne sais pas encore comment accueillir toutes ces révélations. J'ai lu tant de choses, tant de versions différentes de la même histoire, que je ne me sens pas capable d'en croire aucune, même racontée par un démon tourmenté qui prétend être ma mère. Ce qui me fait penser à autre chose...

« Si c'est vrai, pourquoi auriez-vous recommencé avec mon père ? C'était un ange. Ne me dites pas que vous avez envie de passer à nouveau soixante-dix-sept mille ans en enfer !

— C'est lui qui s'est approché de moi. Un petit ange... si pur, si naïf... avec cet éclat dans le regard. Il ressemblait tant à Samaël. » Elle soupire. « Les choses ne sont plus comme autrefois, Caterina. Les anges et les démons ont bien d'autres problèmes, à présent. Nous pourrions reformer une communauté comme celle d'alors, et personne ne s'en soucierait.

Après tout, le fait d'engendrer des humains n'a plus rien d'exceptionnel : vous vous êtes répandus dans le monde entier comme de la mauvaise herbe. Et puis... pour moi, c'était un dernier acte de rébellion contre Lucifer. Recommencer ce pour quoi il m'a punie il y a si longtemps...

« J'ai cru que ton père voyait les choses de la même manière. Que son intérêt pour moi était sincère. Nous avons quitté Florence et nous nous sommes réfugiés à Capri, où tu es née. Bien plus jolie et plus parfaite que mes premiers enfants, ceux que j'ai engendrés il y a des millions d'années. J'espérais te voir grandir, mais ton père m'a trahie. Il t'a enlevée et t'a emmenée loin de moi. Je ne lui ai jamais pardonné.

— Il devait avoir ses raisons... »

Mais elle ne m'écoute pas :

« Je t'ai cherchée pendant quinze ans, Caterina. J'ai envoyé mes serviteurs dans le monde entier. Il y a quelques semaines, on m'a dit qu'on t'avait localisée en Europe centrale. On m'a amené une fille, mais ce n'était pas toi...

— Une fille ? » je répète.

Soudain, tout s'éclaire. La fille qui se trouvait dans la salle de réception, celle qui portait un plateau. Je sais où je l'ai déjà vue.

Walbrzych. La station-service. La gamine que j'ai croisée dans les toilettes. Celle qui a disparu sans laisser de trace.

Comment s'appelait-elle ? Ah oui : Aniela Marchewka.

« Aniela, oui, soupire Azazel. "Ange". Quelle ironie qu'on me présente une fille nommée ainsi, mais que ce ne soit pas toi ! Ils ne pouvaient pas savoir. Personne ne t'avait vue depuis que tu étais un bébé. Ton père te cachait bien. »

Les pièces du puzzle continuent à s'emboîter, les unes après les autres. Je les entends presque tomber, former le tableau de la terrible vérité que je cherche depuis si longtemps, mais que je voudrais désormais ne jamais avoir découverte.

Je sais enfin.

« C'est vous... vous qui avez tué mon père... » je balbutie, horrifiée.

Azazel hausse les épaules avec une indifférence insultante.

« C'est moi qui ai ordonné qu'on l'élimine, oui. Ce n'était qu'un traître et un hypocrite. Il a joué avec mes souvenirs, avec mes sentiments. Il a cherché mon point faible, il a réussi à me convaincre de l'accepter à mes côtés... Alors que sa seule intention, c'était de me séduire pour me faire engendrer un enfant métis.

— C'est faux ! Mon père n'était pas comme ça ! Vous... vous êtes un monstre ! » je hurle. Je suis si furieuse que mon ectoplasme grimpe en flèche jusqu'au plafond.

Azazel rit, encore une fois.

« Tu devrais te sentir flattée, Caterina. L'unique chose que voulait ton père, c'était toi. Tu étais la seule personne qui comptait pour lui, celle pour laquelle il a lutté pendant les dix-sept dernières années de sa vie. Et celle pour laquelle il est mort. Mes informa-

teurs m'ont dit que tu voulais le venger. Que tu cherches son assassin depuis longtemps. Eh bien, voilà,
tu l'as trouvé. Je suis là. Qu'as-tu l'intention de faire
maintenant ? »

12

on esprit fourmille de pensées illogiques et contradictoires. Parmi elles se détache la voix de Hanbi, à Berlin, quand il a cité la phrase du Livre d'Hénoch :

« ... *Azazel : impute-lui tous les péchés.* »

Je n'avais pas réalisé qu'il m'avait donné alors la réponse que je cherchais, même si c'était sous forme d'énigme. Maintenant, je sais que c'était elle, qu'elle ne ment pas. J'ignore si son histoire fantastique au sujet des origines de l'humanité a un fondement ou non, mais je suis sûre qu'elle a ordonné la mort de mon père, et presque certaine que c'est réellement ma mère.

Je m'en fiche. Je ne l'ai pas connue, je n'ai aucun souvenir d'elle. Pour moi, c'est la criminelle qui a tué mon père, un point c'est tout.

« Je... je vais vous tuer ! »

Elle renverse la tête en arrière et rit à gorge déployée.

« Et comment comptes-tu faire une chose pareille, ma fille ? »

Je ferme les yeux. Je ne suis que trop consciente de mon impuissance. Angelo ? Je repousse immédiatement cette idée. Je ne peux pas exiger cela de lui. De toute façon, quelles seraient ses chances contre un démon aussi antique et puissant qu'Azazel ?

« Mais pourquoi ? je demande d'un ton désolé.

— Comment ça, pourquoi, Caterina ? Pour toi, bien sûr. Pour que nous puissions enfin être ensemble. Mes premiers enfants sont morts il y a deux millions d'années, tout comme mes petits-enfants, mes arrière-petits-enfants... J'espérais donc pouvoir profiter de ta compagnie pendant le reste de ta très brève existence mortelle. Je n'avais pas envisagé que tu mourrais si jeune, et crois-moi, je retrouverai ton assassin... Mais après tout, cette situation a aussi des avantages. Maintenant que tu n'as plus ton corps mortel, tant que ton ancre est ici, nous pourrons rester ensemble ! »

Je recule, horrifiée.

« Je ne veux pas rester avec vous. Que vous soyez ma mère ou non, je vous déteste ! »

Elle rit, comme si mes sentiments ne lui faisaient ni chaud ni froid. Elle a tant souffert au cours de sa vie que la douleur d'un jeune esprit humain lui paraît probablement infime comparée à la sienne, un grain de sable dans l'immensité du désert. Personnellement, je ne vois pas les choses ainsi. Je m'en vais brusquement, et j'entends encore son rire qui résonne dans mon dos tandis que je traverse le mur et que je m'enfonce dans les couloirs de la villa. Je veux sortir d'ici. Je veux sortir d'ici !

J'ai terriblement envie de pleurer, mais je suis un fantôme. Je n'ai plus de larmes.

Je parcours les corridors sans faire attention aux gens que je croise. Les humains ne me voient pas, et les démons ne font pas attention à moi. Personne n'essaie de me retenir quand je traverse le toit et que je sors à l'air libre, sous une nuit noire tombée presque par surprise sur Florence.

Pourquoi me retiendraient-ils, d'ailleurs ? Je ne peux pas aller bien loin. Mon lien avec mon ancre me freine à quelques mètres de la grille d'entrée. Je reviens en arrière, résignée.

Azazel a fait tuer mon père. Elle affirme également être ma mère, et le comble, c'est qu'elle prétend que tous les humains proviennent d'un croisement entre anges et démons ayant eu lieu il y a des millions d'années. C'est une folie.

Presque sans m'en rendre compte, j'ai suivi le fil qui me relie à Angelo. Je détecte sa présence derrière une porte fermée à double tour. Je ressens un drôle de frisson en traversant le mur. Je n'y prête pas garde : Angelo se trouve de l'autre côté.

C'est une petite chambre, sans fenêtres et sans meubles. Un démon n'en a pas besoin, certes, mais ce dénuement n'est pas digne d'un invité. Angelo est assis par terre au milieu de la pièce, enveloppé dans ses ailes noires, le visage caché dans ses genoux. Je m'avance doucement vers lui.

« Angelo ? »

Il lève la tête. Ses ailes s'écartent un peu et me laissent voir ses yeux rouges.

« Tu vas bien ?

— J'ai connu mieux.

— On t'a fait du mal ?

— Non, mais je suis prisonnier. Fait comme un rat. C'est la première fois que ça m'arrive. Personne n'avait jamais réussi à me capturer.

— Mais je croyais qu'on ne pouvait pas enfermer un démon, puisqu'ils peuvent passer à l'état spirituel à volonté... Tu ne peux pas te dématérialiser ? » je demande, inquiète : la perte de cette capacité est l'un des premiers symptômes de la Plaie.

« Bien sûr que si, je peux, si je veux. Pour qui me prends-tu ? Pour un ange pathétique ?

— Eh, oh, ne t'énerve pas !

— Le problème, c'est les murs. Et la porte aussi. Tu sais ce qu'il y a dedans ? » Je secoue la tête. « Utilise donc ta perception de fantôme. Il faut bien qu'être morte te serve à quelque chose ! »

J'ignore son ton hargneux — en fin de compte, Angelo est la personne la plus proche d'être mon ami dans toute la Villa Diavola ; ça ne veut pas dire grand-chose, mais c'est toujours mieux que rien — et je me concentre sur les parois.

Ah. Je vois. Il y a comme une grille logée entre deux murs de briques, un treillis qui ressemble à...

« Des épées entrecroisées ?

— Des épées angéliques de la collection d'Azazel. Dans tous les murs, le plafond, le plancher, et même la porte. Une barrière formée du seul matériel qui peut me tuer. Si je retourne à l'état spirituel pour traverser un mur, je mourrai. » Il me lance un regard plein de rancœur. « Au moins, si je dois rester prisonnier ici, j'aimerais savoir pourquoi. Que t'a raconté Azazel ? C'est vraiment ta mère ? »

J'acquiesce lentement.

« Il y a de fortes chances que ce soit vrai. Mais ce n'est pas le pire. C'est elle que je cherchais. C'est elle qui a fait tuer mon père. »

Je lui résume ce que m'a raconté Azazel. Angelo m'écoute en silence.

« Elle est toquée, pas vrai ? je conclus. Il est impossible qu'elle dise la vérité.

— Il est probable qu'elle ait perdu la raison, oui. Ça arrive parfois aux anges et aux démons les plus vieux. Trop de choses à garder en mémoire, trop pour un esprit rationnel. Il est inévitable qu'ils finissent par oublier, ou confondre, ou réinventer leur propre passé. Cela dit, son histoire n'a rien d'absurde.

— Tu crois que des anges et des démons auraient pu coucher ensemble ? »

Angelo fait une grimace éloquente.

« Oui, je sais, c'est dégoûtant. Mais techniquement, ça n'a rien d'impossible. Et il faut reconnaître que les humains ont toujours été un mystère pour nous. Nombreux sont ceux qui affirment que vous êtes un élément extérieur.

— Un quoi ?

— Que vous ne faites pas partie de la Création, je veux dire. Réfléchis : vous n'acceptez pas le monde tel qu'il est, vous n'assumez pas le rôle qui vous incombe, vous ne vous contentez pas de chasser ou d'être chassés. Les anges protègent le monde, nous le détruisons. Vous... vous le transformez, comme si ce n'était pas un monde à votre mesure, comme si vous ne l'appréciiez pas tel qu'il est... comme si vous n'étiez pas à l'aise ici-bas.

« Les espèces changent, évoluent au cours des centaines de milliers d'années qu'elles passent sur la Terre. Mais elles occupent toutes une place dans le monde. Elles n'aspirent pas à le gouverner, elles ne le changent pas radicalement juste pour s'amuser, en ignorant les lois naturelles. Chez nous, dans les deux camps, il y a des gens qui affirment que vous ne pouvez pas être les enfants de Dieu, comme vous vous êtes autoproclamés. Pourquoi Dieu aurait-il créé une race capable d'anéantir en si peu de temps des milliers d'espèces qui ont mis des millions d'années à en arriver à leur état actuel ? Pourquoi aurait-il introduit dans son monde parfait des créatures comme vous ?

— Et c'est un démon qui dit ça ?

— Les démons sont destructeurs, c'est vrai, mais ils utilisent des éléments naturels. Le feu, les tornades, les volcans, les raz-de-marée, les tremblements de terre... Toutes choses déjà présentes dans la nature. Nous n'avons jamais rien introduit de neuf, parce que même nous, nous savons qu'il faut conserver un certain équilibre. Mais si vous étiez réellement nés de quelque chose d'aussi contre-nature qu'une relation entre des anges et des démons, les êtres les plus antagonistes de la Création... Alors votre attitude serait moins incompréhensible. Pense au mythe biblique : l'arbre de la connaissance du bien et du mal. Le péché originel. Tu te rappelles que nous avons dit qu'il était absurde qu'il soit transmis de père en fils ? Et si ce n'était pas si absurde que ça ?

— Tu veux dire que ce serait génétique ?

— La capacité de faire le bien, héritée des anges ; la capacité de détruire, héritée des démons. Deux principes totalement opposés réunis en un seul être, et en contrepartie, une punition divine...

— ... la mortalité. Les humains sont liés à la matière, contrairement à vous. »

Angelo hoche la tête.

« C'est tout de même drôle ! Si Azazel a raison, vous n'êtes pas les enfants de Dieu, comme vous le croyez : vous êtes ses petits-enfants !

— Ça n'a rien d'amusant ! Si nous étions un élément extérieur, comme tu dis, les anges ne nous auraient pas protégés, et ils ne se seraient pas mis en contact avec nous pour nous parler de Dieu.

— Ah, ça, c'est parce que la Troisième Loi de la Compensation est la moins connue de toutes.

— La troisième ? je m'étonne. Mais enfin, combien y en a-t-il ?

— Trois, c'est tout, répond-il en souriant. La première : "Quand un ange ou un démon meurt, un autre doit naître." La deuxième : "Il doit toujours y avoir autant d'anges que de démons." Et la troisième : "Tout corps étranger à la Création compromettrait l'équilibre du monde." Ce n'est pas une loi souvent citée, mais si elle dit vrai, tout se tient. Les humains ont rompu l'équilibre du monde de toutes les manières possibles et imaginables, ce qui signifie que vous devez être un corps étranger. Le démon qui m'a parlé de cette troisième loi avait pour théorie que vous étiez d'origine extraterrestre, conclut-il en riant.

— C'est ça. Attends un peu que je retourne dans ma soucoupe volante et que j'informe mes chefs sur ma planète natale. Nous reviendrons avec une flotte de millions de navettes spatiales, et vous verrez ce que vous verrez !

— Avoue que si Azazel dit la vérité, ses copains et elle n'ont fait aucun bien à la planète !

— Ah ça, ce groupe d'anges et de démons hippies qui ont décidé de faire l'amour et pas la guerre représente certainement la plus grosse catastrophe planétaire depuis l'extinction des dinosaures ! j'ironise. Écoute, si c'était vrai, et si les conséquences étaient si tragiques, mon père n'aurait jamais fait ça consciemment. »

Angelo hausse les épaules.

« Vous êtes déjà sept milliards d'humains sur la Terre, et personne ne peut rien y faire. Il a dû penser qu'un de plus ou un de moins... »

Je dresse l'oreille. Il vient de dire quelque chose qui a attiré mon attention.

« Personne ne peut rien y faire... Si ce n'est que Nébiros prépare un virus mortel dans l'intention d'éliminer l'espèce humaine ! »

Angelo me regarde fixement, réfléchissant.

« Et Nébiros voulait ta mort... Non parce que tu étais la fille d'un ange et d'une humaine, mais... par Lucifer, il le savait ! Il savait que ta mère était un démon, et c'est pour ça qu'il voulait te tuer !

— Pourquoi ? Qu'est-ce que ça a d'extraordinaire ? Si Azazel dit la vérité, tous les humains sont...

« — Non, Cat ! m'interrompt-il. Les *premiers* humains étaient les enfants d'anges et de démons. Il y a des millions d'années. Depuis, ils se sont reproduits entre eux, ils ont évolué... Mais toi, tu es différente. Tu n'es pas née de deux humains, comme tes semblables, mais tu as bu directement à la fontaine originelle... Tu as goûté à l'arbre de la connaissance du bien et du mal.

— Super. Je suis une nouvelle Ève. Honnêtement, tu trouves que je ressemble aux hommes préhistoriques ? J'ai l'air d'une femme de Néandertal ?

— Les Néandertaliens se sont éteints, Cat, me corrige-t-il. Ton espèce descend de l'homme de Cro-Magnon. Mais si Azazel a raison, je pense qu'il faut remonter plus loin. À l'*Homo habilis*, je dirais.

— Bref, tu trouves que je ressemble à ces gens-là ?

— Oublie l'aspect extérieur, Cat. Rappelle-toi que nous pouvons adopter n'importe quelle forme quand nous nous matérialisons dans un corps physique. Si tu es comme eux, c'est à l'intérieur. Même si je ne sais pas ce que ça veut dire... Et en fin de compte, tu t'en fiches, non ? Sauf erreur de ma part, ton but était de trouver le tunnel de lumière. Qu'as-tu l'intention de faire maintenant que tu sais pourquoi ton père est mort ?

— Bonne question. J'ai encore envie de me venger : même si Azazel est ma mère, elle a tué mon père, et je ne peux pas lui pardonner. Mais je dois reconnaître qu'il y a peu de choses que je puisse faire maintenant que je suis morte...

— Pas beaucoup moins que si tu étais encore vivante. » Il bâille. « Et si tu t'imagines que je vais être l'exécuteur de ta vengeance, tu peux t'ôter cette idée de la tête tout de suite !

— Ne t'en fais pas, je n'imaginais rien de tel. Je suis bien consciente que tu ne tiendrais pas deux secondes face à Azazel. »

Au lieu de se fâcher, il sourit.

« Dans ce cas, la seule chose qui te reste à faire est d'assumer ta propre mort une bonne fois pour toutes et demeurer en paix avec le monde. Peut-être que ça suffira pour que s'ouvre le tunnel de lumière ?

— Tu as vraiment très envie de te débarrasser de moi, hein ?

— Avoue que ta présence ne m'a posé que des problèmes. Enfin, c'est valable pour toutes les femmes...

— Je suis sûre que tu parles d'expérience ! fais-je, piquée. Tu as dû en connaître un certain nombre, je suppose !

— Puisque tu en parles... oui. J'ai même vécu avec l'une d'elles pendant toute sa vie.

— C'est vrai ?

— Absolument. » Il hausse les épaules. « Qu'est-ce que tu veux que je te dise ? Elle me plaisait, c'est tout. Mais nous n'avions pas mis les mêmes choses en jeu dans cette relation. Elle m'a consacré toute sa vie, alors que pour moi, ça n'a duré que le temps d'un soupir... Enfin, c'était il y a longtemps.

— Trop longtemps pour que tu t'en souviennes bien, non ?

— Ce dont je me souviens et ce que j'ai oublié ne te regarde pas. Concentre-toi sur le tunnel de lumière, d'accord ? Oublie ta vengeance et contente-toi d'avoir résolu le mystère de la mort de ton père. Réveille la partie angélique qui est en toi. Tu sais bien, la paix, l'harmonie, ce genre de truc.

— Pourquoi as-tu tellement hâte que je disparaisse ?

— Parce que tant que tu es dans ce monde et que je suis ton ancre, je resterai prisonnier de ta charmante maman. Et je ne sais pas si tu t'en rends compte, mais ça peut durer longtemps : des années, des siècles, des millénaires...

— C'est vrai. Ça me fait mal de l'admettre, mais tu ne mérites pas ça, en tout cas pas à cause de moi. » Je réfléchis. « En ce moment, je suis trop surprise et furieuse pour me sentir en paix avec moi-même, et encore moins avec ma mère, donc je crains que ça soit raté pour le tunnel de lumière ; mais je vais voir ce que je peux faire.

— Merci. » Angelo bâille encore une fois et s'allonge sur le carrelage. « En attendant, je vais dormir un peu, d'accord ? Ne fais pas trop de bruit.

— Mais, Angelo, tu n'as pas besoin...

— Je sais, coupe-t-il. Bonne nuit. »

Il ferme les yeux et ses ailes tombent sur ses épaules, l'enveloppant en un manteau d'obscurité. Je me tais. C'est la première fois que je le vois dormir. Je croyais qu'il ne le faisait jamais, mais apparemment, je me suis trompée. Même si les anges et les démons n'ont théoriquement pas besoin de repos, ils aiment peut-être le faire de temps en temps. Mon père sommeillait parfois, donc pourquoi pas Angelo ? Je n'ai aucune raison de penser qu'il est plus faible que d'habitude. À moins que la présence des épées angéliques cachées dans les murs ne l'affecte...

Je l'observe un long moment. Est-il possible qu'il ait vraiment vécu avec une humaine pendant toute sa vie ? D'accord, cela reste très court pour quelqu'un qui est né il y a plusieurs dizaines de milliers d'années, mais je trouve ça étonnant... Quoique ça ne le soit peut-être pas tant que ça : si Azazel ne ment pas, il y a quelque chose de démoniaque en chacun de nous.

Je ne veux pas ressembler à Azazel. Je refuse de croire qu'elle est ma mère. Pourtant, si son histoire est vraie, je ne suis pas si différente d'Angelo que je le croyais. Personne ne l'est.

J'essaie d'échafauder un plan, un projet, mais aucune idée brillante ne me vient à l'esprit. Inutile de songer à supplier Azazel pour qu'elle libère Angelo. Elle s'est mis dans la tête de me garder auprès d'elle, et elle sait qu'il ne resterait pas ici volontairement. Que puis-je donc faire d'autre ?

Soudain, une voix résonne en moi.

« Viens, Cat. »

Je sursaute et je parcours la pièce des yeux. Angelo dort encore, et il n'y a personne d'autre.

« Viens ! » répète la voix. C'est une voix profonde, impérieuse, effrayante, à tel point que j'en reste paralysée. Ça tombe bien, car je n'ai pas l'intention d'obéir.

« Sors de là, insiste la voix. Je dois te parler.

— Qui êtes-vous ? Et où ? »

L'inconnu se met à rire. C'est un rire dur, qui émet des vibrations négatives.

« Je suis quelqu'un qui te cherche depuis longtemps. Et je me trouve de l'autre côté de la porte, devant la chambre, parce que je suis un démon et que je ne peux pas traverser des murs truffés d'épées angéliques. C'est donc toi qui dois sortir si nous voulons nous parler.

— Peut-être, mais je ne suis pas sûre de vouloir vous parler, justement !

— C'est la dernière fois que je te l'ordonne ! rugit la voix, sur un ton qui me fait trembler de terreur. Sors de là ! »

Avant même de réfléchir, je suis en train de traverser la porte. Je ne peux pas désobéir à cette voix. Elle est trop terrible. Trop autoritaire. Trop...

Je retiens une exclamation de surprise et de frayeur.

C'est une ombre. Je pourrais même dire une Ombre, avec une majuscule. Sa forme est vaguement humaine, et il flotte dans l'air, tout comme moi. Sa silhouette, plus noire que le cœur de l'enfer, est parée de deux impressionnantes ailes semblables à celles d'une chauve-souris. Ses yeux sont rouges comme des braises.

La terreur me paralyse.

C'est un démon à l'état originel. Un démon sans corps. Un démon sous sa véritable apparence, celle que seuls ses congénères, les anges et les fantômes peuvent voir.

Voici donc la vraie nature de tous les démons. Y compris Azazel. Y compris Angelo.

« Tu es têtue », commente le nouveau venu. Je suis tellement apeurée que je me trouve incapable de répondre, mais il ne se formalise pas. Il doit être habitué à ce qu'on réagisse ainsi face à lui. « Je m'appelle

Astaroth ; les humains m'ont octroyé autrefois le titre de Grand-duc des Enfers. »

Astaroth ? J'ai bien entendu ? Il plaisante ? Ou bien suis-je en train de rêver ?

Astaroth est le nom de l'un des seigneurs démoniaques les plus puissants qui existent. Si, à un moment quelconque de l'histoire, quelqu'un s'est montré plus ou moins proche de monter sur le trône des enfers à la place de Lucifer, c'est Astaroth. Sa renommée et son pouvoir ne sont comparables à ceux de nul autre, excepté peut-être Belzébuth ou Bélial autrefois.

Et il est ici ! Dans la Villa Diavola ! Devant moi ! Il me parle !

Pourquoi ?

« Je n'aime pas perdre de temps avec des humains, ni me glisser en secret, comme un voleur, dans la tanière d'un démon tombé en disgrâce. Il faut donc que tu comprennes que si je l'ai fait, c'est qu'il s'agit d'une affaire de la plus haute importance. Est-ce clair ? »

J'acquiesce, mais mes neurones fantomatiques ont bien du mal à se rassembler.

« Sais-tu qui je suis ? » Je fais un faible signe affirmatif, mais il secoue la tête. « Je ne te parle pas de mon nom ou de ma position. Je te demande si tu sais quelle est ma relation avec toi. »

Relation ? Je suis morte de peur à la simple idée qu'il puisse exister une relation entre nous, de quelque nature qu'elle soit.

« C'est moi qui ai ordonné à Angelo, par l'intermédiaire de Hanbi, de te protéger. Quand les sbires de Nébiros t'ont tuée malgré tout, je l'ai chargé de découvrir qui était à l'origine de ta mort. Je voulais que tu vives, Cat. J'avais besoin de toi. Mais j'ai sous-estimé le pouvoir de mes ennemis. »

J'ai du mal à y croire. C'est donc Astaroth le chef d'Angelo ? Mais pourquoi diable aurait-il eu besoin de moi ?

« Grâce à Angelo, j'ai obtenu des informations très précieuses au sujet de l'identité et des projets de mes ennemis. Mais il me reste quelques éléments à régler. Il va falloir que vous travailliez pour moi encore une fois. »

Comme si nous avions jamais eu le choix !

« Il y a quelque chose que je voudrais que tu fasses avant que le tunnel de lumière ne s'ouvre pour toi. Quelque chose que seuls toi et Angelo pouvez mener à bien. Mais pour t'expliquer de quoi il s'agit, je dois te montrer quelque chose. Viens avec moi. »

Il s'élève, s'attendant que je le suive. Je réussis enfin à formuler quelque chose d'à peu près cohérent (bon, d'accord, à peu près seulement) :

« Mais mon ancre... Angelo... Je ne peux pas...

— Je vais te lier à moi pendant un moment. Voilà. »

Tout mon ectoplasme, mon essence, mon esprit — à vous de choisir — est parcouru d'un frémissement, et quelque chose me force à m'approcher d'Astaroth, comme si le Grand-duc des Enfers me tirait par la manche.

« Tu es prête ? » demande-t-il.

Sans attendre ma réponse, il se met à voler, et moi à sa suite.

« Voler » est un euphémisme pour définir ce que nous sommes en train de faire. Nous nous déplaçons à la vitesse de la lumière. La Villa Diavola, Florence, l'Italie, l'Europe sont loin en quelques centièmes de seconde à peine. Une lueur bleue : c'est tout ce que je distingue de l'océan. Je n'ai pas encore compris ce qui m'arrivait que nous sommes déjà au-dessus d'une exubérante jungle vers laquelle nous descendons de plus en plus lentement.

Heureusement que je n'ai plus d'estomac : je n'ose imaginer ce qu'il ferait en ce moment même !

J'observe les alentours. Nous sommes devant les ruines d'une grande pyramide en terrasses. Inca ?

Astaroth capte mon interrogation :

« Maya.

— Que... que venons-nous faire ici ? »

L'ombre d'Astaroth glisse doucement sur les pierres couvertes de mousse.

« Je suppose qu'Azazel t'a raconté pas mal de choses », dit-il. Il n'a plus l'air fâché : sa voix est presque aimable.

« Elle m'a dit qu'elle a tué mon père, qu'elle était elle-même ma mère, et que les humains descendent d'une union entre les anges et les démons. Mais je ne sais pas si je dois la croire. »

Je m'attends qu'il confirme ou réfute cette histoire, mais je suis déçue :

« C'est ce qu'elle prétend, en effet. D'autres anges et d'autres démons disent la même chose. Personne ne peut savoir ce qu'il y a de vrai derrière tout cela, car nous avons tout oublié.

— Mais alors, ça veut dire qu'elle ment ?

— Deux choses sont sûres : Azazel est ta mère, et c'est elle qui a fait tuer ton père. En ce qui concerne l'origine de ta race, je ne suis pas la bonne personne pour te répondre.

— Alors qui ? »

Astaroth tourne vers moi ses yeux de braise. Je jurerais qu'il sourit.

« Le seul qui se rappelle tout ce qui s'est passé. Tout, dans les moindres détails.

— Lucifer ? » Une autre idée me vient, encore plus fascinante : « Dieu ?

— Ni l'un ni l'autre. Lucifer a oublié depuis longtemps le secret que cachent les restes de cette pyramide, et si quelqu'un sait quelque chose au sujet de Dieu, c'est la personne qui se trouve à l'intérieur. »

Sur quoi il traverse le mur et disparaît. Je ne le suis pas tout de suite. M'enfoncer avec le Grand-duc des Enfers sous une pyramide en ruine ne me semble pas une très bonne idée. D'accord, théoriquement il ne peut me faire aucun mal, mais...

Néanmoins, je n'ai pas vraiment le choix. La chaîne invisible qui m'unit à Astaroth me tire et m'oblige à franchir le mur à mon tour.

Je me retrouve dans le noir complet. En tant que fantôme, je suis parfaitement capable de me diriger dans la nuit la plus épaisse, mais cette obscurité m'effraie. L'air est oppressant, chargé d'angoisse, comme si personne n'était venu ici depuis des siècles. C'est probablement le cas, d'ailleurs. Nous sommes entrés en traversant un mur. Astaroth n'a sûrement pas fait ça pour m'en mettre plein la vue, mais tout simplement parce qu'il n'existe aucune entrée. Le lieu vers lequel nous nous dirigeons est totalement scellé, comme une tombe. Comment quelqu'un peut-il vivre ici ?

J'observe mon guide avec appréhension. Il a beau faire noir comme dans un four, je distingue parfaitement sa silhouette, plus sombre que les ténèbres les plus profondes.

Ce n'est pas une pensée agréable. Je suis en train de suivre un puissant démon le long d'un tunnel en pente raide qui semble descendre droit vers l'enfer.

Astaroth a dû capter mes pensées, car il rit :

« Tu n'as pas tout à fait tort, jeune humaine. Les Mayas croyaient que c'était l'antichambre de Xibalba, l'autre monde. Ils ont vu un héros fort et sage pénétrer dans ce tunnel, et comme il n'en est jamais ressorti, ils ont muré l'entrée. Personne ne l'a rouverte depuis mille cinq cents ans.

— J'imagine qu'il y a deux possibilités : soit c'était un humain et il y est mort, soit c'était l'un de vous, et il est ressorti sous sa forme d'esprit, sans que personne puisse le voir.

— Ni l'un ni l'autre. »

Nous descendons, encore et toujours, vers le cœur de la pyramide. Nous sommes certainement sous le niveau de la terre depuis longtemps, mais Astaroth continue à avancer. Il suit le tunnel et traverse parfois des murs ou des éboulis qui barreraient le passage à n'importe quelle créature ayant un corps. Mais rien ne peut nous arrêter, et démon et fantôme poursuivent imperturbablement leur route vers Xibalba.

« Qu'y a-t-il là-dessous ? » je demande, de plus en plus inquiète.

À mon avis, le héros dont il est question dans la légende n'est jamais sorti parce qu'il n'est jamais entré, tout simplement. Va savoir quelles bêtes désagréables il doit y avoir, là-dedans ! De quoi y réfléchir à deux fois, même quand on est un héros fort et sage.

« La réponse à la plupart de tes questions », me déclare Astaroth.

Contrairement à ce que vous pourriez croire, ça ne me rassure pas du tout.

Enfin, le tunnel s'élargit jusqu'à former une grande salle. Comme tout l'intérieur de la pyramide, elle est plongée dans l'obscurité la plus complète ; mais ma perception de fantôme est capable d'en distinguer tous les détails, des magnifiques peintures ornant les murs à la splendide mosaïque du sol, en passant par les toiles d'araignée qui se déploient comme des voiles dans chaque coin de la pièce. Je ne veux pas savoir quel genre d'insectes peut créer des toiles pareilles, et dans le noir encore.

Au centre de la salle, assis sur un trône de pierre, se trouve quelqu'un.

À première vue, il a l'air mort. Ses vêtements sont en lambeaux, comme s'il ne s'était pas changé depuis des siècles. Il a les yeux fermés, et son visage est pâle, émacié, comme celui d'un homme incroyablement vieux. Ses cheveux blancs sont si longs qu'ils couvrent une bonne partie du sol à ses pieds, mêlés aux toiles d'araignée qui ont envahi la pièce et s'étendent jusqu'au trône. N'importe qui dirait que c'est une momie, oubliée ici depuis des temps immémoriaux.

Mais ce n'est pas une momie. Ce n'est pas un cadavre. C'est un être vivant.

Je le sais parce que son corps émet une faible lueur.

Ce n'est pas possible.

Je m'approche pour mieux voir.

Ce n'est pas possible. C'est un ange.

Ce que j'ai pris pour une longue chevelure n'en est pas une. Ce sont de grandes ailes de plumes enchevêtrées, qui ont dû être colorées il y a très longtemps, mais qui ont pris une teinte gris fané. Non, ce ne sont pas des ailes de lumière, comme celles de tous les anges que j'ai vus jusqu'ici. Ce sont de véritables ailes, reliques d'une époque révolue, de mythes et de merveilles, où les anges et les démons adoptaient souvent des formes ailées pour se montrer devant les humains.

Et cet ange qui a cheminé parmi les mortels sous la forme d'une imposante créature ailée...

... c'est le héros qui est entré dans la pyramide et qu'on n'a plus jamais revu. Il n'est pas mort à l'intérieur, et il n'est pas sorti sous sa forme immatérielle. Il est resté enfermé ici. Et cela fait mille cinq cents ans qu'il s'y trouve.

« Que lui est-il arrivé ? Pourquoi n'est-il pas sorti ? Il ne peut pas revenir à l'état spirituel ? Qui l'a enfermé ici ? Il faut l'aider ! »

Un torrent de pensées déferle en moi. Beaucoup de questions sans réponse, et une angoisse terrible pour le prisonnier angélique, couvert de crasse et de toiles d'araignée, qui a vu passer les jours, les années, les siècles du haut de son trône de pierre.

« Du calme ! fait Astaroth. Il est ici de sa propre volonté. C'est lui-même qui s'est enfermé ici, et il a eu tout le temps de passer à l'état spirituel pour s'échapper s'il avait voulu. Or, même s'il est désormais prisonnier de son corps, il refuse de sortir. Je lui ai offert de l'aider quand je l'ai trouvé, et il a décliné ma proposition.

— Mais... mais... pourquoi ? je demande, atterrée.

— Pour la mémoire. Quand les anges ont commencé à perdre la mémoire, l'un d'eux a décidé qu'il ne laisserait pas la sienne se corrompre avec d'autres souvenirs, et il a choisi de s'enterrer pour préserver intact tout ce qu'il savait. Michel et Lucifer étaient au courant de sa présence ici, car il a sacrifié sa vie pour conserver la mémoire des deux races, la mémoire du monde. Depuis lors, il n'a laissé aucune nouvelle information pénétrer dans son esprit. Pour lui, les ruines que nous avons vues au-dehors sont toujours une ville maya prospère. Sa mémoire historique s'est arrêtée il y a mille cinq cents ans. En revanche, il se rappelle tout ce qui s'est passé avant. Depuis le début des temps.

— Mais dans ce cas, comment est-il possible que les anges et les démons aient oublié leurs origines, puisqu'il est ici pour la leur raconter ? »

Astaroth sourit.

« Il ne se doutait pas combien l'amnésie frapperait tous ceux qui se trouvent au-dehors. »

L'angoisse et l'horreur me saisissent à nouveau.

« Ils l'ont oublié ici ! Ils ont oublié qu'il était là ! » J'observe le pauvre ange avec compassion. « Qui est-ce ?

— Métatron. La voix de Dieu. »

Je suis clouée sur place.

Métatron. Le Roi des Anges. Le plus puissant de tous.

Je secoue la tête. Trop de révélations d'un coup. J'essaie de mettre de l'ordre dans mes pensées :

« J'ai entendu parler de Métatron. Je croyais que c'était un mythe. On dit que c'est le roi des anges, mais en pratique, ça a toujours été Michel qui commandait...

— Parce que Métatron ne s'est jamais intéressé à la guerre contre les démons. Ça n'a jamais été un guerrier. C'était le plus grand de tous les anges, et son travail consistait à connaître la Création de Dieu dans tous les détails. La moindre graine qui germait, le moindre insecte qui mourait... Rien ne se passait sans que Métatron le sache. Ce n'était pas le roi des anges parce que c'était le plus puissant, mais parce que c'était le plus savant.

— C'*était* ? » je répète.

Astaroth me regarde avec ses yeux de braise. Je devine un sourire sardonique sur son visage intangible.

« Il a un retard de mille cinq cents ans à rattraper, me rappelle-t-il. Je ne suis pas sûr qu'il soit prêt à affronter le monde moderne. Les choses ont beaucoup changé depuis son époque.

— Je vois.

— Approche-toi, et parle-lui, jeune mortelle. Pose-lui n'importe quelle question au sujet du passé. Il te répondra, et tu auras plus d'une surprise. »

Hésitante, je m'approche du trône de pierre.

« Bonjour. Je m'appelle Cat. »

Immédiatement, deux doutes me viennent à l'esprit :

1) Cela a-t-il un sens de dire « bonjour » à quelqu'un qui est plongé dans une nuit perpétuelle depuis un millénaire et demi ?

2) Un ange comme lui acceptera-t-il de discuter avec un simple fantôme tel que moi ?

Mais Métatron lève son visage cadavérique et dirige vers moi des yeux totalement blancs, sans iris ni pupille. Je comprends aussitôt qu'il ne peut pas me voir. Pas avec ses yeux, en tout cas, même s'il doit détecter facilement ma présence. Lui aussi est victime de la Plaie. Sinon, son corps ne serait pas aussi mal en point.

« Parle, âme égarée », dit-il simplement.

Je tressaille. Sa voix ressemble à un râle, à un sifflement d'agonie qui s'échappe de ses lèvres crevassées, comme si la moindre parole lui coûtait un effort titanesque. Je me tourne vers Astaroth, indécise, mais celui-ci secoue la tête, m'interdisant tout retrait. Que dois-je faire ? Bien sûr, je meurs d'envie de connaître la vérité, sans compter que j'ai tout intérêt à obéir à Astaroth, mais d'un autre côté, j'ai pitié de ce pauvre ange et je refuse de le faire parler plus que nécessaire. D'ailleurs, vais-je aimer ce qu'il a à me dire ?

Je ferme les yeux. Ce serait le moment idéal pour prendre une profonde inspiration, mais comme je ne peux plus le faire, je me contente de compter jusqu'à trois avant de rouvrir les yeux et de demander :

« Vous rappelez-vous réellement tout, depuis le début des temps ?

— Non. Je me rappelle l'histoire de la Terre depuis l'apparition de la vie. Parce que nous sommes nés avec elle.

— "Nous" ?

— Les anges et les démons. Les gardiens et les destructeurs. L'ordre et le chaos. La stabilité et le changement... »

Il prononce chaque mot avec difficulté, et je hoche énergiquement la tête pour lui signifier que je comprends, qu'il n'est pas nécessaire qu'il fasse d'autres efforts. Mais il semble éprouver le besoin de continuer jusqu'au bout :

« La lumière et l'obscurité », conclut-il en un souffle.

Je suis venue lui poser des questions sur l'origine des humains, mais je ne peux pas laisser passer une telle occasion :

« Et où était Dieu, à ce moment-là ?

— Là où il est maintenant. Là où il a toujours été.

— Au ciel ? »

Ses lèvres desséchées esquissent un sourire.

« Partout. Dans la vie elle-même. Dans le monde. Dans chacun de nous. »

Ce n'est pas la réponse à laquelle je m'attendais, et je suis un peu déçue. J'espérais qu'il me désigne un emplacement concret, ou qu'il me dise simplement « Dieu n'existe pas », pas qu'il évoque une notion aussi abstraite que « partout ».

« Dieu est tout, poursuit Métatron. Dieu est sa propre Création. »

Mouais. Astaroth m'a dit que c'était un sage, mais va savoir s'il n'est pas devenu gâteux à force de rester enfermé. Il a peut-être l'esprit embrouillé. À moins qu'il n'ait pas compris ma question.

Mais je me rappelle soudain que mon père a passé plus de dix ans à chercher Dieu, et qu'il a fini par délaisser les temples en faveur des espaces naturels vierges. Il cherchait Dieu dans ce qui restait de sa Création. Dans ces rares endroits que les humains n'avaient pas encore détériorés.

Et si Métatron avait raison ? Et si mon père avait eu la bonne intuition, à la fin de sa vie ?

Bon, c'est trop compliqué pour moi, donc il vaut mieux passer à un sujet moins épineux.

« Et d'où vient le premier être humain ? A-t-il été modelé dans de l'argile ? Descend-il du singe ?

— Il est né de la Trêve, répond Métatron. Des groupes d'anges et de démons ont vécu ensemble. Les premiers humains étaient leurs enfants. »

Je secoue la tête. Même si c'est Métatron lui-même qui me le dit, j'ai encore du mal à y croire.

« Il coule donc en nous du sang démoniaque ?

— Et du sang angélique. Vous êtes les enfants de l'équilibre. Votre espèce a provoqué de grandes destructions au cours de votre histoire, mais vous êtes aussi capables de conserver et de cultiver ce monde, peut-être même mieux que nous, les anges. »

Je commence à me dire qu'il vaut mieux qu'il ne ressorte jamais de sa pyramide. S'il voyait ce que nous avons fait de la planète depuis qu'il s'est enfermé ici, il changerait certainement d'opinion à notre sujet.

« Vous nous avez appelés les "enfants de l'équilibre". Qu'est-ce que ça veut dire exactement ? Ce sont les anges qui représentent l'équilibre, et les démons la destruction, non ?

— Non. » Il prend une profonde inspiration pour se préparer à un long discours. « Le monde a toujours été ainsi, depuis l'apparition de la vie. Les créatures naissent et meurent. Aucune créature ne peut survivre sans s'alimenter d'une autre, directement ou indirectement. Pour que certains êtres vivent, d'autres doivent mourir. Les anges sont au monde pour que les créatures vivent. Les démons sont là pour qu'elles meurent. Si les anges n'existaient pas, la Terre finirait par devenir une planète morte. Si les démons n'existaient pas, la vie se multiplierait de manière incontrôlée, et la planète ne pourrait plus subvenir aux besoins de tous. Nous sommes les deux plateaux de la balance. L'existence des uns et des autres garantit l'équilibre du monde.

— Les démons ne sont donc pas des anges déchus ?

— Ils ne l'ont jamais été. Mais les anges aiment tant la vie que nombre d'entre eux refusent d'admettre que l'existence des démons soit nécessaire à l'équilibre du monde. Moi, je le sais, je le comprends, et je l'accepte. Parce que j'étais là, et je me souviens.

— Vous étiez où ?

— Là où est apparu le premier organisme vivant. Je suis né en même temps que lui. Et le premier démon est né quand un organisme vivant est mort pour la première fois. Nous sommes les esprits de la naissance et de la mort, de la conservation et du changement. Nous sommes les émanations de Dieu, créées lorsque la surface de la Terre a commencé à se modifier et s'est transformée en monde vivant. »

Je l'écoute avec fascination.

« Et ce premier démon... c'était Lucifer ?

— Non. Je ne sais pas ce qu'est devenu ce premier démon. À l'époque, nous n'avions pas de nom. Lucifer est celui qui a entamé une guerre ouverte contre les anges, longtemps après. Michel est le premier à lui avoir répondu. Mais ce n'est pas la fonction pour laquelle nous avons été créés. Même si nos intentions sont opposées, nous ne sommes pas au monde pour lutter. Nous aidons le monde à prospérer, eux le détruisent. C'est ainsi que cela doit être. »

J'ai du mal à assimiler tout ça. Et il y a quelque chose qui m'étonne :

« Mais si vous le savez... Pourquoi avez-vous laissé les anges et les démons lutter pendant si longtemps ? »

Il rit, d'un rire qui ressemble à une toux asthmatique.

« Je suis le plus vieux de tous les anges. J'ai tout oublié, depuis très, très longtemps. Un jour, j'ai tourné le dos aux combats et j'ai cherché le moyen de retrouver mes connaissances perdues. Je me suis fondu avec le monde, et pendant des dizaines de milliers d'années, je suis devenu oiseau, arbre, insecte, mammifère ; reptile, poisson, champignon, herbe, amphibien. J'ai tout été, et j'ai tout réappris. Quand je suis revenu à l'état spirituel, le monde avait beaucoup changé, et les êtres humains l'avaient envahi. Pour ne plus rien oublier, je me suis fait enfermer dans cette pyramide, afin de transmettre mon savoir aux anges, aux démons, ou même aux humains qui voudraient me poser des questions. Mais rares sont ceux qui sont venus me consulter. Ils se sont habitués à croire que le monde est tel qu'ils se l'imaginent, et ils refusent de connaître la vérité. »

Métatron se tait, épuisé. Je ne veux plus le faire parler. Il n'a plus de forces, et que pourrais-je lui dire ? Que si personne ne vient, ce n'est pas parce que anges et démons repoussent la vérité, mais parce qu'ils ont oublié qu'il était là ?

« Je crois que ça suffit pour aujourd'hui », chuchote Astaroth dans mon dos.

Je recule un peu.

« Merci, Métatron. J'espère vous revoir un jour. »

Il ne répond pas, mais il sourit avant de se laisser retomber sur son trône de pierre. Et tandis que je m'éloigne derrière Astaroth, j'ai la terrible certitude que je ne le reverrai plus jamais.

« Ce n'est pas ce que j'espérais entendre ! j'avoue alors que nous quittons la salle.

— Et encore, tu ne sais pas tout. Il y a des choses que Métatron ignore, des choses que nous avons comprises longtemps après qu'il s'est enfermé ici. »

Je me tourne vers lui, méfiante. D'un côté, j'ai envie de savoir ce qu'il a à me dire, mais de l'autre, je ne dois pas oublier que c'est un démon, et que même s'il se montre aimable, il m'a amenée ici de force...

... pour me permettre de faire la connaissance d'un ange.

Bon, d'accord. C'est décidé. Je vais l'écouter.

« Quel genre de choses ?

— Au sujet des humains. Les "enfants de l'équilibre". C'est ce qu'ils étaient... au début. Mais bien vite, ton espèce a... comment dire ? a penché vers l'un des côtés de la balance. »

Je ne demande pas lequel. C'est facile à deviner.

« Et pourquoi ?

— Parce que au cours de l'histoire de l'humanité, de très nombreux démons ont mêlé leur sang au vôtre. Par lubricité, par ennui... Génération après génération, il y a toujours eu des démons qui ont laissé leur semence en quelque être humain. C'était beaucoup plus rare chez les anges. Et maintenant, vous êtes encore plus dangereux que nous, les démons, parce que votre sang angélique est de plus en plus dilué, alors que votre hérédité démoniaque est de plus en plus forte... et parce que rien ne vous arrête. Les démons sont cruels et destructeurs, mais ils ne sont jamais allés à l'encontre des lois naturelles, parce que les anges étaient là pour les en empêcher. Vous, vous n'avez personne pour vous poser des limites. Et vous êtes en train de détruire le monde. En quelques siècles à peine, vous avez fait pire que les démons depuis des millions d'années.

— Vous devez être contents, je réplique, sarcastique.

— La plupart d'entre nous, oui, mais ceux qui ont la vue moins courte se rendent compte que c'est une catastrophe. Tu as entendu Métatron. Les démons sont nés lorsque le premier organisme vivant est mort. Quand il ne restera plus rien de vivant sur cette planète, nous n'aurons plus rien à détruire ; nous ne serons plus nécessaires, et nous disparaîtrons. Cela se profile déjà à l'horizon. La Plaie qui a décimé les anges fond déjà sur nous. C'est de là que vient cette maladie. C'est vous qui êtes en train de tuer les anges.

— Nous ? C'est trop fort ! C'est vous qui assassinez les anges depuis toujours ! Comment pourrions-nous être responsables de la disparition des anges alors que la plupart des humains ne savent même pas qu'ils existent ?

— Parce que vous êtes en train de détruire la planète, Cat. Des milliers d'espèces se sont éteintes à cause des humains. Des millions de créatures sont exterminées par vous tous les jours. Les anges respirent la vie. Plus la planète est malade, plus ils le sont eux-mêmes. La Création se meurt, et les anges meurent avec elle. Et quand ils ne seront plus là, nous disparaîtrons, nous aussi.

— Vous... vous êtes sérieux ?

— Malheureusement, oui. Au début, quand tes ancêtres se sont mis à chasser sans mesure et ont anéanti une grande partie de la mégafaune sur la Terre, les démons sont devenus plus forts, plus puissants. Nous étions nombreux, alors, à nous réjouir de ce qu'avaient fait Azazel et ses compagnons. Tandis qu'ils souffraient mille tourments en enfer, nous applaudissions les humains. Nous les avons encouragés, stimulés, nous nous sommes mêlés à eux. Quand les anges ont voulu intervenir, il était déjà trop tard. »

J'ai du mal à y croire. Astaroth ne parle pas des temps modernes. Il parle de la préhistoire. Il insinue que les humains provoquaient déjà des extinctions de masse à l'époque où leurs armes les plus dangereuses consistaient en des cailloux et des bâtons. C'est absurde.

Pourtant, mon père m'a parlé un jour de la mégafaune préhistorique. Des loups aussi gros que des ours. Des paresseux de trois mètres de haut. Des tatous grands comme des voitures. Des mammouths, avec tous leurs cousins. Et les aurochs. Des troupeaux entiers d'aurochs, des animaux semblables à des vaches, énormes et magnifiques, qui recouvraient les prairies de toute l'Europe. Mon père aimait beaucoup les aurochs.

Tous ces animaux existaient depuis des centaines de milliers d'années, mais ils ont disparu quand les êtres humains sont sortis d'Afrique et ont commencé à peupler les autres continents. Coïncidence ?

« Mais comment pouvions-nous exterminer tous ces animaux sans arme ? »

Astaroth rit.

« Vous aviez des armes. La raison. Le libre arbitre. L'ambition. La cruauté. Et l'ignorance. C'est suffisant. Le débat sur les humains nous passionne depuis des millénaires. Vos défenseurs parmi les démons et vos détracteurs parmi les anges forment une bande qui estime que vous êtes une véritable catastrophe pour la Terre, et que vous l'étiez déjà au temps de la préhistoire. Il y a aussi ceux qui pensent que vous n'êtes pas si mauvais, et qui parlent en votre faveur parmi les anges, en votre défaveur chez les démons.

— Quel embrouillamini !

— L'extinction de la mégafaune préhistorique a constitué notre premier avertissement. Mais à l'époque, vous viviez encore plus ou moins en harmonie avec la nature. Ensuite, vous avez renoncé au nomadisme, vous vous êtes installés, vous avez appris à cultiver, à élever des animaux, à construire des villages et des villes. Et à détruire. Pourtant, les anges étaient enchantés par certaines de vos trouvailles. L'art, le langage, la spiritualité, la philosophie... et même la technique. Vous savez si bien créer de nouvelles choses. Cela effrayait certains anges, tandis que d'autres y voyaient la manifestation la plus évidente du pouvoir de Dieu.

« Mais aujourd'hui, il est impossible de ne pas remarquer ce que vous êtes en train de faire. Vous ne vous contentez plus d'exterminer d'autres êtres vivants. Vous détruisez leur habitat, de manière irréversible. C'est bien pire. Il y a eu d'autres grandes extinctions de masse sur la Terre. Des catastrophes qui ont failli éteindre toute vie, des millions d'années avant que les premiers humains apparaissent. Mais ça n'a jamais été irrémédiable. Chaque fois, la vie avait la possibilité de ressurgir, et elle l'a fait. Les anges ont combiné leurs efforts pour que le monde ressuscite, encore et toujours. Mais maintenant... vous ne détruisez pas seulement la vie : vous vous êtes attaqués aux conditions mêmes de son existence. La terre, l'air, la mer. Lucifer lui-même n'oserait pas faire ça. Et le plus ahurissant, c'est que vous n'en êtes même pas conscients. Vous ne le faites pas exprès ; ce n'est pas votre but. Simplement, votre manière de vivre, votre existence en soi, est une tragédie pour le reste de la planète. À tel point que beaucoup de démons se sont rendu compte du danger que vous représentez, y compris pour nous. Vous nous avez rendus puissants autrefois, mais à présent, notre force diminue, parce que la mort ne peut pas exister sans la vie. À la longue, si ça continue, nous disparaîtrons, nous aussi. Bien entendu, je ne suis pas le seul à avoir compris tout cela. Des deux côtés, il y a des gens qui ont pris conscience de l'étendue du désastre. Et ils n'ont pas l'intention d'attendre que vous trouviez des solutions, Cat. Ils ont décidé d'agir. »

Une autre pièce du puzzle se met en place.

« Le virus... je murmure. Le virus qui doit éliminer tous les humains de la surface de la Terre...

— ... pour mieux la sauver. Exactement. C'est le plan de Nébiros, que j'ai découvert grâce à Angelo et toi. Mais Nébiros n'agit pas de manière isolée. Et ce n'est pas le seul à avoir un plan. »

Nous traversons le mur de pierre de la pyramide. La lumière du soleil me frappe comme une révélation, et je me rappelle soudain qu'Astaroth aussi prépare quelque chose, même si Hanbi a refusé de nous dire quoi. Je pensais qu'il visait le trône des enfers, qu'il voulait occuper la place de Lucifer, mais s'il y a du vrai dans tout cela, son programme est tout autre.

« Nous pensons qu'il y a un autre moyen de sauver le monde. C'est risqué, et rien ne nous garantit que ça va fonctionner, mais c'est une possibilité. Tous ceux qui apprécient les humains, d'un côté comme de l'autre, sont d'accord pour essayer, au moins. Cependant, c'est un plan audacieux et téméraire, et pour le moment, il n'a pas été approuvé par nos chefs respectifs. Voilà pourquoi c'est encore un secret.

— Sauver le monde sans éliminer les humains... » je répète, éberluée.

Je devine ce qu'il va me dire. C'est une folie, mais c'est aussi la seule chose qui ait un tant soit peu de sens. Il veut...

« ... recréer les origines de l'être humain, me confirme-t-il. Recréer les communautés qui se sont formées pendant la Trêve. Mettre au monde de nouveaux enfants de l'équilibre. Des enfants avec suffisamment de sang angélique pour rééquilibrer la balance. Voilà notre plan. »

Je suis abasourdie. Des enfants de l'équilibre. Nés d'anges et de démons. Ce n'est pas possible. Nous sommes passés d'un discours sur l'avenir des anges, l'origine de l'humanité et la destruction du monde à quelque chose d'aussi concret que le mystère de ma naissance.

« Ça veut dire que... que je... »

Il acquiesce. Je m'élève un peu au-dessus de la jungle tropicale qui s'étend à nos pieds. Une jungle qui était probablement bien plus exubérante au temps où Métatron cheminait sur ces terres, incarné en un être ailé que les Mayas ont pris pour un demi-dieu. Je contemple ce monde et je me demande quelle est ma place ici-bas.

Astaroth semble avoir lu dans mes pensées :

« Tu es la première de cette nouvelle génération. Ton père, Iah-Hel, faisait partie de ce que nous nommons le Groupe de la Nouvelle Création. Il s'est rendu à Florence pour mener l'enquête au sujet de ces premiers jours, des origines de l'être humain : parmi tous les anges et démons impliqués, Azazel était la seule à se rappeler en détail ce qui s'était passé. Iah-Hel fut envoyé auprès d'elle pour recueillir des informations, pour la sonder, pour voir si elle aimerait se joindre à nous. Mais... ils se sont entendus mieux que prévu... et tu es née. Tu as dû t'apercevoir que ta mère vit dans le passé, Cat, et qu'elle a gardé des séquelles de la longue punition que lui a infligée Lucifer. Elle nous a semblé trop instable, trop dangereuse pour qu'on puisse lui révéler notre projet. Quant à toi, tu étais trop importante pour qu'on te laisse auprès d'elle. Voilà pourquoi Iah-Hel t'a enlevée, éloignée d'elle, et a passé sa vie à se cacher... jusqu'à ce qu'elle vous retrouve. »

Je ferme les yeux. Si c'était possible, j'aurais mal au cœur. C'est trop. Je ne veux plus écouter. Mais Astaroth continue :

« Quand nous avons appris la mort de Iah-Hel, nous avons envoyé quelqu'un te chercher. Mais tu n'étais pas auprès de ta mère, et personne n'avait de tes nouvelles. Nous t'avons finalement localisée à Berlin. Tu étais en compagnie d'un démon mineur, et tu essayais de découvrir qui avait tué ton père. À notre grande surprise, nous nous sommes rendu compte qu'il y avait des gens qui souhaitaient t'éliminer. Azazel te cherchait, mais pas pour te tuer, donc qui était-ce ? Voilà pourquoi j'ai chargé Angelo de te surveiller – il ne s'en est pas très bien tiré, d'ailleurs. »

Je ne réponds pas. Astaroth poursuit :

« Après ta mort, nous avons demandé à Angelo de remonter à l'origine de ton assassinat. Nous craignions que quelqu'un n'ait découvert notre projet et ne connaisse tes origines. Car même si les temps ont changé et si on ne punirait plus de la même manière une relation entre un ange et un démon, il reste des gens, d'un côté comme de l'autre, qui verraient ça d'un très mauvais œil... Mais votre enquête nous a menés à Nébiros, et à son plan d'exterminer toute la race humaine. Au début, je ne comprenais pas en quoi ce projet démentiel avait quelque chose à voir avec toi, avec nous. Nous y avons beaucoup réfléchi, et je crois que nous avons deviné la réponse. Nébiros sait qui tu es, et s'il voulait ta mort, c'était probablement parce que tu menaçais l'exécution de son plan.

— Je ne vois pas comment.

— C'est bien simple : le virus a été créé pour éliminer tous les humains, et eux seuls. Les humains actuels, je veux dire. Or, les nouveaux enfants de l'équilibre ne sont pas comme les autres. Ils proviennent d'une autre souche. Directement engendrés par des anges et des démons, ils sont bien plus résistants. Tu es probablement immunisée contre le virus de Nébiros.

— Quelle bonne nouvelle, fais-je sans enthousiasme. Enfin, ça le serait... si je n'étais pas déjà morte.

— En tout cas, ça explique pourquoi Nébiros a envoyé ses sbires te tuer, et pourquoi ils sont en train d'éliminer les autres un par un.

— Les autres ? » je répète machinalement. Ça fait un moment que j'ai perdu la faculté de m'étonner. Je dois être en état de choc.

« Les autres, oui. Tu n'es pas la seule. Il y a d'autres enfants nés d'anges et de démons, des enfants qui possèdent bien plus de sang angélique que le reste de l'humanité. Ils sont déjà presque une centaine, et nous les protégeons de notre mieux ; malgré tout, Nébiros a réussi à en tuer une bonne douzaine, dont toi. Voilà pourquoi il était si important pour nous de connaître notre ennemi. Pour protéger les autres.

— Je vois, fais-je tristement. Au moins, ma mort a servi à quelque chose.

— Absolument, confirme-t-il avec un sourire grinçant. Je suis bien content que tu n'aies pas trouvé le tunnel de lumière : tu nous as été plus utile morte que vive. »

Je fronce les sourcils.

« Ce n'est pas très aimable de votre part !

— Je suis un démon, Cat. Je ne suis pas fait pour être aimable. »

Je repense aussitôt à Angelo, qui m'a dit quelque chose du genre il y a peu. Et pourtant, il m'a aidée. Quelles qu'aient été ses motivations, c'est le seul à être resté à mes côtés pendant tout ce temps. Où était Astaroth quand on m'a tuée ? Où était-il quand je cherchais les assassins de mon père ?

« C'est faux. Un démon peut être aimable, s'il le veut. Je le sais. »

Astaroth me répond par un éclat de rire. Il semblerait qu'il ait lu dans mes pensées, car il répond :

« Tu t'es prise d'affection pour Angelo, Cat. Tu ne devrais pas. Le temps qu'il a passé auprès de toi n'est rien comparé à sa longue, très longue vie. Et le visage qu'il te montre n'est que l'un de ses visages. Tu n'aimerais pas connaître les autres. »

Je me redresse, piquée.

« Pourquoi pas ? Vous m'avez expliqué que l'œuvre des démons était nécessaire à l'équilibre du monde !

— Elle est nécessaire, mais je n'ai jamais dit qu'elle était agréable pour les mortels ! Quand Angelo a commencé à travailler pour moi, j'ai mené une petite enquête à son sujet. J'en sais désormais plus sur lui que lui-même... Tu veux que je te raconte son histoire ?

— Je ne suis pas sûre que...

— Comme tous les anges et les démons, Angelo a porté de nombreux noms différents. Il a beaucoup voyagé, et on le retrouve dans les mythes de nombreuses cultures. Toujours des apparitions fugaces, des dieux mineurs ou des demi-dieux. Mais il est resté longtemps en Afrique, chez les Yoruba. À l'époque, il se faisait appeler Shango. Ce fut l'un de ses derniers noms. »

Il me regarde, mais ce nom ne me dit rien.

« Shango, le dieu du tonnerre, du feu et de la guerre. Un dieu qui aimait profiter des plaisirs de la vie, qui s'est mêlé aux humains et les a dirigés pendant plusieurs générations. Ce fut un roi tyrannique et cruel. Il se servait des orages et du feu pour détruire rapidement et facilement. Partout où il allait, il laissait derrière lui une traînée de cendres. Il était égoïste, arrogant et belliqueux. Comme la plupart d'entre nous, bien sûr. Des centaines de personnes sont mortes à cause de lui, frappées par la foudre. Des milliers d'hommes ont péri à la guerre par sa faute. Des millions d'êtres vivants ont disparu dans les incendies qu'il provoquait pour le plaisir. Il a quitté l'Afrique quand un ange l'a expulsé de ces terres. Je n'ai pas réussi à comprendre qui c'était, mais dans la mythologie yoruba, on lui donne le nom de Gbonka. On raconte qu'il a vaincu Shango et que ce dernier, honteux, s'est suicidé. En réalité, il a simplement renoncé à son corps mortel ; il est revenu à l'état spirituel pour se matérialiser en Europe sous un autre aspect. Il a dû porter encore bien des noms avant d'être Angelo. »

Je demeure muette.

« Je dois ajouter qu'il n'a rien contre les femmes humaines. Malgré sa tendance naturelle à la destruction, ton espèce lui plaisait, et il aimait bien vivre. Il a régné en Afrique pendant plusieurs générations, et il a eu plusieurs compagnes ; la plupart étaient des démones, mais il y a eu aussi une femme avec laquelle il a eu des enfants et à laquelle il a été fidèle pendant tout le temps qu'elle a vécu. Il a dû oublier tout ça depuis longtemps.

— Pas tout. Il se rappelle avoir vécu avec une humaine.

— C'est logique. Nous oublions facilement des événements, nous confondons les lieux et les époques, mais nous nous rappelons nos relations avec d'autres personnes, que ce soit des anges, des démons ou des humains. Il est courant qu'un ange et un démon qui se rencontrent se rappellent s'être déjà affrontés cent mille ans plus tôt, même s'ils sont totalement incapables de dire où, quand, ce qui s'est passé exactement, quelle était leur apparence et quel nom ils portaient. Les relations de n'importe quel type impliquent une émotion, et laissent en nous une trace plus profonde que n'importe quoi d'autre. Nous nous rappelons avoir aimé et avoir haï, même si les noms, les visages, les dates et les détails s'effacent de notre mémoire. Heureusement, les émotions restent. Sinon, notre propre personnalité, forgée tout au long de notre existence, se dissoudrait en même temps que nos souvenirs.

— Je comprends, fais-je, songeuse. Et les humains ? Ont-ils préservé dans leurs légendes la mémoire de Shango ?

— Seulement de manière fragmentée et contestée. Certains mythes rappellent son histoire, de façon passablement dénaturée. Ne crois aucun humain qui te jurerait qu'il a invoqué Shango et parlé avec lui : Angelo a cessé de l'incarner depuis longtemps. Seuls quelques démons savent qui c'était... et il n'en fait pas partie lui-même.

— Pourquoi me racontez-vous tout cela ?

— Pour t'aider à te détourner de lui le moment venu. Tu connais déjà la vérité sur ton père, sur ta mère et sur toi-même, et il est évident que tu ne peux pas te venger d'Azazel. Pourtant, tu es encore ici, et le tunnel de lumière ne s'est pas encore ouvert pour toi. Peut-être est-ce parce que tu es trop attachée à ton ancre.

— C'est faux ! Mais je ne peux pas laisser Angelo dans cette situation, prisonnier de ma mère. Malgré le mal qu'il a pu commettre dans le passé et peut-être également dans le présent, il m'a aidée, et je lui dois beaucoup.

— C'est ce que j'espérais t'entendre dire. Je t'offre sa liberté en échange d'une dernière faveur.

— De quoi s'agit-il ?

— Nous pouvons arrêter Nébiros avant qu'il soit trop tard. Mais comme je te l'ai dit, il n'est pas seul. Sa conspiration a deux têtes. Si nous ne les coupons pas toutes les deux, nous n'arriverons à rien. Il faut donc que tu découvres qui a fait alliance avec lui.

— Et comment suis-je censée faire ça ?

— Les anges le savent. Tu es la fille d'un ange. Mets-toi en contact avec eux et pose-leur la question. »

Il a raison : les anges le savent. Orias nous a raconté que l'un d'eux était allé le consulter à ce sujet.

« Mais cet ange a vu un avenir différent. Pourquoi ?

— Parce que entre la vision de Nébiros et celle de l'ange, il s'est passé quelque chose d'important, l'un de ces faits cruciaux qui peuvent changer le futur du monde. »

Je me rappelle alors les paroles d'Orias : « Ton futur peut changer, parce que la plupart de tes actions ne dépendent que de toi. Mais tu ne peux pas modifier le destin de toute l'humanité. Pour ça, il faudrait une action grandiose. Extraordinaire. Une action dont les conséquences représenteraient réellement un tournant dans l'histoire du monde. Ces actions ne sont pas à la portée de n'importe qui, et lorsque quelqu'un a l'occasion de décider s'il doit, oui ou non, accomplir un tel geste, il en est rarement conscient. Mais dans certaines occasions, très rares, il est possible de faire – ou de ne pas faire – quelque chose qui change le destin du monde. »

« Que s'est-il passé entre les deux visions ? » je demande, curieuse.

Le démon me sourit.

« Tu es née, dit-il simplement. La première d'une génération d'enfants potentiellement résistants au virus.

— C'est trop de responsabilités, je murmure.

— Pas pour toi. Tu es morte. La tâche de restaurer l'espèce humaine, si le désastre a lieu, incombera à tous les enfants de l'équilibre nés après toi. Mais c'est trop tôt. Nos enfants sont peu nombreux, et ils sont trop jeunes. Nous avons besoin de temps. Si Nébiros mène son projet à bien, nous ne pourrons probablement rien faire pour l'arrêter.

— Je vois. Mais s'il y a des anges parmi vous, pourquoi est-ce que c'est Angelo et moi qui devons mener l'enquête ? Je peux contacter d'autres anges, mais ils n'écouteront jamais un démon et un fantôme », lui fais-je remarquer.

Astaroth fait un signe négatif.

« Nous devons rester cachés pour le moment. Les anges de notre groupe ne doivent pas être connus de leurs semblables. Il y a trop de gens qui ne sont pas prêts à accepter ce que nous sommes en train de faire. »

Je flotte de plus en plus haut, nerveuse.

« Mais vous m'en demandez trop ! Je ne suis qu'un fantôme, et Angelo... Enfin, vous l'avez vu !

— Cat, il est très important que tu découvres qui collabore avec Nébiros, et si possible où se trouve sa base, insiste-t-il. Personne ne le sait dans le monde démoniaque ! »

J'ai l'impression de percevoir une note de désespoir dans sa voix. Qu'est-ce qui peut préoccuper à ce point un démon aussi puissant que lui ? Qu'y a-t-il de si important pour qu'il se sente obligé de recourir à l'aide d'un fantôme et d'un démon mineur ?

Je secoue la tête.

« Votre projet est complètement fou. Des anges et des démons qui procréent des enfants ensemble... C'est trop absurde. Je n'aime pas l'idée d'être une sorte de... d'expérience.

— C'est pourtant inscrit dans l'histoire du monde. Les deux forces les plus importantes présentes dans toutes les créatures vivantes. L'amour et la mort. Éros et Thanatos. Dans tous les mythes du monde, il y a des dieux créateurs et des dieux destructeurs. Certains luttent, comme Marduk et Tiamat, et d'autres vivent une histoire d'amour passionnelle, comme Arès et Aphrodite, ou Mars et Vénus, le dieu de la guerre et la déesse de l'amour. Tu connais cette histoire, pas vrai ?

— Aphrodite a eu tant d'amants...

— Aucun qu'elle ait aimé autant qu'Arès. C'étaient les deux faces d'une même médaille. La vie et la mort. Ils étaient destinés à s'aimer.

— Vous voulez dire qu'Arès et Aphrodite étaient un démon et un ange, eux aussi ?

— Oui : Samyaza et Ananiel. Dans d'autres régions du monde, on leur a donné d'autres noms. Que tu le veuilles ou non, il en a toujours été ainsi. Alors, que décides-tu ? Feras-tu ce dernier travail pour moi ? »

Je voudrais méditer sur tout ce qu'il m'a raconté, mais c'est trop complexe, trop important pour que je puisse tout assimiler en quelques instants. Je me concentre sur le problème le plus immédiat.

« Vous obligerez Azazel à libérer Angelo ?

— Bien entendu. Sinon comment pourriez-vous mener l'enquête ? »

Nouveau silence.

« D'accord. J'accepte. » J'hésite, puis je me lance :
« Une dernière question : Angelo sait-il tout ce que
vous venez de me dire ?

— Il le saura quand tu lui raconteras. *Si* tu le lui
racontes, naturellement.

— Très bien. Alors allons-y. »

J'ai à peine prononcé ce dernier mot qu'Astaroth
se déplace à nouveau à la vitesse des démons. Nous
traversons l'océan en un clin d'œil et nous nous
enfonçons dans la nuit qui a recouvert l'Europe d'un
manteau d'étoiles.

En moins de temps qu'il n'en faut pour le dire, je
me trouve à nouveau devant la porte de la cellule.
Astaroth a disparu, et un léger frémissement de mon
ectoplasme m'indique que je suis à nouveau liée à
Angelo, que je perçois de l'autre côté.

J'hésite. J'ai tant de choses à lui raconter, même si
je ne suis pas certaine qu'il devrait toutes les connaître... Mais il faut que je me dépêche. Je m'arme de
courage et je traverse la porte.

13

Je le trouve en train de faire les cent pas comme un lion en cage. Il se tourne brusquement vers moi, les yeux luisants de colère.

« On peut savoir où tu étais ? » aboie-t-il.

Je m'immobilise, surprise.

« Eh, oh, du calme ! Qu'est-ce qui t'arrive ? Je t'ai manqué ?

— Tu n'as pas franchi le tunnel de lumière, pas vrai ? me demande-t-il, un peu rasséréné, en ignorant ma question. Sinon tu n'aurais pas pu revenir. Comment t'es-tu débrouillée pour ne plus être liée à moi ? Et comment se fait-il que tu sois de nouveau là ? »

Je souris.

« Ça t'intrigue, hein ? Attends un peu que je te raconte tout. Ça va te laisser pantois !

— Mais bien sûr », grogne-t-il avec humeur.

Il est visible que l'enfermement lui pèse.

« Ne t'inquiète pas, maman Cat est en train de faire tout ce qu'il faut pour te sortir de là.

— Tu es allée supplier ta mère ?

— Pour qui me prends-tu ? réponds-je, très digne. Sache que j'ai pris le thé avec rien de moins que le Roi des Anges et le Grand-duc des Enfers ! »

Il ébauche un sourire sceptique, mais ça ne va pas durer. J'entreprends de lui raconter en détail tout ce qui s'est passé cette nuit depuis l'arrivée d'Astaroth.

Le vieux renard avait vu juste : bien que je n'éprouve aucune hésitation à partager avec Angelo presque tout ce que j'ai appris, je n'ai pas envie de lui raconter ce que j'ai découvert au sujet de son passé. Dire que c'est probablement ce qui l'intéresserait le plus ! Mais c'est trop personnel. Et ce serait vraiment bizarre que ce soit moi qui doive lui restituer une partie de sa mémoire.

Shango... J'ai du mal à croire que ce démon indolent au visage d'adolescent mal réveillé était autrefois un tyran en Afrique.

On dit que perdre la mémoire équivaut à renaître. Quand on oublie son passé, on se construit une autre vie, une autre histoire, une autre identité. Il est même possible qu'on se forge un caractère différent, même si on garde le souvenir plus ou moins vif des émotions vécues. Comprenons-nous bien : je ne crois pas un instant qu'Angelo soit moins cruel qu'autrefois. Je ne suis pas si naïve. Mais si, à l'époque, il exigeait de gouverner et d'être adoré comme un dieu, aujourd'hui il préfère qu'on lui fiche la paix, et apprécie de pouvoir aller où il lui plaît. C'est une attitude que je comprends, car elle ressemble à la mienne. Je suis donc probablement plus proche de l'Angelo d'aujourd'hui que du roi d'autrefois.

Cependant, si Astaroth dit la vérité, même à l'époque, Shango respectait suffisamment les humains pour vivre avec une femme. Enfin, ce n'est pas le plus important. Concentre-toi, Cat ! Pour le moment, je ne lui parlerai pas de tout ça. Peut-être qu'un jour Astaroth le fera, lui.

Comme je l'escomptais, les nouveautés le captivent. Au fur et à mesure que je raconte, sa maussaderie s'envole, et ses ailes se dressent en signe d'intérêt.

« C'est incroyable. Métatron est demeuré pendant tout ce temps enfermé sous les ruines d'une pyramide ? Et Astaroth s'est allié avec des anges pour recréer les origines de l'espèce humaine, ce qui pourrait contrecarrer les projets de Nébiros ? » Il secoue la tête. « C'est une histoire complètement invraisemblable, mais elle doit être vraie. Tu n'as pas assez d'imagination pour inventer une chose pareille.

— Dis donc ! » je proteste, vexée.

Il me regarde avec surprise.

« Quoi ? Je ne t'ai pas insultée : j'ai juste émis un constat. Ce que tu peux être susceptible !

— Tu pourrais me traiter avec plus de respect. Je ne suis qu'une humaine, et je suis morte, d'accord, mais étant donné les circonstances, je ne me débrouille pas si mal !

— Je sais bien, répond-il, encore perplexe. Il m'a toujours semblé évident que pour une mortelle, tu étais dotée d'un caractère exceptionnel. Je ne te l'ai jamais dit ?

— Non. »

Je me rappelle alors une phrase qu'il a prononcée à Berlin. C'était seulement il y a quelques jours, mais j'ai l'impression qu'une éternité s'est écoulée. Cela date d'avant ma mort. Quelques phrases au milieu d'une conversation dans un hôtel de luxe : « Je dois dire que tu possèdes une grande force intérieure pour une humaine. Tu me rappelles ceux d'avant... Les humains d'autrefois. Il y a quelques milliers d'années. Ils étaient d'une autre trempe. » Maintenant que j'y pense, il était bien plus proche de la vérité qu'aucun de nous ne pouvait l'imaginer !

« Si, tu me l'as dit, en fait. Du temps où j'étais encore en vie.

— Tu vois bien ! » Il sourit, triomphant. « Ma mémoire n'est pas aussi mauvaise que tu n'as l'air de le croire. »

Je le regarde à nouveau. C'est un démon, d'accord, mais...

« Écoute, Angelo... On s'entend bien, non ? »

Il lève les yeux au ciel.

« Je te supporte, ce qui n'est pas rien ! Tu crois que je t'aurais aidée, sinon ? »

(Cat, rappelle-toi que c'est un requin, pas un dauphin.)

« Je suppose que non. Tu sais... »

(Ne lui dis pas, Cat !)

« ... je suis consciente que tu as eu plein de problèmes à cause de moi », dis-je sans écouter cette pénible petite voix intérieure.

(Tais-toi, Cat ! Tu peux encore t'arrêter !)

« Et donc... je voulais te demander pardon. »

(Bon, voilà, c'est fait. Mais au nom de ta fierté et de la mémoire de ton père, arrête-toi là !)

« Et puis... »

(Taistoitaistoitaistoi !)

« ... je voulais aussi te remercier. Pour ce que tu as fait pour moi. Sans toi, rien n'aurait été possible. J'aurais peut-être erré comme une âme en peine pour l'éternité, sans jamais découvrir qui nous avait tués, mon père et moi, ni pourquoi. Je ne pensais pas te dire ça un jour, mais... je te suis très reconnaissante. Merci pour tout. »

Silence sépulcral. Ma voix intérieure s'est tue d'un seul coup. Il y a quelques semaines, je ne me serais jamais abaissée à dire ça à un démon. Pourtant, ce n'est que justice.

Angelo me regarde fixement, l'air très sérieux.

« Ce n'est pas bien, Cat. Je suis un démon. Tu devrais me redouter, me détester, me mépriser. Pas te sentir mon obligée.

— Ça arrive pourtant souvent, quand un démon embobine un humain, non ? je plaisante, tout en sachant que ce n'est pas drôle.

— Mais tu es différente, comme tu le sais.

— Pas tant que ça. Apparemment, je suis à moitié démon, moi aussi.

— Je ne voulais pas dire que tu étais différente de moi. Je voulais dire que tu étais différente des autres humains. Bien plus intègre, bien plus authentique. Et même comme ça, c'est trop tard, donc laissons tomber », conclut-il avec un soupir.

Je le regarde sans comprendre.

« Laisser tomber quoi ? Trop tard pour quoi ?

— Oublie tout ça. J'accepte tes excuses et ta gratitude, mais ne va pas trop vite en besogne. Nous avons encore du pain sur la planche avant que tu puisses franchir le tunnel de lumière et que je redevienne enfin libre. »

Je le regarde fixement.

« Tout à l'heure, quand tu pensais que j'étais partie, tu étais furieux. Tu avais peur de ce que t'aurait fait Azazel si tu ne lui avais plus servi à rien, c'est ça ?

— Évidemment. Tu vois une autre raison ?

— Pas parce que je t'aurais manqué, bien sûr.

— Bien sûr que non. Mais promets-moi quelque chose, Cat. Quand viendra pour toi le moment d'abandonner définitivement ce monde...

— Oui ? »

Il sourit.

« ... ne pars pas sans me dire adieu. »

Je lui rends son sourire. Un sourire trop chaleureux pour être approuvé par ma voix intérieure, il faut bien le dire.

« Promis. Mais d'abord, il s'agit de sortir d'ici. Et pour l'instant, malgré ce que m'a assuré Astaroth, je ne vois aucune amélioration en vue. »

Je viens tout juste de prononcer ces mots lorsque la porte s'ouvre en grinçant pour laisser le passage à une Lisabetta à la mine renfrognée.

« Madonna Costanza veut vous voir, annonce-t-elle, mâchoires serrées. Tous les deux. »

Nous échangeons un regard de connivence.

Quelques instants plus tard, nous voici à nouveau devant Azazel. Mais sa bonne humeur s'est dissipée. Toute la tendresse maternelle qu'elle m'a témoignée hier semble avoir disparu. Elle me regarde avec colère, presque avec haine.

« Ingrate ! » explose-t-elle.

La raison de son exaspération se tient debout à côté d'elle. C'est un homme imposant, aux cheveux blancs, mais aux traits étonnamment juvéniles. Il combine le port d'un aristocrate et la grâce naturelle d'un tigre. Ses yeux sont d'une couleur indéfinie, entre vert et marron ; la lueur rouge qui s'en échappe ne me permet pas de mieux les voir. Car vous l'avez deviné, c'est un démon. Ma perception de fantôme me permet de remarquer non seulement la lumière surnaturelle de ses yeux et ses énormes ailes noires, mais aussi l'impressionnante aura de pouvoir qui émane de lui.

Astaroth.

Je le dévisage avec fascination. Voilà donc son aspect quand il se transsubstantie. Ou du moins l'un de ses aspects. Certains démonologues jurent qu'Astaroth est terriblement laid et sent atrocement mauvais, mais soit ils ont trop d'imagination, soit c'est ainsi qu'il se montrait autrefois, pour impressionner ses victimes. L'Astaroth du XXIe siècle est plutôt pas mal pour un homme d'âge mûr... je veux dire pour un démon.

Il se tourne vers nous. Angelo, qui l'a reconnu, pâlit. Astaroth incline la tête avec un sourire de loup.

« Angelo... mademoiselle Cat... », nous salue-t-il cérémonieusement. Je suis certaine qu'il ôterait son chapeau s'il en portait un. « C'est un plaisir de vous revoir tous deux. »

Angelo se courbe précipitamment en signe de soumission.

« J'étais en train de dire à Madonna Costanza que le fait que vous soyez ses, disons... "invités" est forcément dû à une lamentable erreur.

— Ce n'est pas une erreur ! réplique Azazel, furibonde. Cat est ma fille, et j'exige qu'elle reste auprès de moi !

— Je n'ai rien contre, bien entendu. Mais figurez-vous qu'Angelo travaille pour moi, et que je ne peux pas tolérer qu'il profite davantage de votre "hospitalité" alors qu'il a une besogne à accomplir... vous n'êtes pas d'accord ?

— Et moi, je ne peux pas tolérer qu'il s'en aille, sinon ma fille le suivra !

— Ah, mais si je ne m'abuse, votre fille est morte, alors que mon serviteur est bel et bien vivant, lui. Tu ne voudrais pas me priver de mon serviteur, Azazel ? »

Il l'a tutoyée et appelée par son nom antique ; sa voix est soudain devenue terriblement menaçante. Ma mère fait un pas en arrière. Incapable de soutenir son regard, elle se tourne vers Angelo.

« Est-ce vrai ? Tu as fait allégeance à Astaroth ? »

Angelo hésite un bref instant. Je pressens combien sa réponse est importante. En théorie, il ne doit rien à Astaroth, car il a déjà accompli ce qui lui avait été demandé, et proclamer à voix haute qu'il fait partie de ses gens pourrait le lier à lui pour Dieu sait combien de temps. Mais c'est la seule manière de sortir d'ici, et il le sait. De sorte qu'il répond :

« Oui, Madonna Costanza. J'ai fait allégeance au seigneur Astaroth. »

Elle pousse un rugissement de rage.

« Fort bien, siffle-t-elle entre ses dents. Dans ce cas, emmenez-le. Et emmenez-la, elle aussi, poursuit-elle en me regardant avec rancœur. Je ne veux plus jamais la voir. Ce n'est qu'une égoïste – la digne fille de son père. »

Vous me comblez d'honneur, je pense – mais je ne le dis pas. Avec trois démons dans la pièce, le moment est mal choisi pour faire de la provocation.

Astaroth sourit. Nous sommes libres. Et je suis désolée pour ma mère, mais j'espère ne jamais la revoir.

Nous revoici à Madrid ! Je ne connais qu'une seule manière de contacter des anges : en passant par Yeiazel. Je ne peux pas dire que je sois enthousiaste à l'idée de le revoir, mais en tant qu'ange guerrier, il doit être au courant des manœuvres de l'Ennemi. S'il y a un ange qui peut nous dire quel est l'allié de Nébiros, c'est forcément Michel.

« Je suis étonnée que les anges aient découvert cette machination avant Lucifer, me dit Angelo tandis que nous cheminons sur la Gran Via en direction de la Calle Libreros.

— Moi aussi. Mais tu sais ce que nous a dit Orias. Un ange est allé lui demander une prophétie, et c'est ainsi qu'il a découvert l'existence de ce virus. Il a dû courir le raconter à Michel. C'est ce que j'aurais fait à sa place.

— Rappelle-toi que cet ange a vu un avenir alternatif dans lequel l'humanité ne s'était pas éteinte, grâce aux "enfants de l'équilibre". Il a dû se dire que ce n'était pas si grave que ça.

— Même si l'humanité ne disparaît pas entièrement, ça n'en reste pas moins une vision apocalyptique. Les enfants de l'équilibre et leurs descendants survivront peut-être, mais tous les autres mourront. Ça ne te semble pas assez important pour qu'il décide d'aller immédiatement le raconter à ses supérieurs ?

— Vu comme ça... » admet-il sans conviction.

Depuis que nous avons quitté Florence, il est d'excellente humeur. Autant l'enfermement lui pesait, autant la liberté lui fait un bien fou. Mais j'ai l'impression que son entrain décline au fur et à mesure que nous approchons de la librairie. Ses ailes traînent presque par terre. Je m'immobilise.

« Tu n'as pas très envie de rendre visite à Yeiazel, je me trompe ?

— Sincèrement, non. Il est très probable que ça se termine par un duel, et je ne suis pas sûr d'être en position de force. »

Il a raison. La « chambre spéciale » d'Azazel l'a considérablement affaibli. Il jette un coup d'œil à son épée, ce qui me rend moi-même maussade : ça me rappelle que l'épée de mon père est demeurée à la Villa Diavola. Azazel l'a gardée comme trophée et l'a accrochée juste à côté de l'endroit où elle s'imagine pouvoir un jour placer celle de Lucifer. J'ai fait un scandale, bien sûr, mais Azazel n'en avait rien à faire, et Astaroth n'a pas bougé le petit doigt pour la récupérer. Ma précieuse épée fait donc désormais partie de la collection d'une démone à moitié folle, à côté de celles qui appartenaient à des centaines d'anges morts. Bravo.

Rassurez-vous, je ne l'ai pas pris si mal que ça. Non seulement parce que la mort m'a rendue un peu plus stoïque, mais aussi parce que d'une certaine manière, ces derniers temps, la mémoire de mon père en a pris un coup. Je pense encore à lui avec beaucoup de tendresse, bien sûr, mais je lui en veux de ne jamais m'avoir dit la vérité pendant toutes ces années. Par ailleurs, je ne peux plus utiliser cette épée moi-même, et si Angelo continue à le faire elle finira par s'inverser, donc c'est presque mieux ainsi. Un sujet de préoccupation en moins.

« Cat ? »

Je reviens à la réalité. Angelo semble indécis.

« Je vais entrer et parler moi-même à Yeiazel. Toi, reste ici, assez près pour que je puisse atteindre la librairie, mais assez loin pour qu'il ne te détecte pas. »

Il semble considérablement soulagé.

« C'est un bon plan. »

Je le crois aussi. Je n'aimerais pas que Yeiazel se jette sur lui et le transperce de sa lame rien qu'en le voyant apparaître sur le seuil ; or, je l'en crois parfaitement capable.

« Dans ce cas, il vaut mieux que je m'arrête là, reprend-il, sinon il sentira ma présence.

— Très bien. Attends-moi. »

Je m'éloigne lentement, pour voir si notre lien me laissera arriver jusqu'à la librairie. Je ressens comme une secousse d'avertissement quand je traverse la porte, mais rien de plus. Parfait.

Yeiazel est là. Il sort un par un des livres d'un carton posé sur le comptoir, inscrit leur prix au crayon à papier sur la page de garde, et les range sur les étagères. On dirait un bouquiniste ordinaire, concentré sur son classement. Mais maintenant que je le vois avec mes yeux de fantôme, je ne peux pas ignorer la lumière qui irradie de ses yeux et de ses ailes.

Bien entendu, il ne fait pas attention à moi. Je ne suis qu'un fantôme de plus parmi tous ceux qui hantent les lieux. Je peux le comprendre : même si, au début, je les regardais avec fascination, moi non plus je ne remarque plus les fantômes que je croise – ce qui est tout de même un comble, quand on y pense.

J'essaie de m'approcher encore un peu, mais une angoisse subite me l'interdit : le lien qui m'unit à Angelo est tendu au maximum. Je reste donc où je suis, et je l'interpelle :

« Bonjour, Yeiazel. »

Il lève la tête, étonné.

« Je te connais, esprit ?

— Je suis Cat, la fille de Iah-Hel. » Et d'Azazel, mais je préfère garder ça pour moi. « Je suis venue ici il y a quelques jours vous demander si je pouvais me joindre à vous. »

Il m'examine avec une attention renouvelée. Il se souvient de moi, et il a déjà tiré ses propres conclusions.

« Je t'avais prévenue. Je t'avais bien dit de ne pas te mêler de tout ça. Et regarde ce qui t'est arrivé ! Parce que j'imagine que tu n'es pas décédée de mort naturelle, hein ? Tu étais trop jeune.

— J'ai été tuée par un démon, j'admets à contre-cœur. Mais ça ne serait pas arrivé si vous aviez accédé à ma requête. Avec la protection des anges...

— Ils t'auraient tuée quand même. Les anges sont là pour lutter contre les démons, point barre. C'est ça, notre manière de protéger les humains. La meilleure chose que nous puissions faire pour vous, c'est de ne pas vous compromettre.

— Parfois, ça ne suffit pas. Je suis venue vous demander ce que comptaient faire les anges au sujet des démons qui préparent l'extermination totale de l'humanité.

— Des démons préparent l'extermination de l'humanité ? Ça n'a rien de neuf. Mais rassure-toi, ils ne peuvent pas faire ça sans détruire en même temps la planète.

— Vous n'êtes pas au courant ? Cette fois-ci, ils ont trouvé la solution. Le démon Orias a eu une vision. Ils sont en train de mettre au point un virus qui tuera tous les humains d'un coup. »

Yeiazel me regarde, stupéfait.

« Ils n'oseraient pas faire une chose pareille ! De nombreux démons se sont habitués à la civilisation humaine. Ils en vivent, comme des parasites. Ils ne voudraient jamais renoncer à leur position ! Ce doit être une rumeur sans fondement.

— Orias l'a vu, je vous dis ! Il a vu un avenir où l'humanité n'existerait plus, à cause d'une maladie créée par cet autre démon nommé Nébiros. Comment pouvez-vous ne pas avoir été informé ?

— Certainement parce que ce ne sont que des racontars.

— Et si ce n'était pas le cas ? Vous voulez dire que vous n'allez même pas vérifier ? Et si c'était vrai, et que Michel n'arrête pas Nébiros, qui s'en chargera ? De toute façon, selon mes sources, les anges sont déjà au courant.

— C'est la première fois que j'en entends parler. Et quelles sont tes sources ? me demande-t-il, soupçonneux. Qui t'a raconté ce tissu de mensonges ? Pourquoi es-tu encore dans ce monde ? » Il regarde de l'autre côté de la porte vitrée, de plus en plus méfiant. « Et où est ton ancre ?

— C'est quelqu'un de timide... Mais je vous jure que ce que je vous ai raconté est la vérité.

— Ce ne serait pas un démon qui t'aurait dit tout ça, par hasard ? »

J'élude la question :

« Quelle importance ? C'est peut-être une rumeur, admettons, mais s'il y a la moindre chance que ce soit vrai... ne vaudrait-il pas mieux mener l'enquête ? Peut-être que Michel le sait déjà, lui, mais je serais plus tranquille si j'étais sûre que ça n'arrivera pas. Soit parce que ce n'est pas vrai, soit parce que vous allez empêcher ça.

— Ne t'inquiète pas, Cat, ça n'arrivera pas.

— Vous en êtes absolument certain ? »

Il me regarde, un peu ennuyé. Il ouvre la bouche, puis la referme et secoue la tête. Non, il ne l'est pas. Il sait qu'avec les démons on ne peut être sûr de rien.

« Emmenez-moi voir Michel, s'il vous plaît ! je supplie. Je lui raconterai tout, s'il ne le sait pas déjà.

— Tu ne peux pas parler à Michel. Il est très occupé. Cela fait plusieurs semaines qu'il... »

Il se tait brusquement : la porte vient de s'ouvrir avec un tintement, et un client est entré, des lunettes sur le nez et une serviette à la main. Yeiazel lui sourit et cesse d'être un ange guerrier pour redevenir un aimable libraire. J'attends avec impatience tandis que Yeiazel va chercher ce qui lui a été demandé, un manuel universitaire ou quelque chose du genre. Je flotte autour du client, mais il ne me voit pas ; il est simplement parcouru d'un frisson quand j'effleure son épaule, comme s'il avait froid. Enfin, le client s'en va et Yeiazel m'adresse à nouveau la parole :

« C'est bon. Je parlerai à Michel. Mais maintenant, va-t'en, d'accord ? Et règle tes affaires avec ton ancre pour pouvoir quitter ce monde. Tu ne devrais pas être ici.

— Régler mes affaires avec mon ancre ? Comment ça ?

— Dans la plupart des cas, les fantômes qui ne peuvent pas partir choisissent pour ancre quelque chose ou quelqu'un dont ils peinent à se séparer.

— Eh bien, ce n'est pas mon cas ! »

Yeiazel ne m'écoute pas. Il me regarde avec compassion :

« Accepte ta mort, Cat. Dis adieu à ton ancre, et quitte ce monde. Écoute-moi, cette fois-ci. Tu peux me croire, il y a des choses bien pires que la mort. Si tu restes trop longtemps, il arrivera un moment où tu ne seras plus capable de trouver le tunnel de lumière. »

Je repense à ces fantômes perdus, ceux qui ne savent déjà plus où ils sont ni qui ils sont. Il a raison : je ne veux pas devenir comme eux.

« D'accord, mais vous, allez voir Michel et donnez un bon coup de pied au cul à Nébiros. Même s'il n'est pas en train de mettre au point un virus exterminateur, je suis sûre qu'il le mérite. Savez-vous que c'est lui qui est à l'origine de la Peste noire ?

— Cat...

— D'accord, d'accord, je m'en vais... Mais s'il vous plaît, faites quelque chose. Comment pourrais-je abandonner ce monde en laissant les choses dans cet état ? Avec une telle catastrophe imminente ?

— Cat !

— Je sais, les fantômes sont mauvais pour le commerce ! j'ironise. Merci, Yeiazel, et adieu. »

Je traverse à nouveau la porte vitrée et je sors à l'air libre. Je suis le fil invisible qui me relie à Angelo, qui prétend faire du lèche-vitrines. Il tourne la tête vers moi en sentant ma présence.

« Alors ? » murmure-t-il discrètement.

Je lui résume la conversation que je viens d'avoir avec Yeiazel.

« Je suis étonnée qu'il ne soit pas au courant, je conclus. Quel ange n'irait pas parler aux guerriers après avoir découvert cette histoire de virus ?

— Peut-être que les archanges le savent, eux. Peut-être qu'ils préparent en secret la lutte contre Nébiros, comme Astaroth.

— Astaroth a une bonne raison de se cacher : il ne veut pas que Lucifer le découvre. Michel, lui, n'a personne au-dessus de lui, surtout depuis que Métatron est dans la pyramide. Mais maintenant que j'y pense, il y a une solution plus évidente...

— Laquelle ? me demande-t-il en haussant les sourcils.

— Et si Orias nous avait menti ? S'il n'avait pas révélé l'avenir à un ange ? »

Angelo secoue la tête.

« Non. S'il y a une chose dont on peut être sûr, c'est qu'Orias nous a dit la vérité.

— Pourquoi ? Parce que les démons ne mentent jamais ? » j'ironise.

Il me lance l'un de ses regards qui signifient « Mais tu ne sais pas réfléchir, ou quoi ? » et répond :

« Parce que les démons qui font commerce d'informations, qu'elles concernent le passé, le présent ou l'avenir, ne mentent pas. Donner de faux renseignements serait très mauvais pour leurs affaires. Ils perdraient toute crédibilité.

— Ah, c'est vrai. Dans ce cas, la seule possibilité, c'est que les anges le savent... du moins certains d'entre eux, dont Yeiazel ne fait pas partie. Et si par hasard ils n'étaient pas au courant avant, maintenant ils le sont !

— Peut-être, mais ça ne résout pas notre problème. Nous avons promis à Astaroth de découvrir qui était l'associé de Nébiros, et nous ne savons toujours rien. Tu as offert des informations aux anges, mais ils ne t'ont rien donné en échange.

— Tu crois que c'est facile de localiser Michel ?

— Pour quelqu'un qui discute avec Métatron et Astaroth, ça devrait l'être ! »

Je lève les yeux au ciel.

« Bon, alors qu'est-ce qu'on fait ? Si les anges ne savent rien ou s'ils ne veulent rien nous dire, je ne vois pas à qui poser la question. Nergal ? je propose sans grand enthousiasme.

— Non. Astaroth a déjà dû l'interroger. Et si Nergal n'a pas pu donner cette information, c'est que personne, dans le monde démoniaque, ne peut le faire. Nébiros sait bien cacher ses secrets, et s'il a vraiment un allié, celui-ci ne se laissera pas débusquer facilement. Astaroth doit être vraiment aux abois pour te demander de contacter les anges. Je me demande pourquoi, ajoute-t-il, pensif.

— Nous sommes dans une impasse, donc.

— Franchement, je crois que nous avons fait tout ce qui était en notre pouvoir. C'est au tour des anges d'agir. S'ils savent quelque chose, avec un peu de chance, Yeiazel l'apprendra. Nous reviendrons dans deux ou trois jours : il aura peut-être davantage de choses à te dire.

— Tu proposes donc d'attendre ?

— Tu as une meilleure idée ?

— Le problème, c'est que quand je ne suis pas en train d'enquêter au sujet de conspirations démoniaques ou de découvrir d'obscurs secrets familiaux, je n'ai rien à faire. Je n'ai jamais été très patiente, et c'est encore pire depuis que je suis morte.

— Tu devrais, pourtant. Tu as l'éternité devant toi.

— Justement. Je m'ennuie. Comment est-ce que vous le supportez, vous autres ? »

Il rit, et le soleil éblouissant de Madrid se reflète sur ses cheveux noirs. On ne dirait pas un démon, mais un garçon ordinaire en train de se promener...

abstraction faite de ses yeux rouges et de ses ailes, bien sûr. Mais je crois que je m'y suis à peu près habituée, à force de les voir jour et nuit.

« C'est juste l'histoire de deux ou trois jours ! Quand on vit cent mille ans, c'est négligeable... Tu sais, "Une vie humaine n'est que le clin d'œil d'un dieu". »

Je repense soudain à ma conversation avec Astaroth. « Le temps qu'il a passé auprès de toi n'est rien comparé à sa longue, très longue vie. » Et j'en souffre. Je souffre de penser que si Angelo représente tout pour moi – parce que c'est mon ancre, parce que je dépends de lui, parce qu'il était omniprésent pendant les derniers moments de ma vie et l'est encore pendant cet obscur transit entre ma mort et l'au-delà – pour lui, je ne suis... rien. Une anecdote, qu'il aura oubliée dans deux cents ou trois cents ans. Qui sait même si je mériterai un paragraphe dans le colossal registre de ses Mémoires ?

J'essaie de penser à autre chose, parce que cette idée n'est pas très agréable.

« Jolie phrase. Platon ? Nietzsche ? Sénèque ?

— *Conan le Barbare*, dit-il en riant. Il te reste encore beaucoup à apprendre !

— Malheureusement, comme ma vie est terminée, je crains que ce ne soit plus possible. »

Il sourit et répète :

« Tu as l'éternité devant toi.

— Bien sûr... *s*'il y a vraiment quelque chose de l'autre côté du tunnel de lumière. Ou si je reste ici pour toujours, évidemment, mais je ne crois pas que tu apprécierais. »

Il se tourne vers moi, et ses yeux rouges brillent avec plus d'intensité que jamais :

« N'y songe même pas, Cat ! Il faut absolument que tu franchisses le tunnel de lumière. Ça vaut mille fois mieux pour toi.

— Qu'est-ce que tu en sais ? Je suis trop jeune pour quitter ce monde ! Comment sais-tu qu'il y a quelque chose qui mérite qu'on aille là-bas ? Tu sais ce qu'a dit Métatron : Dieu est dans ce monde, dans toutes les choses. Si notre monde est tellement important, pourquoi devrais-je croire que ce qu'il y a de l'autre côté est mieux ? »

Si j'attends qu'il me réconforte, je me fais des illusions :

« Tu ne le sauras que quand tu y seras. Et je crois que tu as raison : l'inactivité ne te réussit pas. Quand tu t'ennuies, tu commences à avoir des idées bizarres. On a donc intérêt à trouver quelque chose à faire avant que tu ne te transformes en spectre errant sans avoir eu le temps de dire ouf ! »

Nous passons le reste de la journée à faire du tourisme. Angelo me raconte de nombreuses histoires d'anges et de démons du monde entier. Les batailles les plus retentissantes ont laissé des traces dans la mythologie des différentes civilisations humaines. C'est intéressant, et tout ce qu'il connaît sur Madrid l'est également. Malgré cela, je n'arrive pas à oublier l'angoisse que j'éprouve à l'idée de tout ce que je dois quitter : ma vie et ma planète – même si l'histoire de ma vie est un désastre et si ma planète est menacée d'une terrible catastrophe. Angelo, lui, est détendu, tranquille. L'avantage d'être éternel, je suppose.

« Pourquoi ne veux-tu pas partir ? » me demande Angelo en fin de soirée.

Notre longue promenade nous a ramenés au parc du Retiro, sous la statue de l'ange déchu. Angelo s'est assis sur l'herbe, et je lévite à côté de lui. Nous avons parlé de choses et d'autres... En réalité, c'est lui qui parle, et moi qui écoute. Je ne suis pas d'humeur à lui donner la réplique, mais il ne paraît pas s'en soucier, comme si ça faisait très longtemps que personne n'écoute ce qu'il a à dire.

Quand la conversation s'éteint d'elle-même, nous restons silencieux un long moment, jusqu'à ce qu'il me pose cette question.

« À ton avis ? je réponds. Parce que je ne veux pas mourir.

— Mais tu es déjà morte, Cat. Tu dois l'accepter.

— Facile à dire ! Toi, tu es immortel...

— Non. Moi aussi, je mourrai un jour. Peut-être transpercé par la lame d'un ange... ou par celle d'un démon. Ou peut-être... »

Il ne termine pas sa phrase, mais je sais ce qu'il pense.

« J'ai vu de nombreux fantômes perdus, poursuit-il. Des esprits qui n'ont pas franchi le tunnel de lumière et qui ont rompu leur lien avec leur ancre à un moment donné. Ce sont des êtres tourmentés. Ils ne sont pas heureux. Je ne sais pas ce qu'il y a de l'autre côté du tunnel, mais ça ne peut pas être pire que ce qui t'attend ici si tu restes.

— Le lien ne dure pas éternellement ?

— Non, il s'affaiblit petit à petit après la mort, jusqu'au moment où il se brise. Et si le fantôme n'a pas réussi à faire son deuil, il part à la dérive. Pour toujours. »

Si je pouvais, je pâlirais.

« Je ne savais pas. Ça ne semble pas très amusant.

— Ça ne l'est pas »

Il a raison. Je les ai vus. Je sais comment sont ces spectres, à quel point ils sont désespérés. Je ne veux pas leur ressembler. Mais je n'ai pas non plus envie de tourner le dos au monde et de m'enfoncer dans l'inconnu. Je ne sais pas ce qui m'attend, là-bas. Et s'il n'y avait... rien ?

« Yeiazel m'a dit que si je voulais partir, je devais régler mes affaires avec toi, lui dis-je après un moment de silence.

— Avec moi ?

— Avec mon ancre », je précise.

Il ne répond pas, et contemple pensivement la statue de l'ange déchu.

« Je t'ai déjà remercié pour ce que tu avais fait pour moi, donc je ne sais pas ce que je dois résoudre d'autre. Je n'ai pas vengé la mort de mon père, mais je ne veux pas tuer ma mère. Je crois qu'avoir découvert ce qui s'est passé me suffit. Il me semble donc qu'il ne me reste pas de tâche inachevée. Même cette histoire de nouveaux enfants de l'équilibre ou d'extinction de l'humanité... Des cerveaux bien plus puissants que le mien s'en chargent à présent, donc ce n'est pas ma responsabilité. Je ne sais pas ce qui me retient ici – en dehors du fait que je n'aime pas l'idée d'être morte, bien sûr. »

Angelo desserre enfin les lèvres :

« Peut-être y a-t-il quelqu'un que tu n'as pas envie de quitter.

— Tous ceux que j'aime, bien sûr, puisque si je les quitte, je sais que ce sera pour toujours.

— Mais ça arrive à tous ceux qui sont en fin de vie, Cat. Tous les mourants doivent dire adieu aux êtres qui leur sont chers. Malgré tout, ils s'en vont.

— Tu n'es pas la personne idéale pour parler d'êtres chers !

— Pourquoi ? Tu crois que les démons ne ressentent pas d'affection ? Nous sommes des créatures rationnelles, et nous éprouvons des émotions complexes. Si les anges peuvent tuer, pourquoi les démons ne pourraient-ils pas aimer ? »

Je ne sais pas quoi répondre. Nous échangeons un long regard... et je comprends soudain pourquoi je ne veux pas partir.

« Angelo... »

Je ne vais pas plus loin. Une détonation éclate. Angelo ouvre de grands yeux et baisse la tête. Je suis la direction de son regard et je découvre qu'une blessure sanglante vient de fleurir sur sa poitrine.

« Angelo ! » C'est une blessure causée par une balle de revolver. Il a été touché en plein cœur. Je suis prise de panique, d'angoisse, d'impuissance. « Angelo ! »

La surprise disparaît de son visage, remplacée non par de la douleur, mais par une colère féroce qui déforme ses traits. En un centième de seconde, il est debout ; en un autre centième de seconde, il a dégainé son épée, et avant que j'aie le temps de comprendre ce qui se passe, nous sommes à vingt mètres de l'endroit où nous étions assis et il y a un homme mort aux pieds d'Angelo.

C'est un humain, d'apparence banale, avec des cheveux bruns. La mort l'a saisi si rapidement qu'il n'a pas eu le temps de lâcher le revolver avec lequel il a tiré sur Angelo. Une horrible entaille traverse sa poitrine, de son épaule à sa hanche : celle que lui a faite Angelo. Je détourne le regard.

« Qu'est-ce... qu'est-ce qui s'est passé ? je bafouille. Il t'a tiré dessus ! Et il est mort !

— Bien résumé », répond-il d'un air sombre. Il soulève sa chemise pour voir la blessure de la balle, qui est en train de se refermer aussi rapidement qu'elle s'est ouverte. « Je te rappelle que je suis un démon. On ne me tue pas si facilement. »

J'essaie de rassembler mes idées.

« Mais... mais... pourquoi... ?

— J'étais en train de me poser exactement la même question, dit-il en regardant autour de lui, sur le qui-vive.

— Lent », dit soudain une voix dans l'ombre. Elle parle la langue des démons. « Trop lent. Ces jeunes démons sont si prévisibles. Et si peu prudents. »

Celui qui vient de parler n'est pas seul. Une bonne douzaine de démons nous encerclent, l'épée à la main. Je comprends brusquement que l'homme au revolver n'était qu'un leurre. Personne n'a jamais cru tuer Angelo d'une manière aussi grotesque. Ils voulaient juste le distraire afin qu'il ne perçoive pas leur approche.

Et ils ont réussi.

Lentement, Angelo laisse tomber son épée et lève les mains en signe de reddition.

Un démon s'avance. C'est un individu grand, aux cheveux châtains, au visage pointu comme celui d'un renard. Il arbore un sourire satisfait. Ce doit être le chef.

« De quoi s'agit-il ? demande Angelo, serein en apparence.

— J'ai des ordres, répond l'autre. En gros, tu en sais trop. Et quelqu'un voudrait savoir ce que tu sais exactement, donc ta petite amie éthérée et toi allez m'accompagner et nous faire la causette.

— Il n'en est pas question ! j'interviens. Nous n'avons rien à vous dire, bande de...

— Très bien, accepte tranquillement Angelo. Conduisez-moi à votre chef. Je lui dirai tout. »

Je suis suffoquée, à tel point que je n'arrive même pas à protester.

« Mais... mais... » je balbutie, tandis que les démons emmènent Angelo, et moi par la même occasion.

Derrière nous, baignant dans son sang, se trouve le cadavre de l'homme qui a tiré sur Angelo pour le distraire, et qui a été puni par une mort foudroyante. Personne ne s'inquiète à son sujet : ce n'est que l'instrument utilisé par ce groupe de démons pour nous capturer. Ce n'est qu'un humain.

« Tu n'as donc aucune dignité ? Pourquoi t'es-tu rendu aussi vite ?

— D'abord, parce qu'ils étaient douze contre un. Ensuite, parce qu'ils nous ont emmenés précisément là où nous voulions aller.

— Vraiment ? »

Je n'ai aucune idée de l'endroit où nous sommes. Nos ravisseurs sont venus ici en « volant », à cette vitesse supersonique à laquelle voyagent les démons dans leur état immatériel ; ça n'a duré qu'une seconde, mais nous ne sommes probablement plus en Espagne, ni même en Europe. Nous nous trouvons dans une cellule semblable à celle où nous a enfermés Azazel, mais plus sophistiquée : tous les murs, y compris le plancher et le plafond, sont couverts de plaques du même matériau que les épées angéliques et démoniaques. Seul un démon très puissant, bien plus que ma mère, peut se permettre quelque chose du genre.

« C'est la tanière de Nébiros, confirme Angelo. Ou du moins l'une d'entre elles. »

Je reste un moment silencieuse. Nous cherchions Nébiros, et nous l'avons trouvé. C'est donc une réussite... si on exclut un détail insignifiant : nous sommes prisonniers, et va savoir ce qu'il fera de nous quand nous lui aurons raconté ce que nous avons appris – ou quand nous aurons refusé de l'éclairer.

« Et si on nous a amenés ici pour nous interroger, pourquoi sommes-nous toujours dans cette cellule ? »

Angelo sourit, de ce sourire espiègle que je commence à si bien connaître.

« Parce que Nébiros est un démon très occupé, et qu'il faut d'abord que les sbires qui nous ont capturés réussissent à le voir et à lui annoncer que nous sommes ici. Ce qui nous donne une chance.

— Ah bon ?

— Oui. Parce que moi, je ne peux pas sortir, mais toi, si.

— Tu veux que j'aille faire un tour pour voir si je découvre quelque chose ? Moi je veux bien, mais qu'est-ce que je dois chercher exactement ?

— Tout. Je voudrais savoir où nous sommes, combien de démons il y a ici, quel genre de lieu c'est, et si Nébiros et son associé sont là. Écoute les conversations des uns et des autres, cherche une éventuelle issue... N'importe quelle information peut nous être utile.

— D'accord. » Juste avant de sortir de la cellule, je me retourne vers lui. « Dis-moi la vérité : tu as un atout en réserve, non ? Quand ma mère t'a enfermé, tu t'arrachais les cheveux, et maintenant tu as l'air si sûr de toi... Pourtant, je soupçonne qu'il est plus difficile de sortir d'ici que de la Villa Diavola. Il y a sûrement quelque chose que tu ne m'as pas raconté. Je me trompe ? »

Il sourit et hausse les épaules.

« C'est juste une intuition. Mais quelques renseignements de plus ne peuvent pas nous nuire. Et dépêche-toi avant que quelqu'un n'arrive et ne se demande où tu es !

— D'accord, j'y vais ! »

Je traverse le mur et je me retrouve dans le couloir. J'ai vu juste : nous ne sommes pas dans un vieux *palazzo* mais dans un bâtiment moderne, immaculé, qui baigne dans une lumière froide et aseptisée. À première vue, il n'y a aucun moyen de sortir dans la rue. Les portes donnent toutes, soit dans des placards, soit dans des cellules comme la nôtre, mais vides.

Je comprends bientôt que nous sommes dans un souterrain. Toutes les issues de secours conduisent vers des escaliers. Je traverse le plafond. Cette fois, j'apparais dans une grande salle aux immenses baies vitrées. C'est la réception d'un immeuble énorme, moderne et luxueux. Je contourne la réceptionniste, une humaine qui ne me voit pas, et j'examine le logo qui occupe la moitié du mur derrière elle. *Eden Pharmacorp*. Une compagnie pharmaceutique, dirigée sans nul doute par des démons. Par un démon en particulier, à mon avis. Je parcours tout le rez-de-chaussée, impressionnée. Des gens élégants, des contrôles de sécurité, une technologie de pointe, des bureaux neufs, luxueux, gigantesques. Si c'est une succursale, je ne veux même pas imaginer à quoi ressemble le siège de l'entreprise. Et si c'est le siège, nous nous sommes jetés dans la gueule du loup.

Sincèrement, si j'étais entrée ici comme une visiteuse normale, je ne me serais posé aucune question. Certes, le sous-sol n'est qu'une suite de cellules conçues spécialement pour des anges ou des démons, et ceux qui nous ont amenés ici ne ressemblaient pas précisément à des enfants de chœur. Mais pour le reste, tout semble absolument normal. Au premier étage se trouvent des bureaux, des salles de réunion, des machines à café. Les gens entrent, sortent, classent des papiers, travaillent sur leur ordinateur, discutent au téléphone... Rien que de très classique, quoi. Ils parlent anglais avec un accent bizarre. Dans un coin, je remarque un drapeau canadien, ce qui me donne une idée légèrement plus précise de l'endroit où nous sommes.

Aucun démon pour le moment.

Je flotte jusqu'au second étage, occupé par des laboratoires. Des gens en blouse blanche, des éprouvettes, des microscopes. Là aussi, il n'y a que des humains, et j'imagine qu'ils s'activent à mettre au point des médicaments légaux, pas des virus mortels. Si c'est dans ce bâtiment que Nébiros s'amuse à détruire l'humanité, il doit faire ça dans un laboratoire moins accessible que ceux-là.

Nerveuse de m'éloigner de plus en plus d'Angelo – le lien commence à se faire sentir – je m'élève jusqu'au troisième étage.

J'y suis ! Cette zone semble bien plus surveillée, il y a des contrôles de sécurité, les gens ont besoin de badges pour entrer... et il y a même un laboratoire dans lequel on ne peut pénétrer qu'après un test de reconnaissance de l'iris. Oui, cette technologie qu'on ne voit qu'au cinéma. Je crois que je commence à m'approcher de quelque chose d'important.

Et ici, il y a des démons. Seulement quelques-uns, qui travaillent côte à côte avec les humains, comme s'ils faisaient partie de l'équipe. Rien ne les distingue des autres, sauf pour moi, bien sûr.

Il y a plusieurs laboratoires, les uns derrière les autres, et à chaque niveau, la sécurité augmente. La proportion d'humains et de démons s'inverse peu à peu. Ces gens ne doivent pas comprendre ce qu'ils font. Je doute fort qu'un homme puisse collaborer volontairement à la création d'un virus destiné à exterminer l'humanité.

Je reste juste au-dessous du plafond, et personne ne me remarque. Un seul démon lève les yeux et m'aperçoit, mais il fait juste une petite grimace, comme s'il avait vu un cafard courir dans un coin : quelque chose de désagréable qu'on ne s'attend à trouver que dans les vieilles bâtisses, mais rien de grave. Il ne fait aucun commentaire – il y a des humains autour de lui, et il peut difficilement leur dire qu'il vient de voir un fantôme.

Je continue donc impunément mon exploration. Pour l'instant, je n'ai vu aucun des démons qui nous ont capturés à Madrid, mais je reste sur mes gardes.

Au fond du couloir, il y a un ultime contrôle de sécurité. Je traverse la porte comme si de rien n'était et j'arrive dans un petit bureau où travaille une secrétaire humaine. Au fond se trouve une porte à travers laquelle on distingue deux voix qui parlent en langue démoniaque. Les parois étouffent la conversation que la secrétaire ne comprendrait pas même si elle l'entendait, mais mon ouïe de fantôme n'est pas comparable à la sienne, et je suis certaine de ne pas me tromper. Je dirais même plus : j'ai l'impression de reconnaître l'une des deux voix.

Je ne peux pas passer par la porte, c'est trop risqué. Je m'élève encore un peu, je traverse le plafond, et j'apparais au quatrième étage, dans un couloir. J'avance de quelques mètres, jusqu'à un réduit qui doit être situé, d'après mes calculs, juste au-dessus du bureau où discutent les deux démons. Ce n'est qu'alors que, lentement, avec mille précautions, je descends tête en bas (ce qui ne me pose aucun problème, puisque je ne suis plus soumise aux lois de la gravité) pour que seul mon visage traverse le plafond de la pièce qui m'intéresse.

J'avais raison, c'est un bureau. Un bureau de luxe, avec une fenêtre qui occupe tout un mur, une table immense, une moquette immaculée. Debout au centre de la pièce se trouvent deux démons. S'ils avaient l'idée de lever la tête, ils me verraient, et qu'ils me reconnaissent ou non, mon comportement leur semblerait trop étrange pour être celui d'un spectre errant ; mais en attendant, je peux écouter ce qu'ils disent.

L'un des deux est le chef du groupe qui nous a conduits ici. L'autre est un démon avec une aura de pouvoir impressionnante. Son apparence est celle d'un homme d'une cinquantaine d'années, aux cheveux gris, aux larges épaules, de taille moyenne. Il est impeccablement vêtu, ce qui s'accorde bien avec la décoration du bureau. Si ce n'est pas le chef de l'entreprise, c'est au minimum l'un de ses directeurs.

« Pourquoi l'as-tu amené ici ? Je t'avais dit de l'éliminer, pas de le capturer !

— Excusez ma maladresse, seigneur. Nous l'avons localisé à Florence, mais il était sous la protection de Madonna Costanza, et...

— Je sais, le coupe l'autre sèchement. Mais il a quitté Florence, non ? Pourquoi donc est-il encore vivant, Valefar ? »

Le sbire prend une profonde inspiration.

« La rumeur veut qu'un démon puissant ait intercédé en sa faveur auprès de Madonna Costanza. Et la première chose qu'il a faite en arrivant en Espagne, c'est de contacter les anges guerriers. Je craignais qu'il n'ait déjà parlé de nous. »

Pas de réponse.

« Angelo travaillait pour quelqu'un, poursuit Valefar, sur des charbons ardents. Il ne s'agit pas d'une affaire de propriété, comme il a voulu le faire croire.

— Je m'en doutais. Et alors ?

— J'ai pensé que vous voudriez peut-être l'interroger. Qu'il serait peut-être prêt à nous révéler ce qu'elle ne nous dit pas. »

Elle ? Je tends l'oreille, de plus en plus intéressée.

« Il a l'air disposé à parler, ajoute Valefar. Il ne faudra peut-être pas beaucoup insister pour qu'il nous donne le nom de son maître.

— Je dois avouer que cette information me serait fort utile. Mais pourquoi l'as-tu amené ici ? Tu ne pouvais pas l'interroger ailleurs ?

— J'ai pensé que vous voudriez le faire personnellement, Seigneur Nébiros, répond Valefar, confirmant mes soupçons quant à l'identité de son interlocuteur. Et puis... sauf votre respect, je ne vois pas comment Angelo pourrait nous poser le moindre problème. L'autre prisonnière est bien plus dangereuse que lui, et malgré ça...

— Ne conteste pas mes décisions, Valefar, réplique froidement Nébiros. Les raisons pour lesquelles je la retiens ici ne te regardent pas. » Il s'arrête un moment pour réfléchir. « Très bien. Surveille Angelo et amène-le-moi cette nuit, quand tout le monde sera parti. »

L'autre s'incline devant lui, mais avant de partir, il ajoute :

« Seigneur... je dois vous avertir qu'Angelo n'est pas seul.

— Comment ça ?

— La fille que nous avons tuée à Berlin... La fille de Iah-Hel... la première de la Nouvelle Création...

— Oui ? Es-tu en train de me dire qu'elle n'est pas morte ? »

Sa voix est devenue terriblement menaçante.

« Oh si, elle l'est, elle l'est ! Mais son fantôme est resté lié au monde des vivants. Angelo est son ancre. »

Nébiros médite sur cette nouvelle révélation avant de répondre.

« Intéressant. Voilà donc pourquoi il est allé voir Madonna Costanza ! Même après sa mort, elle continue à enquêter au sujet de ses origines. Angelo n'aurait pas fait ça par pure curiosité. Tu les as donc amenés tous les deux, Angelo et le fantôme... T'es-tu assuré qu'elle n'aille pas fourrer son nez là où elle ne devrait pas ? »

Je recule pour sortir la tête de la pièce. J'entends encore la réponse de Valefar :

« Je n'y ai pas pensé... Mais que pourrait-elle faire ? Ce n'est qu'un esprit. Qu'importe ce qu'elle peut découvrir, puisqu'elle ne peut pas sortir tant que nous gardons Angelo prisonnier !

— Je préférerais tout de même que tu ailles voir ce qu'elle fait. »

Je n'attends pas plus longtemps. J'avance un peu, et à une distance prudente, je descends d'un seul coup les trois étages pour arriver de nouveau au souterrain. Puis je traverse rapidement les pièces à la recherche d'Angelo. Placard, cellule vide, cellule vide, salle de bains, cellule vide, placard, cellule vide, cellule vi... Un instant !

La pièce que je viens de traverser n'était pas vide. Je reviens sur mes pas.

En effet, il y a quelqu'un, recroquevillé dans un coin. Quelqu'un qui détecte ma présence et lève la tête pour me lancer un regard lumineux.

La prisonnière de la cellule est l'ange le plus beau que j'aie jamais vu. Son visage pâle, entouré par une longue chevelure châtaine qui ondule sur ses épaules, est à la fois plein de tristesse et de douceur. La lumière de ses yeux clairs est un peu opaque, mais reflète néanmoins la splendeur de l'ange. Elle porte une sorte de chemise de nuit et s'enveloppe dans un châle bleu de laine grossière, comme si elle avait froid. Je ne sais pas depuis combien de temps elle est ici, mais l'enfermement ne lui fait aucun bien.

« Bonjour ! » je lance timidement.

Je repense aussitôt à l'ange du bar, à Berlin, mais celle-ci sait clairement ce qu'elle est et ce que je suis.

« Bonjour, esprit égaré, me salue-t-elle avec un sourire. Que fais-tu ici ?

— J'explore les environs », j'explique timidement. Je n'arrive pas à la quitter des yeux. Non seulement parce que, malgré la situation, elle est d'une incroyable beauté, mais aussi parce que j'ai l'impression de l'avoir déjà vue quelque part. « Mais je ne suis pas égarée. Mon ancre est près d'ici. Il est prisonnier de Nébiros. Comme vous, j'imagine. »

Elle me regarde avec étonnement.

« Tu en sais des choses, pour un fantôme. Saurais-tu également qui je suis, par hasard ?

— Il me semble que je vous ai déjà vue quelque part... »

Je l'observe avec plus d'attention.

Soudain, ça me revient.

C'est récent. Après ma mort. À Florence. Dans un musée. Sur un tableau.

L'annonciation de Botticelli.

Je demeure muette d'étonnement. L'ange sourit.

« Je m'appelle Gabriel, confirme-t-elle simplement.

— Gabriel ? je m'exclame, ahurie. L'archange ? Mais... que faites-vous ici ? Comment vous a-t-on capturée ? Et pourquoi ? »

Elle ferme les yeux avec une grimace de lassitude et de douleur. Une expression qui n'aurait jamais dû marquer le visage d'un ange, et surtout pas le sien.

« C'est une longue histoire », dit-elle avant d'entrouvrir son châle pour me montrer quelque chose qui explique tout.

Elle est enceinte.

« Mais... mais... » Encore une fois, les pensées tourbillonnent dans ma tête. Au-delà de mes multiples interrogations affleure un sentiment d'indignation. « Comment peuvent-ils vous garder prisonnière dans cet état ? Et s'il arrivait quelque chose au bébé ? »

Elle sourit à nouveau.

« Il n'arrivera rien au bébé, me rassure-t-elle. Vous êtes solides. »

Je la regarde à nouveau, bouleversée par ce qu'impliquent ces derniers mots.

« Moi aussi, je sais qui tu es, explique-t-elle douce-ment. J'ai connu ton père, Iah-Hel. Je suis désolée de te voir ainsi. Tu étais si jeune ! Quatorze ans, quinze ?

— Seize », je précise, toujours aussi étourdie.

Elle soupire.

« Le temps passe si vite... Que t'est-il arrivé ?

— J'ai été assassinée par un serviteur de Nébiros. »

Une ombre d'angoisse passe sur son visage, et elle s'enveloppe à nouveau dans son châle, comme si elle voulait protéger son bébé d'une menace invisible. Ce dernier geste confirme mes soupçons.

« Vous n'allez pas donner le jour à un ange, pas vrai ?

— Non. J'appartiens à ce qu'on nomme le Groupe de la Nouvelle Création.

— C'est pour ça que Nébiros vous garde prison-nière ! »

Il veut tuer tous les enfants de l'équilibre, et Gabriel va en mettre un au monde. On l'a enfermée pour pouvoir tuer son bébé à la naissance. C'est trop cruel pour être concevable – ou peut-être ne l'est-ce pas tant que ça, de la part d'un démon qui prépare l'extermination de l'humanité.

Mais Gabriel serre les mâchoires, et un éclair de colère traverse son noble visage.

« Ce n'est pas Nébiros qui me garde prisonnière. »

Allons bon. Voilà autre chose.

« Mais alors, qui... » je commence, mais je dois m'interrompre brutalement.

Quelque chose m'appelle, avec urgence, et je sors de la pièce comme une flèche, sans même avoir le temps de dire au revoir. C'est Angelo qui tire sur le lien qui m'unit à lui ; il veut que je revienne, et je n'ai d'autre choix que d'accourir à toute allure, comme un bon chien fidèle.

Je ne me fâche pas, parce que je comprends immédiatement pourquoi il est si pressé. « Je préférerais tout de même que tu ailles voir ce qu'elle fait », a dit Nébiros. Et merde. En parlant avec Gabriel, j'ai complètement oublié pourquoi je devais retourner dans ma cellule. Je traverse le dernier mur juste au moment où Valefar pointe son museau de renard à la porte.

Angelo est allongé sur la couchette et regarde le plafond, avec l'air de s'ennuyer prodigieusement. Il lui jette un regard indifférent. Valefar me cherche des yeux et me trouve en train de flotter dans un coin. Satisfait, il referme la porte et repart sans dire un mot.

Angelo attend quelques instants avant de murmurer :

« On t'a vue, ou quoi ?

— Non, mais Nébiros n'est pas le dernier des idiots. Et tu ferais mieux de rester allongé, parce que tu risques de tomber à la renverse en entendant ce que j'ai à te raconter.

— Ça ne peut pas être plus renversant que Métatron enfermé dans une pyramide maya, pourtant ! »

Je souris.

« Presque. Devine qui est prisonnière à quelques mètres d'ici ? »

Je lui raconte en peu de mots ce que j'ai découvert. Il hoche la tête avec une moue admirative.

« Ça a des avantages, d'être un fantôme ! Je commence à me dire que Nergal doit en avoir toute une légion à ses ordres.

— Encore une fois, tu rabaisses mon talent ! Je suis douée pour ça, c'est tout. Alors que toi... ta contribution à notre enquête a été d'une passivité remarquable, ces derniers temps. Tout ce que tu as fait, c'est te faire capturer, te faire enfermer, te faire libérer...

— Au moins je ne me suis pas fait tuer !

— Un point partout... Enfin, ce n'est pas ça l'important. Prépare-toi à un long interrogatoire avec Nébiros. Il va te demander ce que Gabriel refuse de lui dire – et Dieu sait ce qu'il lui a fait, la pauvre.

— Il ne lui a fait aucun mal. Ce n'est pas dans son intérêt.

— Pourquoi pas ?

— Réfléchis un peu, Cat. Le Groupe de la Nouvelle Création... Gabriel enceinte...

— Oui, j'avais déjà compris toute seule que l'orgueilleux papa doit avoir des yeux rouges et des ailes noires, figure-toi ! Mais...

— On veut savoir qui m'envoie. On demande à Gabriel soit qui est le chef du groupe, soit qui est le père de son enfant, soit les deux, parce que c'est probablement la même personne. Et la raison pour laquelle je ne m'inquiète pas trop d'être enfermé ici, c'est que je pense que si j'y suis, ce n'est pas par hasard. Demande-toi qui nous a envoyés et tire tes propres conclusions ! »

Ce n'est pas possible. Mon visage doit être tout un poème, car Angelo hoche la tête.

« C'est Astaroth le père. Toute cette investigation sur Nébiros a pour objectif de libérer Gabriel. Il doit être enragé de ne pas la trouver. »

Voilà pourquoi il insistait tant sur l'importance de localiser Nébiros ! Et je comprends soudain autre chose :

« Et nous, nous étions l'appât ! Tu crois qu'il nous a envoyés pour ça, pour qu'on soit enlevés et qu'on le conduise jusqu'à Gabriel ?

— Gabriel elle-même est un appât. En la capturant, Nébiros espère attirer le leader du groupe dans un piège et en finir avec lui, soit en le tuant, soit en le dénonçant à Lucifer, pour éliminer les seuls qui peuvent contrecarrer son projet.

— Mais alors, si Astaroth nous a suivis et qu'il vient chercher Gabriel, il va tomber dans le piège de Nébiros ? »

Angelo se rallonge sur la couchette.

« On verra bien ! Il se fait tard, et les gens qui travaillent ici sont probablement en train de rentrer chez eux. On va sûrement bientôt venir nous chercher.

— Et qu'as-tu l'intention de dire à Nébiros ? Tu vas dénoncer Astaroth ? Après tous les efforts qu'a faits Gabriel pour le couvrir ? »

Il soupire.

« Ces anges ! Toujours si nobles, si loyaux, même quand il s'agit de protéger un démon... Malheureusement, je n'ai pas été fait dans le même moule.

— Tu vas tout lui raconter ? je m'exclame, scandalisée.

— Ne t'énerve pas ! Tu m'avais promis de ne plus
crier, je te rappelle ! Je plaisantais, va. J'ai intérêt à
prolonger l'interrogatoire le plus longtemps possible.
Si Astaroth nous a suivis, il doit être en chemin. Je
dois lui laisser le temps d'arriver. Je ne vais donc pas
tout lui raconter... Du moins pas dès le début. »

Il a l'air très sûr de lui. Pas moi. S'il a vu juste,
Astaroth et Nébiros ont chacun tendu un piège à
l'autre. Lequel des deux tombera dedans le premier ?

Et le pire, c'est qu'il reste une donnée inconnue, un
point obscur dans cette trame qui n'est pas encore
résolue. « Ce n'est pas Nébiros qui me garde prisonnière », a dit Gabriel. Mais alors, qui est-ce ?

« Je vais retourner parler avec Gabriel ! j'annonce,
mais Angelo me fait signe de rester :

— Non. Ils vont bientôt venir nous chercher. »

Il a raison. Quelques minutes plus tard, Valefar et
d'autres démons font leur apparition. Ils font sortir
Angelo à la pointe de leur épée, sans le quitter des
yeux une seule seconde. Pourtant, ainsi désarmé, il
n'a pas l'air très dangereux. Je ne suis même pas certaine qu'il puisse encore revenir à l'état spirituel ; il
prétend que si, mais je ne l'ai encore jamais vu faire,
et nous avons toujours voyagé en avion. S'il est prisonnier de son corps humain, comme tous les anges
et un certain nombre de démons, il n'a aucun moyen
de s'échapper. Malgré tout, nos geôliers le surveillent
de près.

Nous empruntons un ascenseur qui ne fonctionne
qu'avec une clef de sécurité. Quelques secondes plus

tard, nous voici au troisième étage. On nous conduit dans l'énorme bureau que je connais déjà. Une fois arrivé, Valefar enfile une paire de gants épais, prend un sac de toile dans une armoire et en extrait des menottes qui brillent d'une lueur sinistre. Angelo recule, alarmé.

« Vous n'allez pas me mettre ça ? plaide-t-il, mais Valefar hausse les épaules :

— Désolé, ce sont les ordres. »

Angelo essaie de se débattre, mais il se retrouve avec cinq épées pointées contre lui, et n'a d'autre choix que de se laisser faire tandis que Valefar lui ôte sa veste pour dénuder ses poignets et lui enfile les menottes. Angelo pousse un cri de douleur. Je voltige autour de lui, préoccupée.

« Qu'est-ce que c'est ? Pourquoi ça te fait mal ?

— Elles sont faites dans le même matériau que les épées, répond Valefar en fixant les menottes à une chaîne qu'il attache au mur. C'est juste une mesure de précaution. N'importe quel démon pourrait aisément arracher ces chaînes... s'il supportait d'entrer en contact avec les menottes. Plus d'un est mort en tentant l'expérience, donc, Angelo, je te conseille de te tenir tranquille. Si tu te conduis bien, la douleur sera supportable ; le moindre geste brusque la transformera en un véritable supplice. »

Angelo inspire à fond, se redresse lentement et lui lance un regard noir. Les menottes effleurent sa peau, et malgré les efforts qu'il fait pour le cacher, il est évident qu'elles le font beaucoup souffrir. Je commence à comprendre pourquoi ni les anges ni les démons ne possèdent de nom pour définir le matériau avec lequel ils fabriquent leurs épées, le seul qui puisse leur faire du mal. Pour eux, c'est la mort. Une sorte de tabou, peut-être. Je suis d'ailleurs surprise qu'ils l'utilisent avec tant de naturel pour en faire autre chose que des épées.

Angelo doit penser la même chose que moi, car il commente, avec toute la froideur dont il est capable dans cette situation :

« Quel gaspillage. Même moi, je me rappelle une époque où les épées des ennemis tombés au combat n'étaient utilisées que comme épées.

— Grâce à la Plaie, les épées angéliques abondent. Nous pouvons nous permettre ces petites fantaisies. »

Il se tait. La porte vient de s'ouvrir. Nous nous retournons tous en même temps.

Nébiros fait son entrée.

14

Je le dévisage avec curiosité. La dernière fois que je l'ai vu, c'était d'en haut, mais mon impression était assez juste. Il est peut-être un peu plus grand que je ne l'avais supposé, et je n'avais pas remarqué ses yeux d'un bleu dur et froid comme de l'acier.

Ses sbires, Valefar en tête, s'inclinent devant lui. Angelo reste parfaitement immobile, mais Valefar le pousse pour l'obliger à s'agenouiller, ce qu'il fait avec un hurlement de douleur et en fermant les yeux.

Je n'aime pas le voir ainsi. Si seulement on pouvait lui ôter ces machins ! Je m'approche encore un peu de lui.

Nébiros nous regarde comme si nous étions des ordures provenant tout droit d'une décharge.

« Voici donc le fameux Angelo. J'avais envie de te connaître : tu m'as créé beaucoup de problèmes. Cela fait des années que je travaille sur un petit projet personnel, et j'ai fait plus d'efforts que tu ne peux l'imaginer pour qu'il demeure caché. Et voilà que toi et ta petite amie survenez, que vous fourrez votre nez dans mes affaires, et que mon projet n'est soudain plus aussi secret que je le croyais !

— Vous devriez mieux choisir vos serviteurs, réplique Angelo, impassible. Ils ont la langue trop bien pendue. Sinon, nous ne serions pas ici aujourd'hui. »

Nébiros lui lance un regard dont je m'étonne qu'il ne le foudroie pas sur place.

« Je t'aurais pardonné si tu t'étais contenté de faire ton rapport à ton maître. En fin de compte, je peux comprendre qu'on obéisse aux ordres donnés. Mais tu es allé tout raconter à Nergal. À Nergal ! répète-t-il en levant la voix, avec une fureur qui augmente d'instant en instant. Le plus bavard de tous les démons ! »

Je savais bien que ce n'était pas une bonne idée – mais ce n'est peut-être pas le moment de le faire remarquer.

« Je lui devais une faveur. Et si ça peut vous rassurer, je doute qu'il aille le raconter à droite à gauche. Il doit vendre cette information très cher », ajoute Angelo avec un sourire malin.

Nébiros le regarde droit dans les yeux. Il est visiblement en train de se demander s'il peut se permettre de le massacrer tout de suite.

« Tu vas mourir cette nuit, l'informe-t-il froidement. Je peux t'assurer que tu ne verras pas le soleil se lever demain matin. Mais il dépend de toi que le procédé soit rapide et indolore, ou qu'il se transforme en une torture indescriptible.

— Ça me semble juste. Que puis-je faire pour obtenir une mort rapide ? »

Il n'est pas sérieux ? Comment peut-il être aussi calme ? Croit-il réellement qu'Astaroth arrivera au dernier moment pour le sauver ?

« Angelo... » je murmure. Je me tais aussitôt, mais Nébiros m'a entendue. Il se tourne vers moi.

« Regarde-moi ça ! Ton petit fantôme s'inquiète pour toi ! Que va-t-elle devenir quand tu seras mort ? Un spectre errant, non ?

— Ça m'est égal, répond Angelo avec aplomb. Que voulez-vous savoir exactement ? Je peux vous révéler le nom de mon maître, si c'est ce qui vous intéresse. Ou vous dire tout ce que je sais au sujet de votre machination et à qui je l'ai raconté exactement.

— Voilà qui me serait fort utile, en effet.

— Le problème, c'est que dès que j'aurai parlé, c'en sera fini de moi. Et vu que je détiens des renseignements qui vous intéressent, et que si vous me tuez avant que je parle, ces renseignements mourront avec moi, je crois pouvoir me permettre de négocier. »

Nébiros secoue la tête avec dédain.

« Je te croyais plus intelligent, Angelo.

— Pourquoi pas ? Après tout, vous détenez ici une prisonnière qui refuse de parler... et qui est toujours vivante, elle.

— Tu te trompes. Ce n'est pas ma prisonnière. En revanche, toi, tu m'appartiens, donc je peux faire de toi ce que je veux. Tu n'as pas la possibilité de négocier, Angelo.

— Je vous dirai tout si vous me laissez la vie sauve. Je n'ai aucun intérêt personnel dans cette affaire :

j'obéissais à des ordres, voilà tout. Et comme vous avez pu le remarquer, j'ai été plutôt efficace. Vous pourriez me prendre à votre service. Il m'importe peu de travailler pour l'un ou pour l'autre. Si vous me donnez une chance...

— Pas question, coupe Nébiros. Je cherche des serviteurs loyaux, pas des opportunistes comme toi.

— Vous me blessez profondément », répond gravement Angelo.

Je n'en crois pas mes oreilles. Non seulement il plaisante, mais il se permet même de faire marcher Nébiros ! Comment peut-il être aussi sûr de lui ?

Nébiros serre les mâchoires.

« Tu veux jouer, donc ? Très bien. Jouons. Je crains que tu n'aies perdu tout droit à une mort rapide. » Il se tourne vers ses serviteurs. « Allez-vous-en. Valefar, amène-moi la prisonnière. J'aimerais comparer leurs versions. »

Sans se le faire dire deux fois, les démons s'inclinent en signe de respect et se retirent en silence. Nous restons seuls dans le bureau, Nébiros, Angelo et moi.

« Alors, Angelo ? Tu n'as rien à me dire ? »

Mon allié est toujours agenouillé par terre. S'il se lève, les menottes le feront souffrir, et il préfère l'éviter.

« Voyons... Le plan d'exterminer les humains grâce à un virus mortel me paraît excellent. Mes compliments. »

Nébiros hausse un sourcil.

« Rien d'autre ?

— Si, je vous présente mes excuses pour avoir mis au jour votre entreprise secrète... A-t-elle un nom, d'ailleurs ? demande-t-il avec une feinte innocence.

— Projet Apocalypse », répond une voix douce et profonde.

Surpris, Angelo et moi nous tournons vers la personne qui vient d'apparaître.

C'est un homme très grand, avec une longue chevelure blonde, presque blanche, qui lui tombe sur les épaules. Ses traits sont délicats, fins, comme ciselés par un sculpteur. Mais ses yeux verts ont la froideur d'un bloc de marbre, ce qui est dommage, car ils débordent de lumière angélique, tout comme les ailes impressionnantes qu'il vient de déployer.

Un ange ! Je me sens immensément soulagée. Ils sont venus nous sauver ! Yeiazel a tenu sa promesse ! Je jette un regard triomphant à Nébiros, mais ce dernier ne semble aucunement frappé de stupeur. Angelo non plus, d'ailleurs. Il observe le nouveau venu avec méfiance.

« Très approprié, dit-il lentement. Le nom, je veux dire. C'est vous qui l'avez trouvé ? »

De quoi parle-t-il ? Je fronce les sourcils, scandalisée, mais il ne quitte pas des yeux l'ange qui lui adresse un sourire condescendant avant de se tourner vers Nébiros :

« Qui est-ce ? Et où est Gabriel ?

— Elle va arriver dans un instant. Ce jeune démon est un envoyé du Groupe de la Nouvelle Création, et il en sait trop. »

L'ange regarde Angelo avec un intérêt renouvelé.

« Et pourquoi est-il encore en vie ?

— Je pensais qu'il serait peut-être plus disposé à parler que notre belle prisonnière. Il n'a pas tant de scrupules. Le fantôme qui l'accompagne est la première des "enfants de l'équilibre". N'est-ce pas ironique ? »

L'ange m'observe pour la première fois. Je le regarde avec espoir, mais il fait une grimace de répugnance.

« Les humains sont terriblement obstinés, laisse-t-il tomber. Mais ce n'était pas nécessaire que tu les fasses venir : Gabriel parlera cette nuit. »

Je suis abasourdie. C'est impossible. C'est lui, l'associé de Nébiros ? Un ange ?

« Gabriel ne parlera pas, ni cette nuit, ni un autre jour, réplique Nébiros. C'est un archange. Tu devrais savoir mieux que personne ce que ça signifie. Mais d'une manière ou d'une autre, nous obtiendrons l'information dont nous avons besoin. »

À cet instant, Valefar reparaît. Gabriel l'accompagne, pieds nus, enveloppée dans son châle de laine, traînée par une chaîne qui enserre ses poignets délicats. Celle-ci doit la faire énormément souffrir, car une grimace de douleur tord sa bouche ; néanmoins, elle déploie ses ailes et lève la tête avec défi.

« Bonsoir, Gabriel », dit placidement l'ange.

Elle le regarde avec colère.

« Uriel. Tu te souviendras de tout ça ! »

Et la dernière pièce du puzzle se pose enfin pour me révéler l'image complète. Si je croyais que cette conspiration ne pouvait plus m'apporter de surprise, je me trompais. Je contemple avec stupéfaction les deux archanges : Gabriel, prisonnière, enceinte, et malgré tout pleine de défi et sûre d'elle ; et Uriel, magnifique dans sa splendeur angélique, froid et serein, comme si comploter avec un démon pour anéantir l'humanité était quelque chose qu'il faisait tous les jours.

Au cas où j'aurais encore des doutes, j'admets enfin que la guerre entre les anges et les démons a cessé depuis longtemps. Ce qui est en jeu, c'est désormais le monde lui-même, la survie des deux espèces, et la nouvelle bataille a lieu entre ceux qui veulent nettoyer la planète de tous les humains, et ceux qui ne peuvent concevoir le monde sans eux... sans nous. Nous avons des défenseurs et des détracteurs, à la fois parmi les anges et parmi les démons. Et il y a bien longtemps que certains anges ont cessé de croire en nous.

Je comprends soudain que les anges ne viendront pas nous sauver. Ils ne savent rien au sujet de la conspiration de Nébiros, en dehors de ce que j'ai pu raconter à Yeiazel. L'ange auquel Orias a montré sa vision n'était autre qu'Uriel. Et pendant que son associé, dans son laboratoire, mettait la main aux dernières retouches de son arme de destruction totale, Uriel s'employait dans l'ombre à découvrir ce qui avait pu faire changer la vision d'Orias, à débusquer les enfants de l'équilibre, et à les éliminer un par un.

Et je me rappelle, comme si je venais de le vivre, la personne qui m'a agressée derrière la bibliothèque, à Valence ; celle dont je me demandais si ce pouvait être un ange. C'en était probablement un. Un envoyé d'Uriel, qui ignorait qui j'étais, et qui a été pris de doute en voyant que je me défendais avec une épée angélique.

Voilà pourquoi Uriel a cessé de recourir à ses propres subordonnés anges. Nébiros a contacté Agaliarept pour qu'il me retrouve, et Agaliarept a chargé Nergal de m'envoyer Rüdiger, le démon qu'Angelo a tué le lendemain du jour où nous avons fait connaissance. Voyant que ça n'avait pas fonctionné et que nous étions allés à Berlin demander des comptes à Nergal, Nébiros a décidé qu'il valait mieux qu'il s'en occupe lui-même, et il a mandaté ses propres sbires : Alauwanis, Johann, puis Valefar.

Nous avons été utilisés comme des pions dans une guerre entre les deux camps. Nébiros et Uriel connaissaient l'identité de l'un des chefs du Groupe de la Nouvelle Création, Gabriel, mais pas celle de son compagnon ; de son côté, Astaroth a eu vent du Projet Apocalypse grâce à nous, qui l'avons conduit droit à Nébiros, mais il soupçonnait non sans raison qu'il y avait quelqu'un d'autre derrière, sans savoir qu'il s'agissait d'Uriel. Il est probable que le premier des deux qui découvrira l'identité de l'autre gagnera la guerre. Les uns veulent sauver la planète par une action brutale et désespérée ; les autres veulent sauver l'humanité en lui restituant ses origines pures, même s'ils ne sont pas certains que ça suffira à protéger la planète. Sauver la Terre ou sauver l'humanité : c'est là le dilemme auquel ils sont confrontés à présent.

Et le résultat final dépend très probablement de ce que nous allons dire à Nébiros et à Uriel cette nuit... Et de l'éventuelle venue d'Astaroth, si celui-ci choisit d'accourir plutôt que de rester dans l'ombre et sacrifier Gabriel et son enfant.

Je suis toujours en état de choc. Gabriel a dit quelque chose à Uriel que je n'ai pas entendu. Ce dernier rit, d'un rire froid et pur, et répond :

« Moi, un traître ? Et toi ? N'es-tu pas enceinte des œuvres d'un démon ? Pauvre Gabriel... À l'époque, tu avais condamné l'action d'Azazel et de Samaël, mais ensuite, tu es tombée amoureuse des humains, pas vrai ? Tu as tourné tes yeux magnifiques vers ces indignes créatures et tu as vu de la beauté en eux... Dieu sait où. Tu as fait des efforts pour racheter leurs erreurs ; tu as parlé avec eux, tu as annoncé la naissance d'enfants extraordinaires, tu leur as transmis inlassablement des messages de paix et d'harmonie. Mais les humains n'écoutent jamais rien, pas vrai ? »

Gabriel ne répond pas, mais son expression parle pour elle.

« Non, les humains n'écoutent jamais rien, poursuit Uriel. Je vous l'avais dit, à l'époque, quand nous débattions sur l'avenir de la nouvelle espèce. Je vous avais proposé de tous les éliminer avant qu'ils ne détruisent l'équilibre de la Création. Mais mes frères, tout comme les humains, ne m'ont pas écouté. As-tu regardé autour de toi, Gabriel ? As-tu vu ce qu'ont fait tes protégés du beau jardin que nous voulions voir prospérer ? As-tu jamais dirigé ton regard vers une forêt que tu admires depuis des millénaires, pour découvrir qu'elle n'était plus là, qu'elle a été entièrement arrachée ? As-tu vu disparaître des espèces qui ont mis des millions d'années à évoluer, parce que les humains, toujours eux, les ont exterminées en quelques dizaines d'années tout au plus ? As-tu contemplé la manière dont les autres êtres vivants agonisent à cause de leur cruauté infinie, bien plus sauvage que celle de n'importe quel démon ? Toi, si noble, si bonne, si pleine de compassion, n'as-tu jamais pleuré en écoutant leurs cris de douleur ? Je pensais que toi, Gabriel, tu me comprendrais mieux que quiconque.

— Les humains aussi font partie du monde. Tout comme les démons.

— Cet argument est biaisé, Gabriel. J'aurais pu y croire il y a quelque temps, mais plus maintenant. Tu appartiens à cette abominable secte de la Nouvelle Création ; tu connais donc l'origine des humains. Tu sais qu'elle n'a rien de naturel. Tout le monde avait oublié d'où était née l'espèce humaine, même toi. Maintenant, tu le sais. Qui te l'a dit ? Qui a pu te parler d'une union aussi impure sans mentionner la Troisième Loi de la Compensation ? »

Gabriel demeure muette, mais je connais la réponse. C'est Astaroth qui lui a rafraîchi la mémoire, après avoir découvert par hasard Métatron dans les profondeurs d'une pyramide.

Uriel soupire, comme si un poids infini pesait sur ses épaules. Il allonge la main vers Gabriel et touche sa joue de la pointe de son index, un doigt long, délicat, parfait.

« Oh, Gabriel... Comment as-tu pu trahir le monde ainsi ? » Il y a une véritable douleur dans ses paroles. « Toi qui le survolais, légère et radieuse, il y a des millions d'années, toi qui sais qu'il n'a jamais été aussi riche, beau et magnifique que lorsque les humains ne l'avaient pas encore corrompu de leur présence... Toi qui as assisté à la première grande extinction, à l'essor des démons, il y a des millions d'années, quand presque toute vie a disparu de la planète... Toi qui as pleuré comme moi et comme tous les anges face à la fin des dinosaures et du monde qui les avait vus se développer... Toi qui as juré, comme nous tous, de ne jamais plus autoriser rien de tel, de ne pas laisser les démons remporter une nouvelle fois la partie... Pourquoi renies-tu ta promesse ?

— Je suis toujours fidèle à ma nature. Moi, au moins, j'ai fait un pacte avec un démon pour créer la vie. Toi, tu ne cultives que la mort.

— Une mort qui fera revenir la vie ! Sais-tu combien de temps il faudra à la Terre pour se remettre des actions des humains ? S'ils restent là, elle ne s'en remettra jamais. Sans eux, en quelques siècles, les forêts recommenceront à pousser ; en quelques millénaires, la mer et l'atmosphère se débarrasseront de leur poison, les espèces fleuriront à nouveau... Juste quelques milliers d'années. Gabriel, ne veux-tu pas contempler ce monde vivant ? Ne te manque-t-il pas ? »

Le regard de Gabriel exprime une nostalgie terrible. Je me fais toute petite. Nous sommes trop insignifiants, trop minables pour nous rappeler comment était le monde il y a cent mille ans ; mais les anges étaient là, et tous ceux qui s'en souviennent éprouvent cette même nostalgie cruelle. Comme Uriel. Comme mon père.

Gabriel ne répond pas. Uriel soupire à nouveau et se tourne vers Nébiros, qui contemple la scène avec intérêt.

« Cette nuit sera décisive, je le sens.

— J'en suis de plus en plus convaincu, répond Nébiros. Mais pas grâce à Gabriel. »

Uriel nous regarde pensivement.

« Peut-être as-tu raison. Tu permets ? »

Nébiros sourit, railleur.

« Je t'en prie. Je trouve très stimulant de te voir en pleine action. »

Uriel ne daigne pas lui répondre. En un geste aussi prompt qu'élégant, il sort son épée de son fourreau et la plante sous le nez d'Angelo.

« Tout ceci t'est égal, jeune démon, pas vrai ? Quand les humains disparaîtront, tu seras encore là. Servir un maître plutôt qu'un autre revient au même, pour toi : tout au long de ton existence, tu dois avoir obéi à plusieurs dizaines de démons différents. Tu ne perds donc rien en nous donnant le nom de celui qui t'a envoyé.

— Peut-être. Mais je n'y gagne rien non plus. Je vais mourir de toute façon.

— Tu peux choisir la manière. » Il fait une pause. « On m'a dit que tu te faisais appeler Angelo. C'est vrai ? »

Angelo hausse les épaules avec indifférence. Uriel le regarde longuement dans les yeux, peut-être pour essayer de déchiffrer son âme.

« Remarquable, commente-t-il enfin. Bien. Si tu prétends ressembler aux anges autrement que par le nom, nous arriverons peut-être à nous entendre. Tu sais que lorsque nous devons punir quelqu'un, nous choisissons toujours un châtiment rapide, efficace et indolore. Nous ne sommes pas partisans des tortures et des supplices. Si nécessaire, nous sommes sans pitié, comme doit l'être la justice, mais jamais cruels. Les souffrances d'autrui ne nous causent aucun plaisir. D'ailleurs, notre petite "expérience" procurera aux humains une mort foudroyante et sans douleur. J'ai insisté là-dessus, et Nébiros a eu l'amabilité de respecter mon désir, même si les démons, eux, aiment voir les autres souffrir. Je suis donc plus enclin que lui à te concéder une mort digne et rapide. Si tu apprécies mon offre comme elle le mérite, tu as intérêt à accepter. Parce que dans certaines circonstances, les anges les plus compatissants sont eux-mêmes capables d'infliger de la douleur. Beaucoup de douleur. Il existe un proverbe qui dit qu'il ne faut jamais avoir pitié d'un démon, même s'il souffre atrocement, car il le mérite sûrement.

— On ne peut pas le nier », ricane Nébiros.

Angelo soupire et ferme brièvement les yeux. Je demeure muette, intimidée, et je flotte tout près de lui. Il n'y a rien que je puisse faire dans cette situation, et ça me pèse terriblement.

« Tu as parlé de tout cela à d'autres anges, pas vrai ? demande Uriel.

— À l'un d'entre eux, oui.

— C'était une mauvaise idée. Tu peux te racheter en me révélant le nom de ton maître.

— C'est ça, qui serait une mauvaise idée, répond Angelo, impassible. Parce que figurez-vous que malgré mon nom, je suis un démon. Par conséquent, je suis lâche et vil, et je m'accroche à la vie comme une sangsue. Je vais donc faire tout mon possible pour retarder le moment de mon exécution, même si je dois en souffrir. Que voulez-vous que je vous dise ? Je ne suis pas fait pour mourir honorablement. »

Le visage d'Uriel s'assombrit.

« Très bien. Tu l'auras voulu. »

Il passe son épée sous la chemise d'Angelo et la déchire, le laissant torse nu. Angelo frissonne et recule un peu. Ses pupilles sont dilatées, son cœur bat plus vite, et il respire avec difficulté. Il a peur.

« Le nom de ton maître ? demande poliment Uriel.

— Vous me tuerez quand je vous l'aurai dit !

— Peut-être que je te tuerai avant, si je perds patience. Et peut-être que Gabriel va me le dire.

— Elle ne parlera pas. Vous le savez. Et moi non plus... tant que je pourrai résister. »

Uriel soupire.

« Bien. Faisons en sorte que cela dure le moins longtemps possible. »

Il pose son épée avec douceur, presque avec tendresse, sur le torse nu d'Angelo. L'essence angélique de l'arme attaque la peau d'Angelo comme de l'acide, et il pousse un cri de douleur. Une fumée répugnante s'échappe de la blessure. Angelo continue à crier tandis qu'Uriel fait glisser son épée sur sa peau.

« Angelo ! » je m'exclame, horrifiée.

Je donnerais tout pour pouvoir l'aider, pour le serrer dans mes bras, pour repousser Uriel. Mais je ne suis qu'un fantôme intangible. J'essaie pourtant d'intervenir, et je me plante devant Uriel :

« Arrêtez, s'il vous plaît ! »

L'archange sourit.

« Tiens ! Qui voilà ? Me supplierais-tu d'épargner ce démon ?

— Je suis la fille d'un ange. J'ai toujours cru en vous. J'ai toujours voulu lutter à vos côtés. Mais c'est lui qui m'a aidée et qui est resté près de moi quand personne d'autre ne l'a fait. Oui, je vous demande de l'épargner. C'est uniquement à cause de moi qu'il est ici. Il ne mérite pas...

— Fillette, les membres de ta race sont limités par leur courte vie, et il y a beaucoup de choses que vous ne saurez jamais. Entre autres celle-ci : même si un démon fait preuve de compassion ou de gentillesse, il a vécu très, très longtemps... et il a causé beaucoup plus de mal et d'abomination que tu ne pourrais te l'imaginer. Je suis donc désolé de te contredire, mais comme je le disais, un démon mérite toujours tout ce qui peut lui arriver. »

Malgré sa douleur, Angelo m'adresse un sourire fatigué.

« Mais je ne veux pas le voir souffrir !

— Et tu crois que le destin du monde dépend de tes caprices ? Voici bien un autre défaut de ton espèce : un égocentrisme maladif. »

Il lève son épée, me traverse avec comme si je n'étais qu'un nuage de fumée et la pose sur le cou d'Angelo. À nouveau, celui-ci se tord de douleur ; ce faisant, il se brûle avec les menottes que lui a mises Valefar, et pousse un nouveau hurlement.

« Tu as mal ? murmure Uriel. Mais ça peut devenir bien pire... Ou s'arrêter. Tout dépend de toi.

— Je ne parlerai que si vous me promettez de me laisser la vie sauve, lance Angelo, haletant.

— Après tous les problèmes que tu as causés ? » Uriel secoue la tête. « Je crains de ne pas pouvoir te donner satisfaction.

— Dans ce cas, moi non plus. »

Uriel soupire.

« Dommage. » Il se tourne vers Nébiros. « J'arrête là. Je n'aime pas faire ça. Nous découvrirons le nom de notre ennemi autrement.

— Comme tu veux. Je ne tiens pas à le garder vivant. Il n'est ici qu'à cause de l'incompétence de l'un de mes serviteurs.

— Je suis content que tu sois d'accord avec moi. » Uriel lève à nouveau son épée pour l'achever.

« Non ! je crie. C'est Astaroth ! C'est sa faute si nous sommes ici ! »

Le temps se fige. L'épée d'Uriel reste en l'air, et tout le monde me regarde : Gabriel et Angelo avec une expression horrifiée, les deux autres avec un sourire de triomphe.

Puis Uriel baisse son épée, tandis que Nébiros éclate d'un rire tonitruant.

« Cat..., murmure Angelo. Qu'as-tu fait ?

— Il... il était sur le point de te tuer !

— Non, me dit-il d'un air las. C'est maintenant qu'il va le faire. »

Uriel me lance un regard méprisant.

« Un autre des innombrables défauts de ton espèce : vous êtes irrémédiablement stupides. »

Ce n'est qu'alors que je comprends, atterrée, que toute cette pantomime m'était exclusivement adressée, et que je suis la seule à ne pas avoir compris qu'Angelo était trop précieux pour qu'on le tue.

« Astaroth, donc, commente Nébiros. C'est ce que nous suspections depuis le début. Ça fait longtemps que nous suivons sa piste, mais il est doué pour dissimuler ses traces. Je vais tout préparer pour sa venue, ajoute-t-il en se dirigeant vers la porte.

Occupe-toi d'eux, Uriel. Je me charge de notre visiteur. »

Uriel ne répond pas. Il continue à nous regarder, y compris lorsque Nébiros sort de la pièce.

« Je suis désolée », je murmure. Je me sens terriblement misérable.

Angelo ferme les yeux.

« Trop tard. Nous sommes perdus.

— Je... je suis désolée, je répète. Je ne voulais pas... je ne voulais pas te voir mourir. Pas si je pouvais faire quoi que ce soit pour l'empêcher. »

J'aimerais tant ne pas être un fantôme. J'aimerais tant pouvoir pleurer. Uriel nous examine l'un après l'autre, alternativement.

« Je serai magnanime, déclare-t-il. Vous m'avez dit ce que je voulais savoir. Je vais donc laisser à Angelo quelques minutes de vie, pour que tu aies une dernière chance de trouver le tunnel de lumière. Et pour que vous puissiez vous dire adieu, naturellement », ajoute-t-il avec un fin sourire.

Il se désintéresse de nous et se dirige vers Gabriel, qui a contemplé toute la scène sans intervenir.

« C'était donc réellement Astaroth ? Gabriel, comment as-tu pu en arriver là ? »

Je ne fais plus attention à eux, et je m'approche d'Angelo, toujours menotté et agenouillé sur la moquette, la poitrine traversée par d'horribles blessures. Il sera mort dans quelques minutes, et je deviendrai un fantôme errant pour l'éternité ; pourtant, bizarrement, ce n'est pas ce qui m'inquiète à présent, pas plus que d'avoir mis à mal l'ultime espoir de sauver l'espèce humaine.

« Je ne pourrai jamais me pardonner », je murmure, terrassée par le chagrin. C'est la seule chose à laquelle j'arrive à penser.

« Ne t'inquiète pas, répond doucement Angelo. Je sais pourquoi tu l'as fait. »

Moi aussi, je le sais.

« J'aurais dû le prévoir, reprend-il, mais j'ai sous-estimé la force de tes sentiments. Tu sais, un autre des terribles défauts de ton espèce », conclut-il avec un faible sourire.

Le fait qu'il ait encore la force de se moquer d'Uriel m'encourage un peu.

« Je ne veux pas que tu meures. Je suis d'accord pour franchir le tunnel de lumière et pour dire adieu à la vie, à toi, au monde, et à tout le reste, mais seulement si je suis sûre que tu vas bien. Je ne veux pas que tu meures, je répète, de plus en plus angoissée. N'y a-t-il rien qu'on puisse faire ?

— Pas vraiment. Je ne pensais pas qu'Astaroth mettrait aussi longtemps à venir chercher Gabriel. Et maintenant, ils savent qui c'est, donc ils vont l'attendre de pied ferme. Il est toujours plus facile de capturer un démon si on connaît son identité.

— C'était donc un piège depuis le début ?

— Oui, et nous avons tous foncé dedans tête baissée. La conversation que tu as surprise entre Nébiros et Valefar... ils savaient probablement que tu étais en train de les espionner. Ils t'ont fait croire qu'ils nous avaient conduits ici par erreur, qu'ils ne nous attendaient pas. Ils nous ont laissés concevoir de faux espoirs, imaginer que nous avions une chance. Mais tout ce qu'ils voulaient, c'était attirer Astaroth. Et il fallait que ce soit ici, et non ailleurs : s'ils nous avaient enfermés dans un site abandonné ou dans une base autre que celle où ils travaillent à leur projet secret, Astaroth aurait eu des soupçons. Alors que là, il croit avoir introduit un cheval de Troie dans l'antre de l'ennemi, alors que ce sont eux qui se sont débrouillés pour qu'il se jette dans la gueule du loup. »

Je demeure un moment silencieuse, effondrée.

« Je suis désolée.

— Tu l'as déjà dit...

— Pas seulement d'avoir parlé. Je suis désolée de t'avoir mêlé à tout ça... d'être entrée dans ce bar ce soir-là, à Madrid, et de t'avoir menacé avec l'épée de mon père. Je n'aurais jamais imaginé que ça nous mènerait si loin. »

Il sourit.

« Je n'ai pas fait tout ça parce que tu m'as menacé. Ni parce que tu me plaisais, ou rien du genre.

— Alors pourquoi ? »

Il hausse les épaules, et, grandement affaibli, au seuil de la mort, il me décoche le sourire le plus honnête et le plus franc que je lui aie jamais vu :

« Parce que je m'ennuyais. »

Je n'en crois pas mes oreilles. J'hésite entre me fâcher, rire ou pleurer.

Soudain, un cri d'angoisse nous interrompt. Nous nous tournons vers les archanges. Gabriel est recroquevillée sur elle-même, tremble, se débat, essaie de s'éloigner d'Uriel, malgré la douleur que lui cause la chaîne qui l'attache... Uriel a posé la main sur son ventre, une main blanche et parfaite qui brille d'une lueur sinistre.

« C'est pour ton bien, déclare-t-il. Tu ne sais pas ce que tu as fait. Un jour, tu me remercieras.

— Non... NON ! crie Gabriel. Laisse-moi tranquille. Laisse mon enfant ! »

Uriel lui pose la main sur le front, et elle s'immobilise soudainement, comme si on l'avait droguée. Puis il laisse à nouveau tomber sa main sur son ventre.

« Arrêtez ! j'interviens. Que faites-vous ? »

Uriel lève la tête et me regarde. Au premier abord, j'ai l'impression qu'il s'agit d'un regard froid, inhumain, mais je découvre bientôt qu'il dissimule une douleur profonde, une douleur indescriptible, accumulée dans son âme depuis des milliers d'années. Uriel souffre profondément. Il n'aime pas faire de mal à Gabriel, il n'aime pas exterminer les humains, il n'aime peut-être même pas tuer des démons. Il veut juste prendre soin du merveilleux jardin dont il a la charge, et il fait ce qu'il fait parce qu'il ne voit pas d'autres solutions. Il pense que c'est nécessaire, que c'est son devoir, même si ça ne lui plaît pas.

Assez ! Il faut que j'arrête de le regarder. Je ne veux pas le comprendre, encore moins avoir pitié de lui. Il est bien plus simple de croire qu'il agit par malveillance, bien moins perturbant que de se demander s'il a de bonnes raisons de nous détester.

Uriel retire délicatement sa main de l'abdomen de Gabriel. Horrifiée, je vois celui-ci diminuer de volume, comme si la vie qu'il abritait en lui s'évanouissait lentement. Enfin, lorsque le fœtus a disparu, Uriel lâche Gabriel, qui glisse sur le sol. Encore étourdie, celle-ci se palpe le ventre avec une expression incrédule. Quand elle découvre qu'elle a perdu son bébé, elle pousse un cri d'angoisse, un cri qui m'émeut jusqu'au plus profond de moi, puis elle se roule en boule et se met à sangloter. Elle qui a passé des semaines ou des mois en captivité, qui a résisté à de longs interrogatoires, qui a fait face à Nébiros et à Uriel sans se démonter, elle ne peut pas retenir ses larmes.

Avez-vous jamais vu pleurer un ange ? Sinon, j'espère que ça ne vous arrivera jamais. Les larmes d'un ange sont bien plus terribles que le rire d'un démon. Pauvre Gabriel. Je suis tellement triste pour elle...

Je n'ai pas le loisir d'exprimer mon désarroi. La porte s'ouvre, et Nébiros et Valefar reviennent. Ils traînent derrière eux un démon enchaîné des pieds à la tête. Un démon qui pourrait nous détruire tous ensemble d'un simple clin d'œil, mais qui ne le fera pas, non seulement parce que les chaînes le brûlent atrocement, mais surtout parce qu'il a vu Gabriel effondrée aux pieds d'Uriel.

Astaroth est enfin venu nous sauver. Mais les choses ne se sont pas passées comme nous étions en droit de l'espérer.

Gabriel lève vers lui son visage baigné de larmes. Ils se comprennent sans avoir besoin de se parler. Malgré ses chaînes, Astaroth se précipite vers elle. Rien ne pourrait l'arrêter. Il se penche sur l'ange, la prend dans ses bras pour la consoler, partage sa douleur. Il est désormais hors de doute qu'Astaroth est bien le compagnon de Gabriel, le père de l'enfant qu'elle attendait.

« Vous me le paierez ! » siffle-t-il.

Nébiros secoue la tête.

« Nous protégeons nos intérêts, Seigneur Astaroth. Tout comme vous protégez les vôtres. Il en a toujours été ainsi.

— Vous me le paierez, répète Astaroth. Tous les deux. »

Uriel, qui ne quitte pas des yeux le démon et l'ange enlacés, répond doucement :

« Nous avons l'obligation de voir loin devant nous. Le monde n'a pas été créé pour les humains. Il existait longtemps avant qu'ils apparaissent, et il leur survivra. Ils sont moins importants qu'ils ne le croient. Ils sont bien trop insignifiants pour apprécier la grandeur de la Création.

— Nous ne sommes pas si insignifiants que ça, j'interviens. Sinon, vous n'auriez pas monté toute cette machination rien que pour nous. Il y a tant de gens importants... des anges, des démons, des êtres qui existent depuis des millions d'années... qui se battent au sujet du destin de l'humanité. »

Uriel rit, de ce rire froid et musical, qui me fascine et me donne en même temps la chair de poule.

« Si, vous l'êtes, petite mortelle. Et puisque tu mentionnes notre existence, parlons un peu de la vôtre. Je sais que vous aimez les nombres, les chiffres, les statistiques. Sais-tu que la vie est apparue sur Terre il y a près de quatre milliards d'années ? Et sais-tu quand sont apparus tes ancêtres ? Il y a moins de deux millions d'années. Autrement dit, vous avez assisté à moins de 0,05 % de l'histoire de la vie sur cette planète. Comment osez-vous vous prendre pour les rois de la Création ? »

Je n'ai rien à répondre à ça, et Uriel poursuit :

« Tu veux d'autres calculs ? J'ai peut-être été trop généreux en te donnant comme date de référence l'apparition de la vie. Soyons plus précis, et parlons d'histoire. Celle de la Terre remonte à quatre milliards et demi d'années. Et celle de votre civilisation, celle des humains évolués, avec toutes ses réussites, ses grandeurs et ses misères... occupe un ridicule 0,0001 % de la première. Qu'est-ce qui te fait penser que vous êtes si importants ? Qu'est-ce qui te fait croire que ce monde a besoin de vous ?

— Ça ne devrait pas être une décision unilatérale », réplique Gabriel.

Elle s'est relevée. Elle regarde Uriel avec détermination et courage, même si ses mains restent croisées sur le ventre qui, il y a peu, abritait encore un futur bébé. Astaroth la soutient.

« Ce n'est pas à toi de décider si les humains peuvent habiter ici ou non. Tu le sais. Sinon, tu ne ferais pas tout ça en cachette, comme un criminel.

— Personne d'autre ne faisait rien ! » Encore une fois, je devine en lui une déchirure qui va bien au-delà de la compréhension humaine. « Vous permettez à ces créatures de continuer à détruire le monde, de manière infiniment pire que tous les démons au cours de leur histoire ! Michel s'obstine à combattre les démons et à protéger les humains, tandis que le monde meurt... et nous avec lui !

— Nous en sommes tous conscients, Uriel. Moi aussi. Tu crois que je n'en souffre pas ? Tu crois que je m'en moque ? Mais il existe d'autres moyens... D'autres méthodes...

— Lesquelles ? Procréer avec des démons ? Même s'il y avait la moindre possibilité que ça fonctionne, c'est trop tard, Gabriel. Nous n'avons pas le temps de faire des expériences. Peut-être aurions-nous pu tenter l'aventure il y a mille ou deux mille ans... Nous aurions encore eu le temps de tenter quelque chose. Mais nous sommes arrivés à un point de non-retour. Ce que vous faites, toi et les tiens, ne servira à rien. D'ici à ce que vos enfants soient adultes, et d'ici à ce qu'ils soient assez nombreux pour pouvoir intervenir, il n'y aura plus aucun monde à sauver.

— Mais s'il y a la moindre chance que ça fonctionne, nous devons essayer, Uriel. Nous sommes des anges ; nous ne pouvons pas provoquer une extinction. La destruction incombe aux démons, pas à nous.

— C'est pour ça qu'il n'a pas pu le faire tout seul et qu'il a eu recours à un démon », commente Astaroth. Il se tourne vers Nébiros. « Pourquoi fais-tu ça, Nébiros ? La disparition de l'humanité ne profite qu'aux anges. Rares sont les démons qui approuveraient ton idée. »

Nébiros hausse les épaules.

« J'avais envie de me surpasser, répond-il. La technologie humaine a atteint un tel niveau que je peux désormais créer quelque chose de bien plus perfectionné qu'avant. La proposition d'Uriel m'a intéressé. Prenez ça comme un défi scientifique.

— Tu sais ce que te fera Lucifer quand il l'apprendra ? »

Nébiros affiche un sourire de suffisance.

« S'il l'apprend. Quand les humains disparaîtront, de nombreux démons perdront leurs pouvoirs, et Lucifer sera trop occupé à réorganiser son empire pour se lancer dans des représailles. L'ordre nouveau appartiendra à ceux qui seront prêts. Notre petite créature est presque au point ; dans très peu de temps, nous pourrons la libérer, et en moins de trois semaines, il n'y aura plus un seul humain sur la face de la Terre. Mais vous, Seigneur Astaroth, vous n'assisterez pas à ce spectacle. »

Astaroth répond par un sourire de triomphe qui déconcerte momentanément Nébiros.

C'est alors que nous remarquons tous une présence extraordinaire dans la pièce. Mon ectoplasme entier frémit de terreur. Ce n'est pas juste parce que nous sommes les prisonniers de Nébiros et que nous n'avons aucune chance d'en réchapper. C'est bien pire. J'ai la sensation que nous sommes en grand danger, que quelque chose nous guette dans l'obscurité, quelque chose de beaucoup plus grandiose et terrible que tous les démons réunis.

« Très intéressant », résonne une voix qui semble venir de nulle part.

Nébiros blêmit. Je peux presque sentir sa peur, son effroi. Uriel lui-même perd pour la première fois cette assurance écrasante dont il fait preuve depuis le début. Gabriel chancelle et regarde son compagnon avec incertitude.

« Astaroth... »

Mais il ne l'écoute pas. Il sourit de plus belle, jusqu'à ce que son rictus soit presque féroce. Malgré ses chaînes, il s'agenouille devant quelque chose – ou quelqu'un – qui se trouve au fond de la pièce.

« Soyez le bienvenu, Seigneur. »

Nébiros recule avec un cri étouffé. Tout son pouvoir, sa force, son arrogance semblent s'évaporer face à celui qui se matérialise devant nous, un personnage haut, grand, aux traits anguleux et aux yeux rouges comme le cœur de l'enfer. Des cheveux noirs, lisses et brillants, cascadent dans son dos, entre deux énormes ailes noires, deux véritables ailes en membrane qui se déploient derrière lui. Sur son front naissent deux petites cornes torsadées.

Il est visible que ce démon n'a pas envie de renoncer aux détails classiques, car il n'a pas choisi une apparence humaine pour s'incarner. Il n'a pas besoin de prétendre être comme nous. N'importe qui, humain, ange ou démon, se sentirait minuscule sous le feu de son regard. Malgré l'élégante tunique rouge et noire qui enveloppe son corps délicat, son aura de pouvoir est si intense que nous tremblons tous de terreur, Uriel compris.

Je sais qui c'est. Je sais qui c'est, et pourtant, son nom refuse d'apparaître dans mon esprit, car la possibilité qu'il soit réellement là est trop terrifiante pour qu'on la contemple.

Mais c'est bien lui.

Nébiros craque le premier. Il se jette aux pieds du nouveau venu.

« Seigneur Lucifer… » Il a osé, lui, prononcer le nom que je n'aurais jamais pu formuler en sa présence. « Votre serviteur vous salue. »

Lucifer. L'empereur de l'enfer. Le roi des démons. Le protagoniste d'innombrables légendes et histoires d'horreur. Malgré tout ce que je sais, malgré ma filiation, malgré mes dernières aventures, il ne m'est jamais venu à l'esprit que je pourrais le rencontrer un jour. C'était pour moi une créature mythique, irréelle.

Et pourtant, il est là. Dans le quartier général de Nébiros. Il nous observe avec ces yeux rouges, à la fois glacials et ardents. Je frissonne encore. Même si c'est absurde, pour la première fois, je suis contente d'être un fantôme et de savoir qu'il ne peut pas me faire de mal.

« Un serviteur qui complote dans mon dos », laisse-t-il tomber, impassible.

Il n'a pas élevé la voix. Ce n'est pas nécessaire : nous avons entendu clairement chacune de ses paroles. Son ton est à la fois envoûtant et autoritaire. Quand on l'écoute parler, on désire avec ferveur obéir au moindre de ses caprices, car on est envahi par la certitude qu'il se passerait des choses très désagréables si on ne le faisait pas.

Angelo s'est prosterné, lui aussi, mais Lucifer ne lui prête aucune attention, pas plus qu'à moi. Il regarde Nébiros, toujours agenouillé devant lui, puis se tourne vers les deux archanges. Il salue Gabriel d'un hochement de tête froid mais courtois, et elle lui rend son salut tout en demeurant sur ses gardes.

« Lucifer… murmure Uriel. Pourquoi es-tu venu ? »

L'autre le regarde de haut en bas, comme pour l'évaluer.

« Je suis ici depuis le début. C'était un spectacle... très intéressant. »

Depuis le début ? Comment ça ?

« Astaroth a eu la déférence de m'informer de son plan avant de venir. » Sa voix est toujours aussi glaciale. « J'ai décidé de l'accompagner pour voir ce qui se passait ici. J'ai pu constater deux choses : qu'il ne me mentait pas, et que vous ne m'attendiez pas. » Il se tourne à nouveau vers Nébiros, toujours aplati par terre. « Tu as donc fait alliance avec un archange pour éliminer tous les humains... sans me consulter ? »

Apparemment, le fait de ne pas avoir été averti l'irrite nettement plus que l'alliance avec l'ennemi ou le projet en lui-même.

« Je vous demande pardon, Seigneur...

— Tais-toi. » Nébiros ne pipe plus mot. « Je vais mettre immédiatement fin à tout ceci. Et tu seras puni pour ton audace. Sévèrement. Quant à toi, Astaroth, tu ne m'as pas non plus informé de tes projets, ni de tes... bonnes relations avec les anges. » Il lance un regard significatif à Gabriel. « Tu dois certainement te souvenir qu'il y a longtemps j'ai puni Azazel pour avoir fait la même chose que toi. »

Astaroth lève la tête avec courage.

« Seigneur, au début, ce n'était qu'une expérience. Nous ne pensions pas qu'elle aboutirait, et je n'ai pas cru nécessaire de vous ennuyer avec ça. Certes, il y avait un précédent... Mais Azazel a été condamnée pour avoir créé une nouvelle espèce. Deux millions d'années plus tard, les humains sont tout sauf une nouvelle espèce. En engendrer quelques autres n'a plus rien d'extraordinaire. Alors qu'à l'époque d'Azazel, les anges étaient de terribles ennemis. Aujourd'hui, ils ne représentent plus le moindre danger pour nous. Entretenir de bonnes relations avec eux n'a pas les mêmes conséquences qu'autrefois.

« Malgré tout, continue-t-il, je n'ai jamais pensé que notre expérience irait si loin. Ce n'est que lorsque nos enfants ont commencé à être assassinés que nous avons compris à quel point ils étaient importants. » Il désigne Angelo. « J'ai envoyé ce jeune démon enquêter sur le motif de ces attaques, car il avait fait par hasard la connaissance de la première des nouveaux humains, tuée par les serviteurs de Nébiros. Son enquête nous a conduits ici, et nous a fait découvrir le plan d'extermination des humains. C'est alors que j'ai décidé de vous informer. Il m'a semblé que c'était suffisamment grave pour que vous dussiez en prendre connaissance. »

Lucifer hausse l'un de ses sourcils parfaitement arqués.

« Tu es conscient que ça pourrait marquer la fin de votre petit jeu ?

— J'en suis conscient, Seigneur. Mais il fallait les arrêter. Et il fallait... »

Il ne termine pas sa phrase, mais je devine ce qu'il pense.

Il fallait sauver Gabriel.

Astaroth n'est pas aussi naïf que Nébiros et Uriel l'ont cru. Il s'est jeté dans la gueule du loup, certes, mais pas seul. Lucifer, le roi de l'enfer, est apparemment capable de s'infiltrer n'importe où sans qu'on détecte sa présence, comme une ombre invisible, ou même comme une simple pensée. Peut-être que c'est pour ça qu'il règne depuis si longtemps : il est impossible de tromper ou de comploter contre quelqu'un qui peut espionner ses ennemis aussi facilement.

« Nous en reparlerons. » Il se tourne vers les anges. « Quant à vous...

— Je ne suis pas dans ton camp, répond Uriel, hautain. Tu n'as aucun droit sur moi. »

Les yeux de Lucifer lancent un éclair, et l'archange recule, mais il ne détourne pas le regard.

« Cela ne m'empêchera pas de te tuer », affirme Lucifer.

Il tire son épée presque en même temps qu'Uriel.

« Assez, intervient une voix sereine et autoritaire. De quel droit lèves-tu ton épée sur un archange, Prince des Ténèbres ? »

Obnubilés que nous étions par la présence de Lucifer, aucun de nous ne s'est rendu compte que la porte du bureau s'ouvrait dans notre dos. Trois anges sévères et resplendissants s'y trouvent, deux dans un corps d'homme, l'autre sous une apparence féminine. Tous trois tiennent à la main une épée couverte de sang. Apparemment, ils se sont débarrassés à eux seuls de tous les vigiles démoniaques de l'immeuble.

« Je vous salue, archanges, répond froidement Lucifer. Je dois avouer que je ne m'attendais pas à vous rencontrer en ce lieu.

— Michel ! Raphaël ! Remiel ! s'exclame Gabriel. Comment êtes-vous arrivés ici ? »

Le plus grand de tous, un ange blond et imposant, lance un bref coup d'œil à Astaroth. Ce dernier hausse les épaules.

« Pourquoi crois-tu que j'aie mis autant de temps à arriver ici, ce soir ? » répond-il.

J'ai du mal à y croire. Non seulement Astaroth a alerté Lucifer, mais il a aussi pris la peine d'avertir les archanges !

« Mais... pourquoi ? » demande Gabriel.

C'est la question que nous nous posons tous, Lucifer compris, j'ai l'impression : il garde les yeux fixés sur Michel et serre les lèvres en une expression qui ne présage rien de bon. Ce n'était peut-être pas une très bonne idée de réunir ces deux-là dans la même pièce... Astaroth soupçonnait-il qu'Uriel était derrière tout cela, et a-t-il décidé d'informer les anges pour qu'ils règlent cette affaire ?

Mais l'explication est plus simple et plus évidente :

« Parce que ça fait des mois qu'ils te cherchent, eux aussi. Je leur ai juste dit que je savais où tu étais. Ils sont venus pour toi. »

Remiel, l'archange femme, sourit.

« Je te salue, ma sœur. Je me réjouis de te retrouver saine et sauve. Toi aussi, Uriel. Tu nous as manqué.

— Il ne le mérite pas, réplique Gabriel. C'est un traître. Il s'est associé à ce démon pour exterminer tous les êtres humains de la planète.

— Nous avons eu vent de ce projet, intervient Michel. Un ange a été alerté par une humaine au sujet d'une entreprise de ce genre... mais il ne nous a pas dit que l'un des nôtres était concerné. Si c'est vrai, il s'agit d'une accusation très grave. Es-tu sûre de ce que tu avances, Gabriel ? »

Yeiazel a donc tenu sa promesse et est allé parler aux autres anges, en fin de compte ! Et je comprends maintenant pourquoi il a refusé de me faire rencontrer Michel. Il savait que celui-ci était occupé à chercher Gabriel, qui avait disparu depuis des mois.

« Oui, confirme-t-elle. Ils préparaient une maladie incurable, uniquement fatale aux humains... Moins d'un mois après l'exécution de leur plan, on n'aurait plus trouvé un seul être humain sur la Terre. »

Les archanges se taisent, horrifiés. Raphaël, qui semble le plus vieux des trois, et peut-être aussi le plus sage, se tourne vers Uriel, le visage grave.

« Est-ce vrai ? »

Ils échangent un long, très long regard. Et finalement, Uriel s'effondre. Il se laisse tomber par terre avec la douceur d'une feuille qui se détache d'un arbre. Agenouillé devant ses frères, il gémit :

« Je l'ai fait pour nous sauver... pour sauver tout le monde... la Création... la planète... »

Sa voix se brise, et personne ne dit rien. Le visage des archanges reflète la douleur d'Uriel, cette douleur qui l'a poussé à de telles extrémités. Je me sens minable. Que de mal leur avons-nous fait, à eux et à tant d'autres, par ignorance, égoïsme ou simple mesquinerie !

Michel lève lentement la tête. Ses yeux dorés croisent le regard rouge de Lucifer.

« Occupe-toi des tiens. Je me charge des miens. Comme d'habitude. »

Les lèvres de Lucifer dessinent un fin sourire.

« Je suis d'accord. Et eux ? » Il désigne Astaroth et Gabriel. « Étais-tu au courant de leur... petit projet ?

— Astaroth nous a informés. Je dois avouer que je ne l'ai pas cru, ajoute Michel avec une moue de dégoût. Je pensais qu'il voulait calomnier Gabriel, et Raphaël n'est parvenu qu'à grand-peine à m'empêcher de lui passer séance tenante mon épée au travers du corps. Est-ce vrai, Gabriel ? » Elle fait un signe affirmatif, et il secoue la tête, désolé. « Comment as-tu pu faire une chose pareille ?

— Parce que cela fait partie de l'équilibre du monde, répond-elle avec douceur. Dis-moi, mon frère... dois-je me préparer au même châtiment que Samaël ? »

Michel la contemple, partagé entre son affection pour elle et la répugnance que lui inspire sa proximité avec Astaroth. Il se tourne vers les autres archanges, indécis.

« Ragouël l'aurait exécutée », murmure-t-il.

Raphaël hausse les épaules.

« C'était une autre époque. Nous étions bien plus nombreux, et le monde débordait de vie. Nous ne pouvons plus nous permettre de faire une chose pareille. Personne ne devrait jamais être puni pour avoir créé la vie. En aucun cas. »

Michel et Remiel hochent la tête. Ils semblent soulagés. Je souris. Gabriel est sauvée. Sa relation... son amour pour Astaroth n'aura pas une fin sanglante. Mais il reste encore une affaire à régler.

Uriel s'est levé, avec difficulté. Il a l'air terriblement las.

« Je me rappelle... comment était le monde...
avant... »

Ce n'est pas une affirmation, mais un cri de
douleur, une lamentation, une question sans
réponse.

« Moi aussi, répond Michel à mi-voix.

— Il... il me manque.

— À moi aussi. » Il marque une pause, puis ajoute :
« Je te comprends. »

Sur le visage d'Uriel se dessine un sourire béat.

« Merci », chuchote-t-il.

Ce n'est qu'alors que nous nous apercevons que
Michel lui a enfoncé son épée dans la poitrine, en un
geste si rapide qu'il est passé inaperçu.

« Je suis désolé, mon frère... murmure Michel.
Repose en paix.

— Merci », répète Uriel.

C'est son dernier souffle. L'ange qui ne pouvait pas
supporter l'agonie du monde, qui a essayé de le sou-
lager en éliminant son pire cauchemar, meurt dans
les bras des archanges qui soutiennent son corps, les
larmes aux yeux.

Michel se redresse et fait face à Lucifer d'un air de
défi.

« Nous avons fait notre part. » Sa voix se brise,
mais il se reprend et ajoute avec une certaine dureté :
« J'espère que tu feras justice toi-même.

— Justice ? répète Lucifer, moqueur. Je ferai ce
que je dois faire, archange. Mais tout ne se termine
pas ainsi.

— Que veux-tu dire ? »

Lucifer désigne d'un geste Gabriel et Astaroth.

« Nous devons les étudier. Nous avons tous intérêt à ce que l'équilibre du monde reste intact. Même les humains, bien qu'ils l'ignorent.

— Tu me surprends, Lucifer. Une telle volonté de conciliation est rare, chez toi.

— Je ne suis pas arrivé là où je suis en ignorant les signes et les augures. Les démons commencent eux-mêmes à s'affaiblir. Si le monde meurt, nous mour-rons avec lui. » Il se tourne vers Gabriel et son com-pagnon. « Je vous souhaite donc vivement que votre expérience fonctionne. Dans le cas contraire, il est probable que dans un futur proche, je me décide à ter-miner moi-même le travail commencé par Nébiros. Suis-je clair ? »

Comme de l'eau de roche. Lucifer donne une der-nière chance au Groupe de la Nouvelle Création, aux humains. Il n'y en aura pas d'autre.

Si j'espérais voir Lucifer et Michel lutter à mort, je vais être déçue. Ces deux-là ont l'air plus coutu-miers des conversations tendues, des menaces voi-lées, d'une sorte de guerre froide, que des combats directs. Peut-être parce que les anges ont déjà perdu la guerre, et qu'ils ne veulent pas prendre de risques inutiles. Peut-être parce que Lucifer a décidé qu'ils ne constituent plus un danger. Ou peut-être parce que l'un et l'autre sont tout simple-ment trop vieux et trop las. Ils ont besoin de partir à la retraite.

Les regards des anges vont de Lucifer au couple, et vice versa. Comme d'habitude, personne ne fait attention à Angelo et moi.

« Nous en reparlerons, promet Michel. Nous allons étudier la situation, et nous aurons besoin de toute l'aide que Gabriel pourra nous donner. »

Il lève son arme, et d'un geste aussi rapide et efficace que celui avec lequel il a tué Uriel, il brise les chaînes qui la retiennent prisonnière. Elle pousse un soupir de soulagement. Remiel s'avance vers elle et lui tend une autre épée.

« Tiens. C'est la tienne. Nous l'avons trouvée dans une salle de trophées, non loin d'ici. »

Gabriel l'empoigne, et elle semble recouvrer une partie de sa splendeur passée. Sans hésiter, elle l'utilise pour libérer Astaroth, puis – enfin ! – Angelo. Je m'approche de ce dernier.

« Tout va bien ?

— Il m'est arrivé d'aller mieux, mais je suis vivant, c'est le principal. »

Lucifer ne nous jette même pas un coup d'œil. Il attrape Nébiros par la nuque et le tire derrière lui. Le démon hurle de douleur.

« À la prochaine fois, Michel. Sois assuré que Nébiros recevra une punition convenable. Raphaël, Gabriel, Remiel... Astaroth... ce fut un plaisir de vous parler. Peut-être que nous nous retrouverons dans des circonstances plus favorables... ou peut-être pas. »

Il disparaît en emmenant Nébiros, qui continue à crier et à supplier. Mais nous savons tous que c'est inutile. Si Lucifer tient sa promesse, et nous n'avons aucun doute là-dessus, Nébiros pourrait bien souffrir les plus terribles tourments durant soixante-dix-sept mille ans... au moins.

Après que l'ultime hurlement désespéré de Nébiros s'est éteint, nous demeurons longtemps muets, debout côte à côte : quatre anges, deux démons et un fantôme. Il semble bien que l'extermination de la race humaine soit remise à une date ultérieure... Et pourtant, j'ai le sentiment que cette histoire n'est pas terminée.

Enfin, Astaroth rompt le silence.

« Sortez tous. J'ai encore quelque chose à faire. »

Michel le regarde en plissant les yeux, comme pour deviner ses intentions. Il est évident qu'il n'a pas confiance en lui, et je ne peux pas lui donner tort. Les anges et les démons luttent depuis des milliers d'années : il est très probable qu'ils ont croisé l'épée plus d'une fois. Mais l'archange semble finalement comprendre de quoi il s'agit, parce qu'il sourit et hoche la tête.

« Permets-moi de collaborer.

— Avec plaisir. »

Nous sortons donc tous de la pièce. Remiel aide Gabriel à marcher, car celle-ci est encore faible ; de son côté, Raphaël soutient Angelo tandis que je tournicote autour de lui. Nous émergeons enfin à l'air libre. La nuit est fraîche et agréable, mais personne ne s'arrête pour contempler les étoiles. Nous nous éloignons en direction du parking ; pendant un instant, je crois que c'est là que nous allons, mais les anges regardent les voitures en fronçant le nez et nous guident un peu plus loin, vers un petit bois de l'autre côté de la route. Arrivés là, ils font volte-face et attendent.

« Que va-t-il se passer ? je demande, curieuse.

— Ce qui doit se passer », répond énigmatiquement Gabriel.

Soudain, on entend un sifflement, et quelque chose traverse le ciel comme une fusée, dessinant dans son sillage un élégant arc lumineux. Le bruit se fait de plus en plus fort, et la lumière de plus en plus intense. Je sais de quoi il s'agit. C'est une météorite, pas très grande, peut-être à peine plus grosse qu'un rocher, qui parcourt le firmament et fonce... droit sur nous. Je pousse un cri d'effroi, mais Angelo me rassure :

« Du calme, Cat. Regarde.

— Mais...

— Du calme », répète-t-il.

Personne ne semble étonné ou inquiet. Nerveuse malgré tout, je regarde le corps céleste grandir de plus en plus, jusqu'à ce qu'il s'écrase sur le siège de la *Eden Pharmacorp* et le fasse exploser en mille morceaux.

Je crie à nouveau et me couvre le visage des mains pour me protéger des décombres avant de prendre conscience que je ne risque rien. La température s'est considérablement élevée, le bruit est assourdissant, et les gravats volent dans notre direction... Mais Raphaël lève le bras, et les pierres vont heurter un écran invisible, comme si nous étions sous une cloche transparente.

« Pas mal », fait Remiel avec une moue approbatrice.

Je découvre soudain que Michel et Astaroth sont revenus et se tiennent à nos côtés. Ils sourient, satisfaits.

« Je ne crois pas qu'il reste quoi que ce soit d'utilisable, dit le démon, mais j'enverrai mes gens enquêter sur les affaires de Nébiros et éliminer la moindre trace qu'il aurait pu laisser.

— Pas de morts inutiles, d'accord ? le prie Gabriel.

— Seulement des morts strictement utiles », promet Astaroth avec un sourire qui me fait penser que leur notion de ce qui est « utile » n'est pas précisément la même.

Les anges observent le couple avec incertitude. Maintenant qu'aucune chaîne ne les sépare plus et qu'ils ne sont plus entourés d'ennemis, leur liaison est plus évidente que jamais. Ils se soutiennent mutuellement ; le bras d'Astaroth repose délicatement sur les épaules de Gabriel, et elle-même a passé le sien autour de la taille du démon. Il est hors de doute que cet archange radieux et ce sanguinaire prince démoniaque sont amoureux, si étrange que ça puisse paraître.

« Es-tu sûre de savoir ce que tu fais, Gabriel ? demande Michel.

— Je sais ce que je fais. Et bientôt, beaucoup d'autres anges et démons le sauront aussi. »

Les trois archanges ne répondent pas tout de suite. Ils ne savent pas quoi dire.

« J'espère que c'est pour le mieux, dit Remiel à mi-voix.

— Moi aussi, je l'espère. Mais ça ne dépend pas que de nous », ajoute Gabriel avec un regard éloquent dans ma direction.

C'est vrai : ça dépend aussi des humains. Mais je suis morte, et il n'y a pas grand-chose que je puisse faire. Je choisis pourtant de garder le silence. Depuis quelques heures, j'ai l'impression de n'être plus que la spectatrice d'une histoire qui me dépasse. Mon état de fantôme ne m'a pas permis d'agir – cela dit, je n'aurais pas pu faire grand-chose même si j'avais été vivante. Ma seule intervention a failli causer la mort d'Angelo... J'ai du mal à croire qu'il soit encore là.

Michel examine longuement Astaroth. Le démon demeure imperturbable sous son regard.

« Tu es un seigneur des enfers, déclare finalement l'archange. Un démon antique et puissant. Depuis que tu existes, tu as causé des douleurs incalculables aux habitants de la Terre. Pourtant, tu nous as avertis de ce qui était en train de se passer, tu as participé au démantèlement du plan de Nébiros et Uriel, et tu es venu sauver Gabriel. Tu l'aimes, n'est-ce pas ? Ta relation avec elle va bien au-delà d'une simple expérience. Il n'y a pas d'autre explication. »

Astaroth ne répond pas, mais son silence parle pour lui.

« Prends bien soin d'elle, conclut Michel. Nous nous reverrons. Allez en paix. Allez tous en paix », termine-t-il en embrassant du regard Angelo et Astaroth.

Gabriel sourit. Les démons hochent la tête en signe de salut.

Et soudain, sans prévenir, Michel et Raphaël disparaissent dans la nuit.

J'aurais voulu leur dire tant de choses... J'aurais voulu leur parler, mais je n'en ai pas eu l'occasion. Je regarde autour de moi pour essayer de les voir s'éloigner, mais Gabriel s'approche de nous.

« Cat, Angelo, je voulais vous remercier. Je vous dois plus que la vie.

— Pourtant... vous avez perdu votre bébé, je balbutie, peinée. J'en suis tellement désolée ! »

Une ombre passe sur le beau visage de l'archange.

« Le prochain vivra », lui promet Astaroth, et elle retrouve le sourire. Il se tourne vers Angelo, qui redresse la tête et l'observe attentivement. « Angelo, tu m'as bien servi. Mieux que tu n'y étais obligé. Je considère non seulement que tu as effacé ta dette, mais que j'en ai désormais une envers toi. Y a-t-il quelque chose que je puisse faire pour toi ?

— Oh, sûrement une ou deux... répond Angelo en souriant. Mais pour le moment, votre gratitude me suffit.

— Il y a quelque chose que j'aimerais vous demander, si ça ne vous dérange pas trop », j'interviens timidement. Ma propre audace me surprend, mais tout le monde attend la suite, donc je rassemble mon courage et je continue : « C'est au sujet d'Aniela... la fille que ma mère a séquestrée parce que ses serviteurs l'ont prise pour moi. J'aimerais qu'elle retourne chez elle.

— Naturellement », approuve Gabriel. Elle regarde Astaroth qui sourit et commente :

« Je sens que Madonna Costanza va avoir le plaisir de me revoir bien plus tôt qu'elle ne s'y attendait... »

Mon soulagement est grand. Je me sentais coupable de la situation de cette pauvre enfant. Et même si je sais que je ne peux pas croire à la parole d'un démon, je suis convaincue que Gabriel se chargera de lui rappeler sa promesse.

« Mais toi, jeune esprit, intervient alors Remiel, tu ne devrais plus être ici. »

J'avais complètement oublié qu'elle était encore parmi nous. Elle n'est pas partie avec les deux autres archanges, et je crois deviner pourquoi.

Remiel est un ange au front dégagé, aux longs cheveux noirs et aux yeux profonds d'un bleu tirant sur le violet. D'après les angiologues, c'est elle qui se charge de guider les âmes des mourants.

La panique me saisit, car je comprends que le moment est venu, et que je vais devoir partir. Je déteste les adieux. De toute mon âme.

« Ne résiste pas, dit Remiel. Tu es prête. Ça fait longtemps que tu l'es. »

Juste à ce moment-là s'ouvre devant moi, enfin, le tunnel de lumière. Un passage beau, éblouissant, qui m'attire irrésistiblement. Je commence à avancer malgré moi.

« Angelo... »

Je n'ai pas envie de partir, pas maintenant... pas sans lui...

Je le regarde, implorante, mais il sourit et dit :

« Vas-y. Vole. Sois libre, Cat. »

Je ne réponds pas, un peu déçue. C'est tout ?

Je lui lance un regard noir, mais il n'est plus là. Je ravale ma douleur et ma rage. Vous comprenez, maintenant, pourquoi je n'aime pas les adieux ? Parce qu'ils sont toujours plus courts qu'on le voudrait. Tellement courts que c'en est parfois humiliant. Comme cette fois-ci.

Je me tourne vers le tunnel de lumière, puisqu'il ne me reste rien d'autre à faire, mais une ombre se dresse entre lui et moi. Une ombre sinueuse, aux yeux rouges et aux grandes ailes de l'obscurité la plus noire. Paniquée, je recule, mais l'ombre s'approche de moi, et je ne vois pas comment je pourrais lui échapper.

« Je t'avais dit de ne pas partir sans me dire adieu, Cat ! lance une voix gouailleuse.

— Angelo ? »

Je jurerais que l'ombre sourit, mais bien entendu, je ne peux pas en être certaine.

« Je t'avais dit aussi que je pouvais passer à l'état spirituel si je le désirais. Pas très souvent, bien sûr, parce que je ne suis pas aussi fort qu'autrefois, et que ça requiert une bonne dose d'énergie... Mais cette fois-ci, je le désirais vraiment.

— Pourquoi ?

— Pour pouvoir faire ça. »

Et sans autre avertissement, il m'enveloppe de ses bras, de ses ailes, de tout son corps. Je réprime une exclamation de surprise. Je le sens, *je le sens*, et c'est bien plus intense que je ne l'imaginais. Je n'aurais jamais pensé dire ça un jour, mais c'est le plus beau cadeau qu'on m'ait jamais fait. Je ferme les yeux et je me laisse bercer. L'époque où je mourais d'envie que quelqu'un me prenne dans ses bras n'est pas très loin, et c'est comme s'il avait lu dans mes pensées. Cette étreinte dont j'avais tant besoin et que personne ne pouvait me donner est probablement la dernière de ma courte existence.

« Merci, je murmure.

— De quoi ? Je ne l'ai pas fait pour toi. Je l'ai fait pour moi, parce que j'en avais envie. Et c'est moi qui devrais te remercier.

— Me remercier ? À cause de moi, tu as été capturé, emprisonné, abattu à bout portant, torturé, menacé, et presque tué ! Tu ne me dois rien.

— Je te dois bien plus que tu ne l'imagines. Ça fait des siècles que je n'avais pas vécu des heures aussi passionnantes. Ça fait des siècles que rien ne stimulait mon imagination, que je n'avais plus personne à qui parler. Pour nous, Cat, l'ennui est le pire des maux. Et toi, consciemment ou non, tu m'as sauvé de ce mal le jour où tu m'as brandi ton épée sous le nez... Voilà pourquoi je te souhaite le meilleur. Et voilà pourquoi je crois... non, je *sais* que tu vas me manquer. Même si tu es humaine. »

Je ne m'attendais pas à cette confidence. Je ne sais pas si c'est le bon moment, ni si ça en vaut la peine, mais je dois lui dire... je dois lui dire ce que je ressens, parce que je n'en aurai plus jamais l'occasion. Et même si ça ne sert à rien, je veux le lui avouer avant de disparaître pour toujours.

Émue comme je suis, rien d'étonnant à ce que mes premiers mots soient un prodige d'éloquence :

« Angelo, je... tu... tu sais que je... »

Je n'arrive pas à terminer. Angelo semble pourtant comprendre, car il lève une main intangible, une main faite de ténèbres, et il caresse mon front fantomatique.

« Je sais. Et je l'accepte. Je partage tes sentiments, Cat. D'une certaine manière. Ce n'est pas comparable, bien sûr, parce que nous sommes différents, et que j'ai environ un million et demi d'années de plus que toi... »

Je ne m'attendais pas non plus qu'il me dise son âge. Je ne lui avais jamais posé la question, et je ne tenais pas vraiment à le savoir : c'est un nombre trop impressionnant, trop énorme. Et dire qu'il est encore jeune...

« Mais je partage tes sentiments, poursuit-il. Et je vais te faire une promesse que je tiendrai, tu peux en être certaine.

— Laquelle ? »

Mais le tunnel de lumière, qui m'attire avec de plus en plus de force, m'arrache aux bras immatériels d'Angelo. Je sais que Remiel, Gabriel et Astaroth doivent être en train de me saluer, mais je n'ai d'yeux que pour Angelo. À la place du visage que je n'oublierai jamais, je ne vois désormais qu'un contour, une ombre ; à la place de ses yeux gris comme un ciel tourmenté ne se trouvent que des fentes rouges. Mais c'est lui, je le sais. C'est sa véritable essence... que je redoute, que je déteste presque, mais que j'aime aussi, car elle fait partie de moi, de la nature, du monde.

« Quelle promesse ? » j'insiste, alors que le tunnel de lumière s'efforce de nous séparer, de détacher nos mains encore entrelacées.

Il sourit.

« Angelo ! » je crie, sans obtenir de réponse.

Ce n'est que quand nous nous lâchons enfin, quand ma main spectrale laisse échapper la sienne, quand le tunnel de lumière est sur le point de m'engloutir, que sa promesse résonne au plus profond de mon cœur :

« *Je t'attendrai.* »

Il m'attendra ? Où ? Quand ? Je voudrais poser ces questions, mais il n'est plus temps. Je suis absorbée par le tunnel de lumière, et je quitte enfin le monde qui m'a vue naître, avec l'espoir que les nouvelles générations en fassent un lieu plus accueillant pour tous, même si je ne serai plus là pour y assister.

Mais au-delà de mes vœux et de mes regrets, ma dernière pensée, inévitablement, est pour lui.

Angelo...

Épilogue

La lumière du matin se répandait sur le lit, créant une auréole blanche autour de la tête de Gabriel. Les cheveux châtains de l'ange, humides de sueur, recouvraient l'oreiller. Elle était épuisée, mais elle souriait. À ses côtés, Astaroth la contemplait avec une expression indéchiffrable.

Entre eux deux se trouvait un petit paquet enveloppé dans un lange. La nouvelle créature n'avait pas encore ouvert les yeux sur le monde qui venait de l'accueillir, mais elle gigotait déjà dans tous les sens, impatiente de l'explorer.

« C'est une fille, déclara Gabriel, émue.

— Elle est si petite... si fragile...

— C'est ta première fille humaine. Il est logique que tu remarques la différence. »

Le bébé bâilla. Ils sourirent.

« J'aimerais l'appeler Caterina, proposa Gabriel.

— Caterina ? Comme la fille d'Azazel ?

— Oui, en souvenir de la première enfant de l'équilibre. D'ailleurs, Azazel a bien choisi. Étymologiquement, Caterina signifie "pure".

— D'accord, acquiesça le démon après quelques instants de réflexion. Appelons-la Caterina. »

Il tendit l'index pour caresser le visage du nouveau-né. Elle fronça le nez et ouvrit enfin les yeux.

Il était encore trop tôt pour l'affirmer, mais Astaroth crut remarquer qu'ils étaient d'une couleur étonnante.

Vieil or, peut-être.

index des principaux anges

Nom	Rang	Rôle
Gabriel	**Archange**	Le plus beau et le plus doux des archanges. Messager de Dieu, Gabriel nourrit une affection particulière pour l'espèce humaine. Ange de l'Annonciation, Gabriel a partagé avec les hommes et les femmes de tout temps certains des plus grands mystères de l'univers.
Iah-Hel	**Ange**	Iah-Hel (ou Ismaël) est le père de Cat. On ne connaît pas grand-chose de son passé. En quinze ans passés avec sa fille, il ne lui a dit que peu de chose : s'il ne faisait aucun doute qu'il était un ange, les origines de Cat, et notamment l'identité de sa mère, sont toujours restées floues.

		Il consacrait sa vie à parcourir le monde à la recherche de Dieu, et préférait les vastes espaces naturels aux lieux sacrés. Les raisons pour lesquelles un démon ait pu vouloir s'attaquer à lui ne cessent de hanter sa fille. Que pouvait-il donc avoir à cacher ?
Métatron	**Roi des Anges**	La légende raconte que Métatron était la Voix de Dieu, le plus puissant de tous les anges. Toutefois, personne n'a eu de nouvelles de lui depuis bien longtemps. S'il était tellement puissant, l'idée que la Plaie ait pu lui coûter la vie est plus qu'inquiétante. Pour cette raison, beaucoup pensent qu'il ne s'agit que d'une légende.
Michel	**Archange**	Michel est l'un des sept archanges, le chef des anges guerriers et l'adversaire le plus fervent de Lucifer et des siens. Il refuse d'admettre que son espèce puisse être décimée par la Plaie ou les forces démoniaques... à moins que son acharnement au combat n'ait pour but de mourir dignement, en guerrier. On explique son peu d'implication dans les affaires humaines par le fait que, si les démons sont encore légion, les anges, eux, se font rares. Il a donc d'autres diables à fouetter.

Uriel	Archange	Uriel est l'ange de la Terre, celui qui aime le plus la Création, celui qui souffre le plus de sa détérioration. Quelques légendes disent qu'il est celui qui, épée de feu en main, a expulsé Adam et Ève du paradis. Faut-il les croire ?
Yeiazel	Ange	Combattant convaincu, il milite aux côtés de Michel et partage son opinion selon laquelle la priorité des anges doit être, toujours, en toute circonstance, la lutte contre les démons. Toutefois, il parvient à se ménager un peu de temps pour adopter une identité humaine et s'occuper d'une petite boutique de livres dans le vieux Madrid. Iah-Hel et lui étaient amis, c'est donc vers lui que se tourne Cat lorsque son père est assassiné.

index des principaux démons

Nom	Rang	Rôle
Angelo	**Démon**	Très jeune démon, selon les caractéristiques de son espèce. S'il a autrefois eu un grand pouvoir sur les hommes, il l'a évidemment perdu, ne se souvenant plus même de son ancien nom. Actuellement il consacre sa vie à jouir de son immortalité, qui commence cependant à s'avérer ennuyeuse et à manquer un peu d'action. Il ne se doute pas que jouer les enquêteurs auprès de Cat va provoquer toutes sortes de conséquences imprévues, et il ne tardera pas à se repentir d'avoir mis les pieds là où il n'aurait pas dû.

Azazel	**Démon**	Selon le Livre d'Hénoch, le fameux texte apocryphe, Azazel a été condamné à subir soixante-dix-sept mille années de souffrance pour avoir eu l'audace de procréer avec des humains et d'enseigner aux hommes des secrets interdits. Mais Azazel a-t-il réellement existé ? Existe-t-il encore ? Et si tel est le cas, jusqu'à quel point ceux qui lui ont fait vivre cet enfer continuent-ils à le haïr ?
Lucifer	**Roi des démons**	Nombreuses sont les légendes narrant l'histoire de Lucifer, le plus grand, le plus ancien et le plus puissant de tous les démons. Nul, en revanche, ne sait dire s'il est vraiment un ange déchu après s'être rebellé contre Dieu. Même si personne n'est encore jamais parvenu à lui arracher le trône, la rumeur court qu'un nouveau pouvoir pourrait émerger...
Nébiros	**Démon**	Il s'agit de l'un des démons les plus cruels qui existent. Il est responsable de la plupart des grandes pandémies infligées à l'humanité. Toutefois, la médecine moderne a neutralisé un grand nombre des virus qu'il a propagés. Il semble que Nébiros cherche aujourd'hui à élaborer une maladie d'une virulence sans précédent...

Nergal	Démon	Nergal a eu son heure de gloire mais est aujourd'hui quelque peu affaibli. Il œuvre donc au service d'Agaliarept, le Seigneur des Espions. Son réseau se déploie en tous les points du globe et on dit que rien ne se passe sans que lui et son Maître en soient informés. Le prix qu'il exige pour partager ses connaissances est élevé, mais son aide est toujours d'une grande valeur.
Orias	Démon	Orias est une sorte d'oracle, le seul de son espèce capable de voir le futur. Il vend ses prophéties aux anges, aux démons, voire aux humains, sans distinction... à condition qu'ils soient prêts à y mettre le prix. En des temps reculés, on le trouvait généralement en Afrique, mais il semble qu'il soit désormais installé quelque part en Extrême-Orient, entre Pékin et Shanghai.

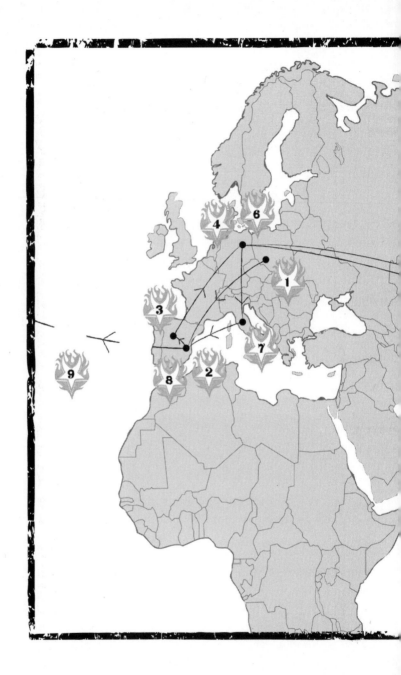